アメリカは内戦に向かうのか

バーバラ・F・ウォルター
井坂康志 訳

HOW CIVIL WARS START

AND HOW TO STOP THEM

Barbara F. Walter

東洋経済新報社

ゾリとリナへ

日本語版へのメッセージ

ここで述べられていることは、私たちの世界を取り巻く真実の姿にほかなりません。それらが日本で生活する皆様にとっても、遠からず訪れるであろう未来であることは否定できません。読者の皆様におかれましては、アメリカはじめ世界各地における切迫した現実を予め知っていただき、それらの経験を賢明に用いていただけることを願っています。

バーバラ・F・ウォルター

2023年1月

目次

第2章 暴動の発火点

第3章 「格下げ」がもたらす悪夢

第4章 希望が死ぬとき

第5章　暴動増幅装置——SNSの罠

第6章 足元に忍び寄る不吉な影

第7章 内戦——真実の姿

序章
今、内戦の時代が始まろうとしている

地下室の謀略

アダム・フォックスは、おもむろに床のカーペットをたくし上げる。ミシガン州グランド・ラピッズのヴァク・シャック真空機器店地下。隠し扉が仕込まれている。(1) フォックスは37歳、付き合っていた女性にたたき出されてからというもの、2匹の犬とともに、同店地下室で細々と生活している。店の主人は、フォックスが立ち直るまでという条件付きで、居候を許している。地下室は、書類棚、犬小屋、掃除機部品などで身の置き場もない。

フォックスはとかくむかつくことばかりだった。たんにホームレス生活に落ちぶれたためばかりとは言えない。現に彼がツキに見放されたのは何も今回が初めてではないからだ。高校卒業後、彼は先の会社で請負勤務しながら、とにもかくにもなけなしの給金で糊口をしのいでいた。

腹に据えかねていたのは、民主党の馬鹿どもだ。気が向いたときには、バラク・オバマやナンシー・ペロシへの口汚いツイートで、しばしのガス抜きをしていた。近年では、地元民兵団に参加して居場所を得たかに見えたが、あまりの口汚い政府への暴言と、仲間との嫌な口論で、結局はいられなくなってしまった。

今次、コロナ禍が広がっている。コロナはデトロイトやグランド・ラピッズをも直撃し、2020年3月23日には、ミシガン州知事グレッチェン・ホイットマーがロックダウンを宣言するに至った。(2)「ステイ・ホーム」は人影もまばらな地域にまで及んだ。4月下旬、規制再強化を見て取るや、フォックスは野球帽をかぶり、タクティカル・ベストに身を包み、ランシングの連邦議会議事堂を取り巻く数百名の抗議の列に加わった。[3] 多くは武装していた。

「規制は反アメリカ的」と共和党下院議員候補マイク・ディトマーは語気を荒らげる。そんな様子に彼は屋外で耳をそばだてていた。ディトマーは次のようにぶち上げた。[4]「われわれは、わが州、わが国の精神、伝統、そして自由を守るために戦っているのだ。ロックダウンをぶち壊せるかは私たちにかかっている」。その後で、デモ隊が下院の議場占拠になだれを打った中にフォックスの姿もあった。

しかし、事態は微動だにせず。週を経るにつれて、フォックスはそわそわし始めた。6月、彼はFacebookで動画をライブ配信し、昨今ジムが閉鎖されたことに不満をぶちまけ、ホイットマー州知事を権力に目がくらんだ「暴君クソ女」と吐き捨てた。[5]

「どうしようか。何とかしないとな」と呼びかける。間もなく、Facebook経由で、地元の民兵団「ウルヴァリン・ウォッチメン」率いるジョゼフ・モリソンとつながった。[6] モリソンは、フォックスによる準軍事組織の結成と訓練・武装援助に同意したとされている。

時を置かずフォックスは仲間をかき集める。その1人が、元海兵隊狙撃兵にして、人道方針勲章、対テロ奉仕勲章、海兵隊善行賞の受賞歴を持つさる人物だった。

さらにもう1人は、ミシガン州兵の未修了者ながら、基礎訓練参加歴を持つ人物だ。ある者は、民兵組織スリー・パーセンターズの一員であり、別の者はQアノンを支持した。もしくは、「プラウド・ボーイズ」のSNSをフォローしていた。

総勢14名。多くはフォックスと似たり寄ったりの思想信条の持ち主で、ロックダウン反対集会への参加歴もあった。ヴァク・シャック社の地下室がたまり場になった。フォックスは録音防止のために携帯電話を没収。モリソンの所有する1エーカーの土地に参集しては、銃器等訓練も行われた。毎週日曜日の午後、彼らは数百発の実弾を発射し、爆発物製造にいそしんだ。

ミシガン州知事誘拐・処刑計画

念頭にあったのは州議事堂襲撃だった。議員を人質にとり、数日のうちに処刑、あるいは州議事堂に関係者を閉じ込めて火を放つ。そんな論議で膝を突き合わせていた。

ふたを開けてみれば、州議事堂の守りは素晴らしく堅固だった。彼らは計画見直しを迫られた。

2020年11月の選挙前、州北部の別荘滞在中のホイットマー知事誘拐に計画は変更された。(7)

8月から9月にかけて、ホイットマー知事宅を監視し、実行にあたって警察の目くらましのために、近隣の橋梁爆破を考えていた。(8)

もちろん、FBIは愚かではない。同年初頭、SNS上のグループ活動は捜査官の発見するところとなり、オンライン上での潜入や盗聴・情報収集の請負人が募られた。9月までには、フォックスの予防的手立てなどあっさり踏み越えられて、FBIは1万3000ページに及ぶ暗号化されたテクストのほか、誘拐計画を証拠立てる写真、動画など100時間以上の音声がその手に収集されていた。２０２０年10月7日の晩、ＦＢＩはおとり捜査に踏み切った。犯行計画者の数名が武器購入目的で集まった際に、一網打尽。さらにヴァク・シャック地下室にも一気に踏み込まれ、十数か所で捜査令状が発行された。フォックス含む14名は、テロ、陰謀、武器使用であえなく逮捕となった。[9]

他方で、ヴァク・シャック社の経営者は、釈然としなかった。「もちろん奴が民兵の一員だということは知っていたさ」と記者に語る。「けどね、知事を誘拐しようなんてとんでもないこと、誰が思いつくってんだ。勘弁してほしいよ、マジ」[10]

逮捕劇の後、マスコミが関心を寄せたのは、犯行の動機だった。ミシガン州の民主・共和両党の主だった人々は、こぞって非難の意を表明した。その中で、トランプ大統領は、あろうことかホイットマー知事を批判、「まったくお粗末だな」とツイートした。[11]

もちろんフォックス自身に一点の曇りもなかった。ホイットマー知事を裁判し処刑する。このことは、「同じようなことを考える連中を刺激するためだった」とＦＢＩの取り調べで語っている。今こそ革命の時は来たれり。フォックスと仲間は社会を根底からぶっ壊すんだと。彼はある報道関係者に次のように述べた。「俺はね、この世界を輝かせたいんだ。それがこの世界を俺たちの手に取り戻すのになくてはならないんだ」[12]

内戦にはパターンがある

2020年秋、私がホイットマー知事誘拐計画を目にしたとき、何かぞわぞわしたものを感じはしたが、かといってものすごく驚いたかというとそうでもなかった。なぜなら、私が何十年も前から書き、考えてきたパターンそのままだったからだ。

これまでの75年間、それこそ何百もの内戦が勃発している。そして多くはぞっとするくらい似たり寄ったりの始まり方をしている。

私は内戦研究の中で、ヨルダン川西岸のハマス、北アイルランドの元シン・フェイン、コロンビアの元FARCなどの関係者から話を聞く機会を得てきた。ゴラン高原の頂から内戦の渦中にあるシリアを見下ろしたこともある。ロバート・ムガベ政権への軍クーデター計画のさなか、ジンバブエを車で横断したこともあった。ミャンマーでは時の軍事政権に尾行され、尋問された体験も持つ。イスラエル兵から機関銃で狙撃さえもされた。

私が研究に着手したのは1990年のことである。当時はほぼまともなデータは存在していなかった。スペイン、ギリシア、ナイジェリア、19世紀アメリカなどの内戦を取り扱った個別研究は少なからずあったが、国や時代を通して反復される共通要因に着目した研究はまず目にすることがなかった。誰もが、自国の内戦は特殊現象と考えていたからだ。どの内戦にも共通する危険因子にあえて目を向けようとする研究者はいなかったのだ。

だが、数年を経て、私たちの知的射程は拡大していった。冷戦が終結し世界各地で次々と内戦が勃発した。世界中の研究者が、紛争の持つ多様な側面についてデータ収集に着手した。その最大のプロジェクトは、現在スウェーデンのウプサラ大学にある。ノルウェーのオスロにある平和研究所（ＰＲＩＯ）と共同で設立されたスウェーデン研究評議会、スウェーデン銀行三百周年記念財団、スウェーデン国際開発協力庁、スウェーデン政府、世界銀行などからの研究資金援助を得て、腕に覚えのある研究者が、各国のネットワークを活用して、データ収集にいそしんでいる。

現在では、内戦勃発とその後の展開、犠牲者数、動機などについて、トリプル・チェックを経た数十に及ぶ高品質データがずらりと揃っていて、誰もがアクセス可能である。研究者は、それらを用いて内戦予測に資するパターンやリスク要因を世に問うてきた。過去のパターンから、未来に何を見ることになるのか。世界についての新たな知がそこにはあった。

２０１０年、ある論文が『アメリカン・ジャーナル・オブ・ポリティカル・サイエンス』に発表された[13]。１９９４年にアメリカ政府による招請を受けたデータ分析専門家からなる「政治的不安定性タスクフォース」（ＰＩＴＦ）による研究報告である[14]。同グループは、世界中の内戦データを収集し、不安定性の生起しやすいポイントを予測するモデルを構築した。

内戦勃発が予測しうるとの視点自体が革命的だった。２０１７年、筆者にも参加要請があったとき、いかなる躊躇もなかった。以来、ほぼ毎年、他の研究者や分析家とともに、研究部会や会合に参加し、シリア崩壊の危険性やアフリカの専制の未来など、世界を取り巻く政治変動を研究しながら、データによる予測可能性の向上を図ってきた。われわれの目標は、他国での紛争や不安定性を予測し、それらに対してアメリカが周到に反応可能とすることにある。

だが、私は一抹の不安にとらわれるようになった。不安定化に伴う兆候は、ここ10年間アメリカ国内で認められる状況そのものだったからだ。私はランシングでの出来事や２０２１年１月の連邦議会襲撃などを戦慄とともに目撃した。対して私は内戦がどのようにして勃発するのかを見てきた。それがうっかりスルーされてしまうときの兆しだって知っている。それらは驚くべき速さで現に表れつつある。

２０２０年のミシガン州での事件、白人民族主義者と反政府民兵による陰謀などはその兆候の一つである。21世紀の内戦は、過去の内戦とは一線を画している。広大な戦場も、軍も、戦術も消滅してしまった。今日の内戦は、異なる民族や宗教に依拠していて、ゲリラや民兵によって担われ、しばしば民間人が標的とされる。

ミシガン州の事件などはまさにそれだ。ミシガン州は、人種と地理において分断されている。デトロイトとフリントの二大都市はアフリカ系アメリカ人が多いものの、農村部では95％が白人である。州内での経済的後退は、とりわけ農村部住民の激しい不満を生む。怒りを呼び起こし、結果として過激化の要因ともなる。

また同州には反政府文化が濃厚に残存しており、他州との比較でも民兵は多く、暴力的結束は瞬時に可能である。[15] 内戦勃発の発火点がミシガンであっても何ら不思議はない。

標的は誰か

極右集団による誘拐未遂ごときが内戦の兆候などと聞かされたら、誰だって「まさか」と思うに違いない。

しかし、現代の内戦は、その「まさか」であって、民兵組織による直接行動が引火点となりうる。現代にあって、民兵は世界中の内戦を特徴づけている。シリアでは、反政府武装勢力と解放囚人の混成集団が、過激派組織ＩＳＩＳと共闘している。かつてシリア最大の反政府武装組織自由シリア軍でさえも、中央集権ではなく、何百にも及ぶ緩やかな小グループの混成によっていた[16]。ウクライナ内戦などは、盗賊、軍閥、民間の軍事会社、外国人傭兵、そして一般の反乱軍によって戦われている。アフガンやイエメンも事情は変わらない。正規の軍服を身にまとい、一糸乱れぬ統制行動による階層的な戦闘部隊が実力行使するなどという時代はもはや過去の話である。

今日の反政府武装勢力は、ゲリラ戦と組織化されたテロである。屋上に潜むスナイパー、自家製小包爆弾、トラックを狙い、道路脇にしのばせる爆発物などが武器の主たる顔ぶれである。ゲリラは、政府軍の兵士よりも、野党党首、ジャーナリスト、着任間もない警官などを引き入れようとする。イラクのアルカイダ指導者アブー・ムスアブ・アッ＝ザルカーウィーは、内戦のさなか、シーア派の支配する政府の協力者殺害のために、自爆テロを首謀した。ＩＳＩＳ指導者アブー・バクル・アル＝バグダーディーは、自動車爆弾を完璧に使いこなした。イスラエルへのハマスがとった主たる戦術は、ごくありふれた日常を送るイスラエル人を引き込もうとしていた。

アメリカ人の大半は、自国で再び南北戦争が勃発するなどありえようはずがないと思う。わが国民主主義は、内戦を回避しうるくらいには、柔軟で、また盤石なる政治体制を誇るものとうぬぼれている。あるいは、富裕かつ先進的であるために、自国にあえて刃向かうものなどいるはずがないと決めてかかっている。さらには百歩譲って、そのようなことが起こったとしても、瞬く間に政府によって鎮圧され、反対派にはいかなる蘇生の芽も残されないだろうと思っている。先に触れたホイットマー知事誘拐計画や、連邦議会襲撃事件さえも、ごく少数の過激派による不満が爆発した例外的出来事であり、大洋にぽっかりと浮かんだ孤島のごとき事件と思っている。

違う。

内戦というものがどのようにして火を噴くか、ただ「知らない」だけなのだ。

現代のアメリカがどれほど内戦に接近しているかを知るには、そもそもそれがどのようにして生起するのか、その条件を見定める必要があるだろう。

本書はそのために書かれた。

内戦は予測可能な形で発火し、瞬時に燃え盛るものである。ボスニア、ウクライナ、イラク、シリア、北アイルランド、イスラエルといったいずれにおいても、観察されるパターンは共通している。

次に、その共通のパターンを見ておこう。内戦はどこで、誰が始めるのか。何が直接の引火点となるのか。

同様に、どうすれば内戦を阻止できるのかも見ていこう。内戦が火を噴くにはじつにさまざまな要因が絡まり合う。さまざまな強風が一つになって嵐を構成するのと同じである。

私はアメリカにおける第二の南北戦争勃発の危険性に危機感を募らせるようになった。そのような暴風雨の鎮静要因を探るために一市民として専門的知見から何が学べるかという個人的動機により着手することになった。

事件は、私たちに何かを教えようとしている。私たちはあまりにも長きにわたり、平和は常に優位にあると信じてきた。国家的枠組みは盤石であり、またとにもかくにもアメリカは別格なのだとも。

しかし、私たちは、民主主義をそこにあるだけのありふれた存在と見なしてはならないし、さらには私たちは市民に付随する権力が存在することを知らなければならないことを学んだ。1月6日に起きたバイデン大統領就任式を狙った極右過激派の連邦議会襲撃事件や、パンデミックの世界的蔓延に便乗したフェイスマスクの政治利用など、のっぴきならない危険も存在している。しかし、さらに深部において激しくうごめいている力学がある、そこに私たちは目を向けなければならない。この10年で、わが国は経済的にも文化的にも、力関係で激変を遂げた。人口構成も変わった。不平等は拡大している。制度は脆弱化、一部の甘い汁を吸ってきた階級の利益を増大させるべく操作されてきた。市民はメディアの画面や政府の中で、デマゴギー（扇動を意図した誤情報の拡散行為）に搦め捕られている。世界中の民主主義国で見られるのはどこも似たり寄ったりだ。

いつ来るかわからない

私たちが移民の群れや、「キャンセル・カルチャー」（SNS上で、過去の言動などを理由に人物を指弾・追放する）にうつつを抜かしている間に、めきめきと力をつけてきたのが、暴力的な過激派、とりわけ極右であった。2008年以来、アメリカにおける過激派関連死者の7割以上が、極右や白人至上主義運動関係者によっている。[17] 過激派はたいていゆっくりと音もなく組織されていく。その増殖は誰からも知られることなく進行していく。[18]

メキシコのサパティスタ民族解放軍が12名の陣容をなすのに要したのはたった3年。30名のタミルの若者たちがスリランカの「タミル・イーラム解放の虎」を結成するまでに6年余り。[19] アルカイダ指導者たちは、マリ反乱に参加する以前には、何年もの間砂漠の部族に潜んでいたと見られ、その証拠は現在随所に存在している。

アメリカで、何かの集会で武器所持者や、抗議デモに現れた民兵を目にしたとしても、もはや驚かなくなっている。ペンシルベニア州のコンビニで南部連合旗が売られ、細い青線入りのアメリカ国旗、あらゆる種類の徽章もごくありふれた風景となった。

ローマ数字Ⅲの周囲に星の輪や、ヴァルクナット（白人至上主義のシンボルとして用いられる三角形を組み合わせたアイコン：訳者注）、ケルト十字などのバンパー・ステッカーなどは、もはや笑って済まされないものであることを、私たちは知りつつある。これらがアメリカの極右過激派のシンボルなのは火を見るより明らかだ。目に付く場所に現れ、声量を増し、何より危険な存在となっている。

アメリカは確かに特別な国だ。しかし、第二次世界大戦後勃発した無数の内戦を研究してきた筆者からすれば、紛争がこの国で起こるはずがないとは口が裂けても言えない。この国にも、憎悪があり失望がある。敵を組み敷こうという我欲だってある。私たちは、自らの生活様式を守るために、政治闘争を行う。脅威を感じれば武装だってする。そんな現実があるのだから、「いや、ありえないよ」とのお決まりの慰めに身をゆだねたくなるとき、私は研究の教えてくれる事実に素直に耳を傾けるようにしている。それが私たちに突き付けられた現実だからだ。

同様に、私はかつてベリナ・コヴァチさんに失政のもたらす惨禍と、いかに音もなく「それ」が訪れるものかを伺う機会があった。ベリナさんはサラエボで育った。丘陵をなす地方や、郊外などで民兵が組織され始めた。かつては同じ職場の仲間だった人々が、民族的中傷の対象としてベリナさんを標的にした。それでもベリナさんは出勤を続けた。結婚式があれば参列して、週末の休日を享受した。悪いことなど起こらないのだと自らに言い聞かせた。

1992年3月の晩、生後間もない息子と自宅でくつろいでいたとき、いきなり停電になった。

「そうして、やにわに機関銃の爆音が耳をつんざいたのです[20]」

ベリナさんはそう語ったのだった。

第1章

アノクラシー

——魔の中間地帯

「ありえないこと」が起こるとき

米軍がイラクに初攻撃した2003年3月19日、ヌールさんはバグダッド在住の高校2年生だった。13歳のときのこと、母国の指導者サダム・フセインがブッシュ大統領による戦争の脅威を声高に訴えるテレビ演説を彼女ははっきりと記憶していた。食卓では家族がアメリカが軍事介入してくるのではとささやき合っていた。

ヌールさんはどこにでもいる十代の女の子だった。ブリトニー・スピアーズ、バックストリート・ボーイズ、クリスティーナ・アギレラが好きだった。暇なときには、オプラやドクター・フィルのテレビ番組なんかもよく観ていたし、映画『マトリックス』は最高だった。バグダッドに米兵が現れる、そんなことがわずかでも頭をよぎることはなかった。確かにバグダッドでは、時に窮屈な思いもなかったわけではない。それでも、友達と遊んだり、公園まで散歩したり、動物園でお気に入りの動物とともに時を過ごすのが生活の中心だった。

そんなヌールさんにとって、ありえないことが起こっていた。

実際に起こったのは2週間後だった。ヌールさんの居住区に米兵が姿を現したのだ。昼過ぎに、戦闘機の爆音が耳に入ったのが最初だった。とるものもとりあえず母と姉たちの後を追うように屋上に退避した。空を見上げると、装甲車がパラシュートでゆらゆらと揺らめいているのが目に入った。「まるで映画みたいだった」とヌールさんは語った。(1)

数日後、通りを米兵が通過していくのを目にするようになった。ヌールさんは玄関先で見ていた。近所の人たちも同じように目を向けていた。みんな笑顔だった。米兵も笑みをもって返し、誰に対しても友好的に言葉を投げかけた。

「みんな喜んでいましたね。急に自由が降って湧いたのですから」。ヌールさんは思い出す。

それから1週間経つかたたないかの4月9日、イラクの人々はバグダッド中心部のフィルドス広場に参集していた。巨大なフセイン像をロープで巻き込んで、米兵の助力のもとに引き倒した。ヌールさんは思った。「私たちには新しい人生が待っているんだ。もっともっと素敵な人生が」

フセイン政権下での生活は過酷だった。ヌールさんの父は公務員だった。それでも他の国民同様生活は楽ではなかった。1980年代、フセインはイランとの戦争に敗北し、負債を負うことになった。90年、今度はクウェートに侵攻し、経済制裁を科されるようになると、さらに事態は悪化した。ヌールさんの家も、他の家族同様に、激しいインフレ、医療崩壊、食料・医療品不足にさんざん苦しめられた。誰もが恐怖の生活を強いられていた。

国民にとって、批判はもちろん政治の話題さえ禁句だった。壁には盗聴器が仕掛けられ、フセインの警備隊が常時監視体制を整えていると誰もが思っていた。事実、フセインは24年にわたる支配の間、敵に対しては残忍きわまりなかった。大統領や側近、バース党に対して批判的な言辞を弄しようものなら、死刑さえありえた。ジャーナリストは処刑されるか亡命を余儀なくされた。彼反体制派は、投獄されるか、行方不明になった。拷問を受けた人の話が市中でささやかれた。彼らは眼球をくり抜かれ、電気椅子に結び付けられ、しまいには絞首、斬首、銃殺で始末されたのだと。

しかし、今やアメリカ人がやってきたのだ。市民がフセイン像を引き倒した8カ月後、米軍はフセインが故郷ティクリート近郊の深さ3メートルの壕に潜伏しているのを発見した。意識は朦朧として目もうつろだった。アメリカの指導の下で、この国は生まれ変わり、西洋諸国における自由と機会を享受できると多くの国民が信じた。ヌールさんの家族も真の民主主義を夢見た。軍も、そしておそらく司法も改まるだろう。汚職は根絶され、石油利権をめぐる富は平等に分配されるに違いない。ヌールさんも家族も、独立系の新聞や衛星放送を胸躍らせて眺めた。フセイン軍の元大将ナジム・アルジャブーリは「私たちは自由を手にし、ヨーロッパ的なものに移行すると考える」と述べた[2]。

そうはならなかった。

すべてをなくした人々

フセインが捕縛されたとき、民主主義を研究領域とする専門家は、決して楽観していなかった。分断の激しい国が急激に民主化された場合、極端な不安定に陥るリスクが指摘されていたためだった。事実、あまりに急進的な変革がなされた場合、不安定化の危険性はきわめて高かった。米英は歓迎する人々に対しては、自由を供する準備があった。しかし、内戦の引火点として、それにまさる好餌はなかったのだ。

本来イラクは、民族的、宗教的な政治対立を抱えた国である。北部少数民族のクルド人は、フセイン政権時代に自治権を求めて長期の闘争を繰り返してきた。全人口の60％を占めるシーア派は、スンニ派のフセインおよび大半が同派のバース党による支配に激しい不満を募らせていた。数十年にわたり、フセインは政府をスンニ派で固め、宗教や宗派にかかわりなく職を得るにはバース党員たることを必須とし、その条件を満たさない者には治安部隊を差し向けて殺害をほのめかすことで、少数派としての権力を維持してきた。

イラク侵攻からわずか2カ月半にして、国民は宗派を超えた争いの渦中にあった。一因は、アメリカ政府による二つの宿命的な決断にあった。イラク暫定政府責任者ポール・ブレマーは、イラクの急速な民主化を企図してバース党を非合法化し、フセイン政権に参画したほぼ全員にあたるスンニ派を権力の座から永久に排除するよう命じた。[3] 軍は解散、数十万のスンニ派兵を帰郷させた。

一瞬にして新政府樹立を前に、数万ものバース党官僚が権力の座から引きずり降ろされた。35万以上の将校や兵はあっけなく生計の資を失った。[4] バース党員を雇用条件とした教員など8万5000名の一般市民が一夜にして職をなくした。スンニ派だったヌールさんは国中に激震が走った瞬間をはっきりと記憶していた。

一方で、フセイン政権でさんざん権力から締め出されてきた人たちからすれば、千載一遇のチャンスだった。亡命先から帰国したシーア派のヌーリ・アッ＝マリキや、イラクのイスラム化を目指すムクタダー・アッ＝サドルなどは、たちまちにして盛大に政争を繰り広げることとなった。アメリカの期待するところでは、スンニ派、シーア派、クルド人の間で、権力分担の取り決めがあったが、結局のところマリキの要求が受け入れられるところとなった。マリキは国民同様に、シーア派多数の政府を希望していた。ヌールさんにとってみれば、結果として手にしたものは民主主義とは似ても似つかなかった。権力闘争が生み出したカオスにほかならなかった。

イラクの一般市民、とりわけスンニ派の人々の心にはある種のかげりが生じていた。かりに多数派であるシーア派が政権を獲得した場合、少数派のスンニ派が危害を免れることは可能か。仕事や原油収入を手にするだけの理由が彼らにあるか。フセインによる積年の恨みつらみから、自分たちの身を守ってくれるものはあるか。元バース党党首、諜報機関職員、軍将校、そしてスンニ派指導層は、新たな民主体制下での権力保持のためには、何らかの行動が不可欠と気づくのにさしたる時間は要しなかった。

2003年夏には、早々に反乱軍が組織され始めていた。[5] 都市部や農村部ではスンニ派市民による政治的経済的不満は高まりつつあった。仲間を見出すのにさしたる困難はなかった。あるスンニ派市民はこんなことを口にした。「われわれは体制の上位にいました。夢だってあったんです。今や私たちは負け犬だ。地位も、家族の身の安全も、安定もきれいさっぱりなくしてしまいました」[6]

スンニ派反乱軍は、米軍を標的とはしなかった。立ち向かうにはあまりに重武装だったためである。彼らが衝いたのは弱いところだった。米軍を支援する個人やグループである。中には治安部隊に加入したシーア派市民や、政治家、国連などの機関の人々も含まれていた。反乱軍は、米軍占領への支持を挫き、孤立化を促そうとした。直接的に米軍を対象に攻撃が行われるようになったのは後の話である。重要な補給路の傍らに、手軽ながら効果抜群の爆弾を仕込むなどがそれだった。2003年12月、ついにフセインが捕縛されたときには、ゲリラ戦が国全体を席巻していた。

暴力が日常になるとき

2004年4月には、戦闘は激化、シーア派は政権を窺うようになっていた。[7] わけても悪名高いムクタダー・アッ＝サドル率いるシーア派民兵などは、占領軍に憤激する民族主義者を盛んに糾合し、支持を拡大していった。サドルもまたアメリカの同盟国や軍を標的に、撤退を促した。2005年1月の初議会選挙にあたって、スンニ派が政府内で第一党になれないのは火を見るより明らかだった。アメリカが憲法を強化し、マリキの権力抑制のために介入してくれるのではとの期待もなかったわけではない。しかし、アメリカはイラクにおける長期関与に懸念を抱いており、ほぼ介入らしい介入は行わなかった。

連合軍への暴力的な抵抗が激化していくとともに、同国人間の闘争も激甚を極めていった。イラク人は地域や宗教ごとに数十もの民兵組織に分裂し、国の支配権獲得のために争っていた。多くは地元からの支持を得ており、海外からの資金や武器も流れ込んでいた。ヌールさんは振り返る。「サウジアラビアはスンニ派民兵を支援していましたし、イランはシーア派民兵を支援していました。サドルはさかんに自己宣伝していました。どこの人たちも、どちらかの側についていたのです(8)」

間もなくヌールさんにとって、おちおち買い物にさえ出歩けない日常がやって来た。敵対する民兵同士がそれぞれの占拠地をめぐって争い、狙撃手は道行く人へも銃口を向けた。道脇の爆弾や軍事検問はごくありふれた日常と化していた。ヌールさんが友人たちと週末を過ごした動物園で、動物たちはおおむね餓死したか、食料にされていた(9)。ヌールさんも家族もどうしようもなかった。できることは、比較的安全な親戚の家に身を寄せるくらいだった。2007年には、バグダッドで安全と言える場所はなくなっていた。みんなでダマスカスまで出て、しばし人心地がついた。彼らにとって、さして遠くない未来、シリアでも、内戦のもたらす血と混沌が市街を覆い尽くそうとは夢想だにできなかった。

米軍がフセインを権力の座から引きずり下ろし、民主体制を築くのにかかった時間はわずかに数カ月だった。しかし直後には、10年以上も続く内戦の惨禍に突入していくことになった。独裁者の銅像が無惨にも引き倒されたように、ヌールさんの抱いた希望、新たな声、権利、夢もことごとく砕け散った。

民主化の波と内戦

これまでの1世紀、この世界は人類史でも稀有な自由と政治的権利の拡大を経験してきた。1900年、民主主義国家などほぼ存在しなかった。しかし、1948年になると、各国の指導的地位にある人々は、世界人権宣言を採択し、国連への加盟に同意署名した。[10] あらゆる人々が自国政府に参加する権利を持ち、併せて言論、信教、平和のための結社の権利を持つようになった。性別、言語、人種、肌の色、宗教、門地、政治的主張にかかわりなく、人間は権利を持つとしている。今日では、世界のほぼ60％が民主主義国となっている。[11]

自由民主主義の市民は、非民主主義よりも、多くの政治的市民的権利を保持する。彼らは自国政治に参与し、差別や抑圧から保護され、国家の保有資源を豊かに享受している。また、専制国家の居住者よりも、幸福度は概して高く、経済状況や教育水準において恵まれていて、かつ一般的に長寿である。中東、中央アジア、アフリカなどの抑圧的な国家を脱出した難民が、命懸けでヨーロッパを目指すのもそのためである。同様にそのことは、ブッシュ大統領によるイラク侵攻後、アメリカが中東の中心に自由な国を築き、世界民主主義革命が見事に成し遂げられると確信した理由をも裏書きする。[12]

民主政治の優れた点はもう一つある。整備された民主主義国家は、自国民はもとより、他の民主主義国家に対して、武器を手にして実力行使に出る危険は低い。民主主義の内容や形態のイメージは人それぞれだ。時には、同意と妥協が避けて通れないことにいらつきさえするかもしれない。それでも、民主主義か独裁のいずれかを選べと言われたら、ほとんどすべての人は諸手を挙げて民主主義を選ぶに違いない。[13]

だが、道のりはお世辞にも平らかなものとは言えない。90年代初頭、世界の研究者が内戦関連のデータ収集に乗り出したとき、心惹かれる相関関係が見出されている。第二次世界大戦終結時の１９４６年以降、民主主義国家は世界的に激増していったが、同時に内戦もまた頻発するようになっていったのがそれだ。[14] 上昇カーブはほとんど縦真っ二つに並ぶように見えた。

民主化をめぐる第一の波は１８７０年であり、アメリカや中南米の国々の多くが、市民が政治改革を要求するようになった時期である。黒人は復興期に一時的な権利を付与されたものの、１９６０年代まで、アメリカの民主主義のフル・メンバーたりえなかった。

第二の波は、第二次世界大戦直後、敗戦国やポスト・コロニアル諸国が自律的に民主国家創設に着手した時期である。

第三の波は、70年、80年、90年代に、東アジア、南米、東欧と南欧を経て、30を超える国々が民主国家へと移行した時期である。直近の波は２００３年のアメリカによるイラク攻撃に端を発して、「アラブの春」のデモが中東から北アフリカへと拡大する中で、勢いを増していった。

民主化と軌を一にして、内戦も頻度を増した。１８７０年代、内戦を経験した国などほぼ存在しなかった。[15] １９９２年に至っては、50を超える国々が内戦を経験している。ユーゴスラビアでは、セルビア人、クロアチア人、ボスニア人（ボスニア在住のイスラム教徒）が、互いに反目し、亀裂を深めていった。[16]

アルジェリアでは、イスラム教徒の反政府勢力が、反旗を翻していた。ソマリアやコンゴでは、支配に抗する複数の武装勢力に脅かされることになった。ジョージアやタジキスタンも事情は変わらなかった。ルワンダやブルンジでは、やがてフツ人とツチ人の凄惨な殺し合いを見た。かくして90年代初頭、世界各所で頻発した内戦数は、現代史上最高レベルに到達したのである。

内戦への新たな流れ

だが、そう言いうるのも、「現在までは」との留保を要するだろう。というのも、2019年に私たちは内戦時代ともいうべきものを目にすることになるためである。[17]

現在、次のようなことが判明している。すなわち、一つの国家が内戦を経験するかどうかを予測する要因の一つとして、その国が民主主義に向かっているか、あるいは民主主義から離反しているかを見るということである。[18]そう、まさしく民主主義こそが要なのだ。専制から民主主義への移行の中で、抜き差しならぬ難所に際会せずにすむ国などほぼ存在しない。指導的地位にある者による民主化への試みは、多くの場合、大幅な退行や、疑似専制的な中間地帯を包含する。

市民が完全に近い民主主義を手にすることにかりに成功したとしても、政府が抵抗しないなどおよそありえない想定である。自称専制君主のような者が現れて、権利や自由を反古にして、自身に権力を集中させ、民主主義を骨抜きにするようなことはしばしば起こる。ハンガリーなどは1990年に一度完全に近い民主主義国家を作り上げたが、首相だったヴィクトル・オルバンは、徐々に、しかも計画的に、専制国家へと退行させていった。内戦が発生するのは、まさにこのような中間的局面においてなのである。(19)

研究者はこの中間地帯に位置する国家を称して、「アノクラシー」と呼ぶ。アノクラシーとは、完全な専制国家ではない。また民主国家でもない。まさに両者の中間にある状態を指している。(20)ノースウェスタン大学のテッド・ロバート・ガー教授は、1974年に政府の民主国家と専制国家の特徴をなす要因を世界規模で調査し、その上で作り出した概念がアノクラシーである。その研究に先立ち、ガー教授の研究チームにあって、このようなハイブリッドな政治形態にいかなる名称を与えるべきかについての議論があった。時に「過渡的」との語も用いられたが、最終的にアノクラシーに落ち着いた。そのような国においては、市民は投票権の保持を通して、民主的な統治形態の中にいる。だが、同時に権威主義的権限をも保持し、その監視や抑制均衡の機能しない指導者のもとに生きている。

内戦の専門研究者の間では、長らくアノクラシーと内戦の関係は知られていた。だからこそ、2003年においてブッシュ政権が行った、イラクを専制から民主主義へと転換させる政策に対して批判的だったのだ。筆者らは、同国の巨大な政治的移行がむしろ内戦を誘発する方向に導くだろうと睨んでいた。前世紀で世界中嫌というほど繰り返されたこのパターンはあまりに軽視され過ぎていた。

1991年にユーゴスラビア民主化が始まるや、セルビア人はほぼ瞬時にクロアチア人と戦闘状態になった。1930年代のスペインも同様だった。1931年6月挙行された初の民主選挙で、国民は民主主義を知った。わずか5年後、軍が政権転覆を企図したクーデターを起こすや、国民はいっせいに蜂起した。[21] ルワンダは民主化への計画を掲げ、それを契機として、フツ人によるツチ人の大殺戮が行われた。

イラク、リビア、シリア、イエメンなど、現在私たちが目にしている巨大内戦が、民主化への試みに端を発しているのは偶然ではない。

非自由主義的民主主義

ある体制を民主主義、専制、アノクラシーいずれかに分類するのはなかなかに骨の折れる作業である。研究者は、何十年もの時間を費やして、世界の政府類型と、時間の経過に伴う変遷についての詳細な情報を蓄積してきた。大がかりなデータ・セットが複数存在している。それぞれは異なる変数を測定しているものの、内戦研究者の多くは、民主主義と政治暴動の定量分析を支援するNPO「センター・フォー・システミック・ピース」の政体プロジェクトによるものを活用する傾向が高い。それが先のテッド・ガーによるプロジェクトであり、現在は彼の元同僚モンティ・マーシャルがリーダーを務めている。これらのデータ・セットは歴史的に長期の時間軸によっており、また分析対象もきわめて豊富である。統計を用いて、その国の統治システムについての定量分析を試みた最初の一つとして有効性は高い[22]。

なかでも最も高い有効性を持つ指標の一つが、「ポリティ・インデックス」である。ある国がどの程度まで民主的か、あるいは専制的かを該当の年ごとに把握しようとする。－10（最も専制的）～＋10（最も民主的）の21段階で評価される。6～10点であれば、完全な民主主義国家と見なされる。たとえば、＋10であれば、国政選挙も、自由かつ公正と認定され、また特定の社会集団が政治過程から組織的に締め出されてはおらず、主要政党は安定的であり、多数の有権者を基盤としていると考える。当てはまる国は、ノルウェー、ニュージーランド、デンマーク、カナダである。近年までアメリカもすべて＋10だった。

同指標の対極にあるのが、専制国家である。スコアが－6～－10であれば、専制国家と見なされる。北朝鮮、サウジアラビア、バーレーンなどは－10であり、国民は政治的リーダーの選出から締め出されており、リーダーは恣意的な政治を行う。

アノクラシーはまさにその中間に位置する。－5～＋5のスコアである。アノクラシーでは、国民は多くの場合選挙を通して民主的統治に関与するが、他方で権威主義的な政治権力の多くを手中に収める大統領などが現れることもある。ファリード・ザカリアはこのような政府を「非自由主義的民主主義」と呼ぶ[23]。あるいは、部分的民主主義、偽民主主義、もしくはハイブリッド政権と見てもよいだろう。

2017年、トルコは市民投票によって憲法を改正し、大統領のレジェップ・タイイップ・エルドアンにほぼ全権を付与したことで、アノクラシー国家となった。同年、ジンバブエでは、ロバート・ムガベ大統領が辞任し、民主化への道を堂々と歩むかに思われたが、その後選挙をめぐる暴動などを見る限り、昔ながらの政治弾圧に回帰している。イラクも完全な民主化には至らなかった。これもまたアノクラシーであろう。

CIAがアノクラシーと暴動との関係を見出したのは、1994年のことだった。[24] アメリカ政府は、同機関に対し、政情不安や武力衝突発生ポイントをその2年前に予測可能とするモデルの開発を要請した。ある国家が暴動に走る上で警告たりうる兆候は何なのだろうか。その兆候を最も頻繁に示す国家を、アメリカ政府は監視リストに付記することになった。

後に筆者も合流することになる「政治的不安定性タスクフォース」が立ち上げられ、貧困、民族多様性、人口規模、不平等、腐敗など、38もの政治的、経済的、社会的変数による予測モデルへと落とし込まれた。誰もが驚きを隠さなかったのは――あるいは予期されていたことなのかもしれないが――不安定性を雄弁に示したのは、不平等や貧困ではなかったことだった。国家のポリティ・インデックスに伴うスコアとして、最も警戒を要するのが、「アノクラシー・ゾーン」だったのだ。アノクラシーにあっては、特に専制ではなく、民主制を保持する国家、同タスクフォースが「部分的民主主義」と呼ぶ国家では、政情不安と内戦に至る危険性は、専制国家の2倍、民主主義国家の3倍にも及んでいたのである。[25]

研究者が内戦勃発に直結すると踏んだ要因は、なぜかそれとは異なっていた。内戦リスクの最も高い国は、最貧国でも不平等国でもなかったからだ。民族的・宗教的に多様な国でも、抑圧度の高い国でもなかった。むしろ部分的民主主義の政治社会において、市民は銃を手にし、戦闘に手を染める危険性が高かった。

フセインは24年間政権の座にあった。その間、大規模な内戦が起こったかというとそうではない。イラクが戦闘状態に突入したのは、政府が解体され、権力が返上された後、すなわち－9から中間領域に移行したときだった。

「獲得する人々」と「喪失する人々」

なぜ、アノクラシーにあって、内戦の危機に晒されるのか。そのような中間地帯をうまく乗り越えた政府や市民を仔細に観察するならば、いくつかのポイントが見えてくる。アノクラシーには紛争を激しく昂進させる急所が存在しているのである。

民主化に移行しつつある政府は、政治的、制度的、軍事的な観点からしても、従来より弱体化している。専制と異なり、アノクラシー下の政治指導者は、忠誠を獲得するほどの十分な権力的求心力や冷酷性を保持しない場合が多い。さらには、政府において、しばしば秩序の確保に心を砕き、内部分裂に頭を痛め、基本的な行政サービスの提供や安全保障もままならない事態もざらではない。野党や党内の抵抗勢力は雲霞のごとくいるので、新指導者は市民や他の政治家、軍幹部との信頼関係を速やかに取り結ばなければならない。しかし、移行期にあって、指導者はしばしばそのような課題達成に失敗する。

私はヌールさんに尋ねたことがある。イラクの政権交代時はどうであったか。ヌールさんは他の多くのイラク人と同様の不安を口にした。[26]「マリキが政権を握って、何をしたというのでしょう。ゼロです。誰もがマリキにははらわたが煮えくり返っています。仕事はないし、家族は食べていけません。マリキはいったい何をしたかったのでしょうか」

そんな綻びが、内戦にとって格好の発火点となる。性急な市民、不満の吐口を探す軍人、ここぞとばかりに野心を露わにする輩など、新政権に楯突く理由などそれこそ星の数ほどもある。一例を挙げるならば、ウガンダの元反乱軍指導者は、政府諜報の無能を知ってからというもの、暴力の組織化がぐんぐん推し進められていったと認めている。彼らは、反乱計画が察知される危険性が低いと知るや、その綻びを衝いて実行に及んだのだった。[27]

ソ連崩壊後の1991年、独立後初の民主選挙が施行されたジョージアでも同様の事態が起こっている。改革派のズヴィアド・ガムサフルディアが大統領に選出されたものの、その権威主義を批判する反対派と民族的少数派オセチア人、アブハジア人の間で政府の正統性に疑念が持たれるや、瞬く間に暗礁に乗り上げてしまったからだ。翌年には反体制派武装勢力がクーデターを起こし、ガムサフルディア政権を打倒した。[28]さらに半年も経ないうちに、今度はジョージア人とアブハジア人との間で激しい武力衝突が巻き起こった。1993年には、この新生国家はあえなく内戦状態に突入してしまった。

反乱行動を基礎づける第一の原因は、民主主義への移行が生み出す、新たな勝者と敗者の存在である。専制から脱し、それまで十分な権利にあずかることのできなかった市民がそれを手にする一方、権力の座にあった人々は持てるものをすっかり失う。アノクラシー政府は元来脆弱であり、法治も未整備であることが一般である。そのため、従来の特権階級、反対派指導者などかつて権力を享受していた市民の側から見れば、行政の公平性や、それによる身の安全確保に確信を持てない。このことは、将来に対して、深刻な不安を引き起こす。

敗者の方は、現政治指導者による民主化への試みを受け入れられない。自分たちが保有していた権利などが大いに割を食っていると感じてしまう。まさにこの事態が、アメリカがマリキに政権を継承させたとき、スンニ派間で持たれた共通の不安であった。彼らは、もはや多数派となったシーア派を従わせるいかなる力も手のひらに残っていない事実を正確に理解した。同様の観点からすれば、敵対勢力の権力基盤が盤石になるのを見届けるくらいなら、多少とも力のあるうちにぶっ叩いておいた方がよいに決まっている。

東ティモール独立に見る内戦パターン

そのとき政府基盤が脆弱であるならば、事態は容易に制御不能となるのは火を見るより明らかである。同じことはインドネシアでも起こっている。たとえば１９９７年のアジア通貨危機の後の、権威主義的なスハルト政権時である。[29]後継者B・J・ハビビ副大統領は、就任後わずか数週で、あまりに急進的な改革を断行している。政党結成に自由が与えられ、報道規制は撤廃された。政治犯は釈放、議会と大統領選挙の自由かつ公正に実施される道筋が示された。[30]かくして、1999年1月27日、それまで一貫して拒否し続けられたものが、手のひらを返されるように、東ティモール独立の表明となった。

しかし、それに乗じて、国内の不満分子が、連鎖的に政権奪取に打って出るようになった。間もなく、イスラム化に反発してきたマルク州のキリスト教徒のアンボン人が独立共和国の樹立を宣言するに至った。[31]長期にわたりインドネシアの支配下にあった西パプアも独立への声を高めていた。他方で、アチェ州では火を噴き始めた。「東ティモールに自由が与えられたのだ。次がアチェであっていけない理由はないはずだ[32]」

ハビビ政権にはなすすべもなかった。ついに収拾がつかなくなり、数州との独立交渉は打ち切られ、他州では政府による弾圧さえ許可された。ついにインドネシアでは、マルク州におけるイスラム教徒とキリスト教徒、東ティモールとインドネシアの準軍事組織アチェの分離独立運動と政府など、内戦の泥沼に引きずり込まれていった。

民主化に伴う痛々しい現実とは、改革が迅速で断固たるものであるほどに、内戦の危険性は高まる点にある。あまりに性急な政権交代（ポリティ・インデックスで見ると6ポイント以上の変動）は、ほぼ確実に不安定化を助長し、改革後2年以内に深刻な内戦が火を噴く危険性は高い。[33]

一例を挙げるなら、エチオピアにおける近年の暴動と内戦の激化は、急速な民主化の結果にほかならない[34]。2018年、国内最大の民族オロモ人は、2年に及ぶ抗議活動の結果として、ハイレマリアム・デサレン首相から、オロモ人出身のアビー・アハメド・アリへの政権交代の合意がなされ、宿願が達成された。アビー首相は民主主義者からすれば、夢だった。自由で公正な選挙は公約され、合法的かつ包括的な政治制度が確立され、海外に亡命していたオロモの人々は故郷に呼び戻された。その改革は、アジスアベバ在住のアメリカ人外交官の言を借りるならば、「想像の範疇を超えるもの」だった[35]。

だが、母国に戻った指導者たちは、復讐心をたぎらせ、まったく新たな特権階級と化していった。軍弱体化に伴い、元兵士は容易に扇動されていった。アビーは、同国の行政区画に権力を再配分し、対立する民族集団同士の権力を競争させるインセンティブ制度をつくった。暴動が発生したのは、わずか5カ月後のことだった。亡命者帰国を祝するオロモの若者たちが、突然暴徒と化したのだ。結果として死者は数十名、そして数千名に上るケニアへの国外逃亡を見ることとなった。この紛争は特別な驚異として受けとめられた。というのも、現地エチオピア人専門家の言を借りるならば、「民主化は、とんでもない次元で実行された」ためだった[36]。開放はあまりに性急だったのだ。現在では、ティグライ地方で本格的な内戦が火を噴き、アビーによって粛清された元政府高官たちが、近年喪失した権力の回復を求めて反乱を先導している[37]。

だが、民主化そのものは受け入れられてしかるべきものだ。道のりは厳しいが、腰を据えて、漸進的に政治体制を整えていけば、内戦の危険は低くなる。メキシコなどは、比較的平和裏に民主化を行った国の一つである。[38] 移行期間は約20年、1982年から2000年、国民行動党（PAN）が1929年以来初めて野党として大統領選に勝利するまで続いた。国家基盤は強固であり、民主主義成熟までの期間、その機能は堅持された。

穏健な改革は、国民にとっての不確実性を低くする。そのことが、現職支配層への脅威となることなく、かえって融和的空気を醸成し、権力を潔く移譲させる機会ともなる。結果として暴動なども起こりにくくなる。

魔の中間地帯

近年までは、アノクラシーの危険水域に突入する国は、イラクを想像すればわかるように、専制が打倒されたか、もしくは抗議運動に屈して政権が民主化の受容を余儀なくされたかの二つに一つだった。しかし、ほぼ民主化の進展から半世紀を経た現在、新たな民主主義国家は逆方向に進み始めている。かつては安定した自由民主主義国であったベルギーやイギリスでさえも、ポリティ・インデックスのスコアは低落傾向にある。[39] 2000年以降、選挙で政権獲得した民主的指導者は、権威主義的統治を強化し始めている。内戦を研究してきたわれわれは一様にこの傾向に懸念を覚える。このような民主主義の後退傾向は、必然的に中間地帯の拡大を意味するためである。[40]

ポーランドで同様の事象が起こっている。2015年の選挙で法と正義は勝利し、その後に大統領、首相、副首相は、裁判所の統制、言論の自由の制限に組織的に着手した。政敵を標的として、選挙管理委員会の弱体化も確認されている。

ハンガリーでは、オルバン首相がEU加盟国初の非民主化傾向へと着実に変容している。マスコミを統制し、民主化政党にはカフカ的夢魔のごとき規制を課し、反対意見を無化させる政策を推し進めている。(41) 2018年の国民投票ではオルバンとその政党が勝利したとされているが、国際監視によれば、野党は不公平な戦いを強いられたと報告されている。(42)

世界の民主主義を探索するV-Dem研究所*によれば、ブラジル、インド、アメリカなど25カ国は国際的な専制化の中で尋常ならざる影響を被っているという。(43)

このように民主主義国がアノクラシーに引き込まれていくのは、多くの指導者が政権の継承と組織化に血道を上げる中、その成果が希薄であったためではない。反対に多くの場合、選出時点で広範に人気を博した指導者が、民主主義を保護する「安全装置」を踏み越え、なきがごとくに行動することによる。(44)

大統領への制約、政府機関間の相互監視と抑制、報道による説明責任の要求、公正かつ公開の政治的競争などがその「安全装置」に相当する。オルバン、エルドアン、プーチンあるいはブラジルのジャイル・ボルソナロのような独裁予備群とも言える指導者たちは、民主主義の健全性よりも、自身の政治目標を優先してしまう。結果として、雇用、移民、治安などの市民の抱く脅威に付け込んで支持を集める。

このような指導者は、従来の民主主義が、山ほどの汚職、虚言、経済社会における失政の元凶だと強弁して、市民の説得に成功する。政治的妥協は無意味だ、それこそが政府を失敗に陥れてきたのだと連呼する。「強いリーダーシップ」「法と秩序」を死守すべきなのだと説得できさえすれば、政権の座は労なくして手に入ることを彼らはよく知っている。身の安全さえ保証されると

＊当該国の統治システムを測定するにあたり、広汎な利用に供されている三つのデータ・セットが存在している。ポリティＶ、フリーダム・ハウス、Ｖ–Ｄｅｍである。それぞれのデータ・セットは、固有の民主主義の定義に準拠しており、異なるアプローチで民主主義を測定する。(45)
一例として、ポリティＶは、多様な類型の政府と政治制度の耐用性に関心を持つ。結果として、当該国の民主主義的、専制的特性に焦点を当てている。

Ｖ–Ｄｅｍは２０１４年に導入されたデータ・セットである。こちらは世界の民主主義に必須の多様性の解明に強い関心を持つ。民主主義には5つの次元、すなわち、①選挙制度的次元、②参加的次元、③平等主義的次元、④審議的次元、⑤自由主義的次元が包含されると考える。

フリーダム・ハウスは、個の自由に焦点を当て、市民の政治的権利や自由に伴う詳細な指標を包含する。これらの相違にもかかわらず、それぞれのデータ・セットに見る分類方法や、民主主義指標間の高い相互の関係性において、高次元における一致点が存在することが専門研究者の間で確認されている。

思えば、人は自由をも差し出すからだ。

一度権力の座に就くや、そうした独裁予備群の指導者は、憲法、選挙制度、司法の弱点を巧みに衝くことで、アノクラシーへと引き込んでいく。一般的に、党利党略による行政命令など、形式的には合法的に行われるために、他の政治家が止めようとしても止めようのない方法で、権力は強化されていく。かくして独裁化が進展していくならば、内戦の危険はいや増しに高まっていく。

危険が頂点に達するとき

危険が頂点に達するのは、－1〜＋1のゾーンの中間点あたりである。制度的な強靭性と正統性の両面において、政府が最も弱体化していると考えられる点に相当する。

民主化の初期段階に位置する専制国家では、内戦に至るリスクは比較的低い。－1に低下するまで、内戦のリスクが急増することはない。たとえば、ポリティ・インデックスのスコアが－6を起点とする国が改革の実行とともにスコアを上昇させていく中、民主化への道半ばで火を噴くことがある。この難所を越えて、さらに有効性の高い民主化改革を軌道に乗せることができれば、内戦リスクは急激に反転していく。

民主主義の衰微を見たほぼその瞬間に内戦リスクは激増する。[46] 行政機能の抑制、法の支配の脆弱化、投票権の弱体化など、民主主義国家におけるポリティ・インデックスが低下していくほど

図　政治体制と内戦勃発の関係（1955～2018年）

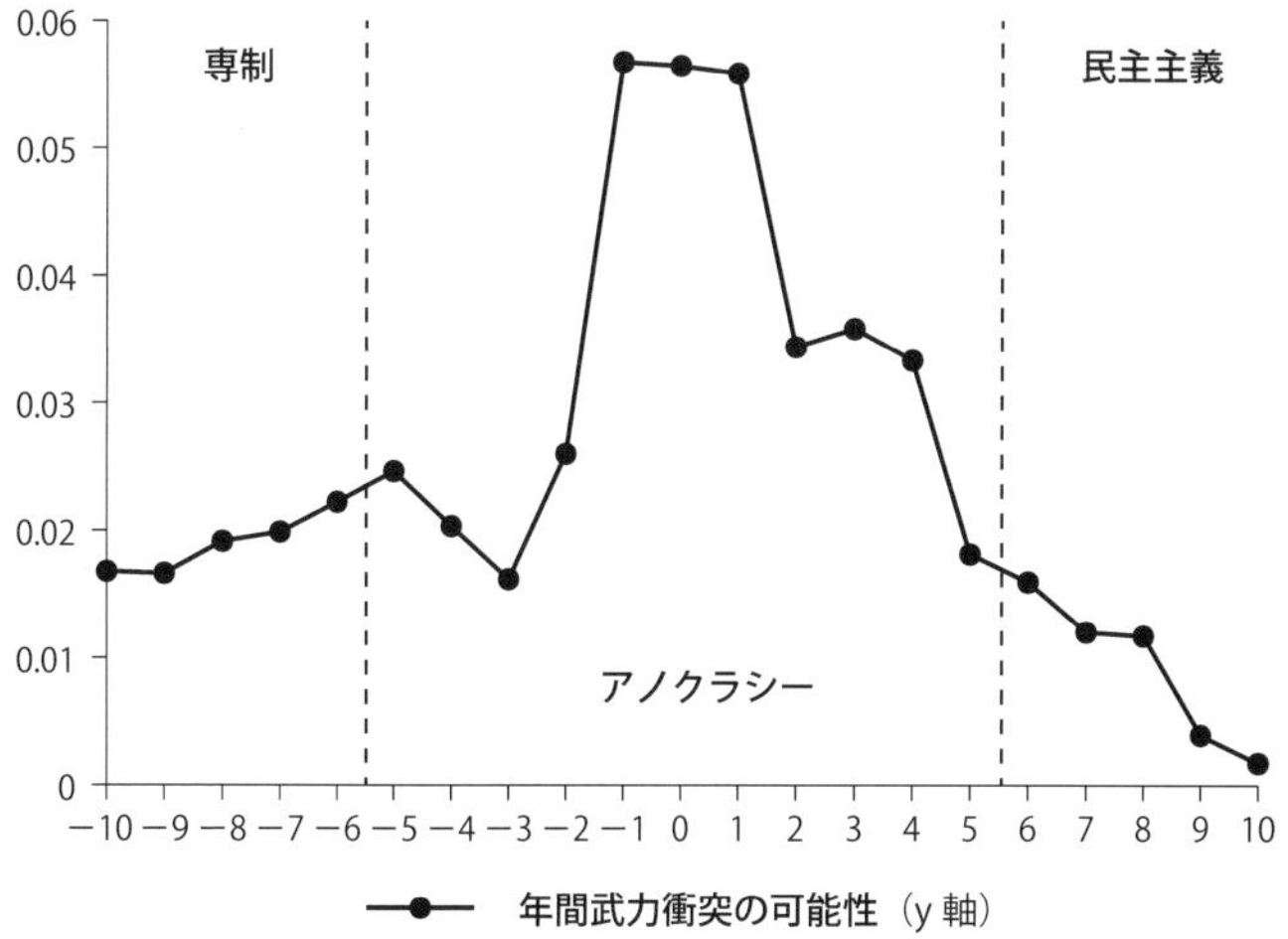

（注）y軸の数字は、ある国で任意の年に内戦が始まる確率を当該国のポリティ・インデックスのスコアに応じて示したものである。例えば+1のアノクラシー状態では、+10の完全民主主義国家に比べ、6倍以上の確率で内戦を経験することになる。

に、紛争のリスクは確実に高まっていく。このリスクは、ポリティ・インデックスのスコアが＋1～－1の間、すなわち真正の専制の予兆に直面するときに、その頂点を迎えることになる（図参照）。その後、権威主義にものを言わせて強引に乗り切るか、民主主義を再建するかするならば、リスクは急激な低下を見る。

自由民主主義国の衰退は近年の政治現象にほかならない。いまだ全面的な内戦状態を経験した国は存在しない。

2013年、ヤヌコビッチの専制に抗議するために、市民が街頭に溢れたウクライナは一つの例である。[47] 親ロシア派のヤヌコビッチは、2010

年大統領選での不正行為や有権者への脅迫が指弾される中、決選投票で勝利を収めた。前大統領は親ヨーロッパ的であり、腐敗を批判する穏健派として知られていた。就任から5年以上が経過し、その間ウクライナのポリティ・インデックスは＋7まで上昇していた。しかし、ヤヌコビッチが大統領に就任すると、自らの権力基盤強化に着手していった。彼はEUとの関係強化に反対し、全ウクライナ、とりわけ東部のロシア語を話す国民がロシアとの関係強化を望む層を擁護していた。ロシア語を話すウクライナ人の多くからしてみれば、ヤヌコビッチの専制的傾向は、二つの悪のうち、まだましな部類に属していた。

ヤヌコビッチは反対者を調べ上げ、政敵を逮捕し刑務所にぶち込みもした。政権に批判的なジャーナリストを取り締まった。行政官庁の役職を党員で固め、自身の故郷ウクライナ東部ドンバス地方出身で、忠誠を誓う者には警察、税務署、裁判所などの要職をあてがった。

ヤヌコビッチがEUからロシアとの経済関係強化に転じると、ヨーロッパに近い西ウクライナの若年層はついに愛想を尽かした。「ユーロマイダン」（ヨーロッパへの接近を望む「ユーロ」とキーウ（キエフ）中央広場を意味する「マイダン」の合成語）と呼ばれるデモは、首都から全国へと拡大していった。デモ隊はキーウのレーニン像を引き倒し、警察隊と衝突した。新たな選挙制度、言論の自由、EUとの関係強化を要求した。当初民主主義は救われたかに見えた。政府準軍事組織対市民をめぐる数カ月の暴動を経て、議会はヤヌコビッチ追放を決議し、彼は国外逃亡した。2014年5月新選挙が施行され、ヨーロッパとの統合を目指すウクライナ系のビジネスパーソンであったペトロ・ポロシェンコが勝利し、大統領に就任した。親西ウクライナのアントン・メルニク（仮名）教授は次のように振り返る。

「あのとき、私たちには新たな生活への夢が膨らみ、わくわくした熱気に包まれていました」(48)

ここで、イラクのスンニ派を想起してほしい。民主化に向けてひた走りつつも、ひとたび足をとられれば、アノクラシーが敗者を生み出すのと同様に、辛うじて民主主義が維持されるところにも敗者は存在せざるをえない。

ウクライナではどうだったのか。ヤヌコビッチのロシア系人脈から甘い汁を吸ってきた東部年金生活者、村民、未熟練労働者が存在していた。その多くは、１９５０年代のロシアからの移住者であり、主に炭鉱労働に従事していた。民族的にはロシア人であり、ロシア語を話し、生計の資はほとんどが対ロシア貿易に依存していた。

親ヨーロッパ派のポロシェンコが政権を握ったとき、東部の人々は自身の発言権と特権の喪失を恐れた。スンニ派同様に、手遅れになる前に、権益確保に一刻も早く着手せねばと考えた。ヤヌコビッチ失脚から数週間も経たぬうちに、分離主義者の民兵は自治国家のルハンスクとドネツクの人民共和国化を宣言し、領土保護のための武器庫を即座に確保した。(49) その時点で、ウクライナのポリティ・インデックスは＋４まで低下し、内戦の危険水域に突入していた。

民主主義の衰退で政府基盤は弱体化、空中分解しかけていた。(50) デモ隊は反民主主義的指導者を拒否したものの、大統領代行は弱腰であり、議会は依然ヤヌコビッチ支持派で占められていた。

7月までに連立与党は崩壊し、首相の得票数は十分とならず、政権維持は困難となった。さらに国会は東西に二分、合意形成もままならず、警察官、医師、教員などの公務員給与は未払いが続いた。政党の壁を乗り越えて、議員同士のつかみ合いさえあちこちで見られるようになった。

ウクライナの哲学者・政治学者・歴史家のミハイル・ミナコフは、自国の民主主義がもはや修復不能と悟った。ドイツ在住であったが、民兵結成を怠りなく注視していた。やがて故国に戻り、軍への入隊を決意する。ポロシェンコとウクライナの民主主義のために戦うためだった。

3月3日、キーウの陸軍士官学校に赴くと、すでに500名の兵士が固く錠を下ろし門外で待機していた[51]。数時間扉を叩き、誰かが出てくるのを待った。午前10時、ようやく1人の下士官が姿を現した。明らかに酩酊していた。おもむろに口を開き、「祖国はもうお前らなんかいらないんだよ。さっさと消えろ」。

ミナコフはその言葉が腑に落ちるまで、戦慄に打ち震えていた。彼は、もはや現実を知らずにやっていくことはできないのだと語っていたからだ。ミナコフは語る。「政府も、国家もない。憲法は停止中。政党も、警察も同様で、地方政府も崩壊していた」。そのとき、彼は政府というものが、想像以上に脆弱であり、しかも機能をやめてしまったことを悟ったのだった。

4月6日までの数週間、ヤヌコビッチ大統領辞任を要求するデモはウクライナ東部を舞台に続き、親ロシア派活動家たちは、同地域の治安機関を制圧し、自動小銃で武装し始めた[52]。独立を死守するためなら、武力行使も辞さない構えだった。当初政府は、東部分離主義に対してなすすべがなかった。20年にもわたる腐敗と無為が祟って、軍は風前の灯だった。しかし、ウクライナ人は自発的に準軍事組織に類する部隊を結成し始めた。ロシアは分離主義者に重火器や戦車を供与したため、6月にはごく通常の戦闘状態へと変貌を遂げた。「まさに電光石火とはあのことだった」とミナコフは語った。

「民主化への愛」の終わり

20世紀から21世紀初頭にかけての「民主主義との蜜月時代」は終わりを告げた。[53] 2006年、世界の民主主義国数が頂点に達したところでそれは幕を閉じた。フランスやコスタリカのような、かつては安泰と見られた国さえもが、次第に侵蝕を受けている。アイスランドのように、あらゆる社会集団に対し平等な権利と自由が保障されない国さえ存在している。

だが、すべてのアノクラシー国家が内戦に陥るのかというとむろんそうではない。シンガポールに典型的なように、何年にもわたる専制が保持されながらも、暴徒化することなく、中間領域に平和と安定を見出す国も存在している。あるいは、チェコ共和国やリトアニアに見るように、専制から民主主義へと急速な移行を経験し、さしたる悪影響を被らない国もある。アノクラシーへの移行を遂げた民主主義国には、[54] ベネズエラのニコラス・マドゥロがそうしたように、治安部隊の投入や、地方選挙の延期、議会改造、行政権拡大の憲法修正など、徹底的な弾圧によって辛うじて内戦を回避している国もある。[55] 中には、ロシアのプーチンや、ハンガリーのオルバンのように、狡知で内戦を回避する場合もある。これらの指導者は、選挙や個の自由制限など、一見民主主義的な仮面をかぶって、政治宣伝やマスコミ管理にものを言わせて、時には排外主義を煽るなどして人気を不動のものとしている。市民は抵抗するどころか、支配を黙認している。

なぜある国はアノクラシーの地雷原を無事に通行できる一方で、別の国は無秩序と暴動にずるずると引き込まれていくのか。

それに対して、かけがえのない教訓を与えてくれるのが、やはりイラクなのである。私はヌールさんに、内戦勃発の前後で、祖国はどう変わったかとの質問をぶつけてみた。彼女はしばし私を見つめた。控えめながら、芯の強い少女だと思った。沈痛な表情だった。「みんなが、人をつかまえては尋ねるようになったの。お前はシーア派かスンニ派かって[56]」

それまでは誰もそんな質問を口にしなかった。実際にバグダッドにはシーア派やスンニ派の居住地域の区別などなかったし、異なる民族や宗教の人と結婚してはならないなど耳にしたこともなかった。ヌールさんにとって、自身が少数派との意識も、宗教にしか意味がないとの認識もなかった。

「でも、誰もが公然と聞いてくるようになったの。お前は何者だ？　どこの国？　宗派は？」

ヌールさんは首を振る。「あたしはイラク人としか答えようがないでしょ。どうしてそんなしょうもないこと、聞かれなきゃならないのよ？」

第2章
暴動の発火点

チトーの死

軍服で身を固めた男たちは、壊れものを扱うように、ブルーの車両から棺を下ろした[1]。棺に横たわるのはヨシップ・チトー。前日に没したユーゴスラビア元大統領である。この鉄道旅には深い意味があった。

偉大な政治指導者を追悼するために、8時間をかけ、鉄道は各地に立ち寄りつつ300マイルを進んだ。国民の敬意と弔意を知らしめる演出でもあった。チトーの故郷ザゴリエは、クロアチアとスロベニア国境の丘陵地帯に位置している。線路脇には4名が整列している。沿道には、雨のそぼ降る中、汽車を見送る人々が立ち尽くしている。厚手の黒服をまとう未亡人の一群が、野のただなかに立ち尽くし、いつまでも頭を垂れていた。

チトーは葉巻愛好者であり、目に痛いほどぱりっとした白地の軍服で、ユーゴスラビアを統一した政治家として知られる。独伊に戦闘を挑んだ第二次世界大戦の英雄にして、初めてスターリンに盾ついた共産主義者でもあった。

彼は国民生活を一代で貧困から中産階級へと引き上げている。

ブルーの汽車がベオグラードへと発車するとき、人々の唇から、耳慣れた韻文がいくたびも漏れた。

「わが同志チトー、汝の道に我背くまじ」

1980年5月5日、汽車がベオグラードに入ってきたとき、数十万の群衆が待ち構えていた。あらゆる街路で傘を突き合わせるように直立していた。棺は担がれ、豪壮な国会議事堂の階段をしかつめらしく上っていく。国民は史上最大級の国葬の数日間、喪に服する。かのマーガレット・サッチャーも姿を現すだろう。ブレジネフ、アラファト、モンデール副大統領も。だが、いまだ周囲はしんとしている。表情を見ればそうと知られる。悲しみ一色。チトーは、地上で最も多種の民族からなる国を、ほとんど冷酷と言ってよいまでに、独力で統治したのだった。

チトーが政権を掌握したのは、1953年のことだった。ユーゴスラビアは8民族、5言語、3宗教の溶解した、まさしく「るつぼ」と呼ぶにふさわしい。セルビア人とクロアチア人は同じ言語を話すが、書く時に用いるアルファベットは異なる。スロベニア人はまた別のスラブ系言語を話す。セルビア人、クロアチア人、スロベニア人はみなキリスト教徒である。だが、セルビア人は東方正教会、スロベニア人とクロアチア人はローマ・カトリックで、指導者は違う。ボスニアのイスラム教徒は、民族的にはセルビア人やクロアチア人と変わらないが、トルコ占領下、命懸けでイスラム教に改宗した経緯を持つ。セルビア内の自治州コソボはおおむねアルバニア人、同様に、自治州のヴォイヴォディナはハンガリー人、ルーマニア人、スロバキア人、ルテニア人の混合であった。

『The war in eastern Europe〈東欧の戦争〉』(未邦訳)を著したジョン・リードは、旧ユーゴスラビアのマケドニア共和国を評して、「トルコ人、アルバニア人、セルビア人、ルーマニア人、ギ

リシア人、ブルガリア人が混血せずしてともに住まう、思うだにぞっとする人種の混合地帯」と評した。(2)

チトー亡き後に現出したもの

ユーゴスラビアは民族的に、お世辞にも平和的とは言いがたかった。第二次世界大戦中、クロアチアの超国家主義、ファシスト、テロ組織のウスタシュはドイツと手を組み、最終的には支配を許された。リーダーはアンテ・パヴェリッチ。同国から非クロアチア人を残忍に粛清する、危険きわまりない民族主義者だった。彼はこう述べた。

「3分の1は殺せ。3分の1は追い出せ。残り3分の1はカトリックに改宗させろ(3)」

終戦までにウスタシュは、50万から70万人とも言われるセルビア人、数万のユダヤ人、ロマを虐殺している。

チトーは、クロアチア人の父とスロベニア人の母との間に生まれた。彼は手のつけようもなく分裂したユーゴスラビア統一を心に決めた。共産党支配を維持しつつ、自らの支配権を盤石なものとする唯一の道だった。そのためには、最大勢力のセルビア人を政治的に弱体化させなければならなかった。セルビアは大戦前は独立国だった。チトーによる解決策は、ユーゴスラビアを6つの共和国、すなわちボスニア・ヘルツェゴビナ、クロアチア、マケドニア、モンテネグロ、セルビア、スロベニアに分割することだった。各民族は地域的な拠点を保持していたが、多くの人口を有するセルビア人は、スロベニア以外の各共和国に分散するよう国境線が引かれた。[4]

その代償として、セルビア人は他民族と比較して、国家次元で最も巨大な政治権力を付与されることになった。チトーは、民族的アイデンティティを冷酷なまでに封じ込め、代わりに「兄弟愛と団結」を説いた。実に見事な分割統治がそこにはあった。しかし、チトー亡き後、ユーゴスラビアの未来は一転して不透明なものとなった。

亀裂が走ったのは、間もなくだった。[5]　１９８１年、コソボのアルバニア人学生が、その地をセルビア共和国の一部でなく、固有の共和国とするよう要求し、抗議活動を行った。同地区のセルビア人史跡は破壊され、暴動が勃発した。アルバニア系住民数百名が犠牲となった。他方で、ユーゴスラビアの経済は崩壊に瀕していた。通貨ディナールは暴落し、失業率は20％にまで達した。生活低落と政府の腐敗が白日のもとに晒された。かくして与党共産主義同盟の正統性は損なわれていった。このことは、非セルビア人のセルビア人「支配階級」に対して、またセルビア人の「持たざる者」たちは、裕福なスロベニアやクロアチアに対しての民族感情を悪化させた。

セルビアでは、スロボダン・ミロシェビッチなる共産党指導者が、民族的分裂に付け込んで声望を高めようとしていた。党指導者からコソボへと派遣され、平和推進の役を担うことになったミロシェビッチは、同地に居住するセルビア人に対して、アルバニア人支配への抵抗の助力を約し、周囲に衝撃をもたらした。コソボは中世セルビア王国の中心であり、またキリスト教枢要の記念碑、修道院、教会などを包含していた。

セルビア人はコソボを自らのかけがえのない祖国と見ていた(6)。ミロシェビッチは政治的イデオロギーよりも、民族的アイデンティティを鼓吹し、反共産主義者であるセルビア市民の支持を急速に取り付けていくことになる。だが、チトーなら決して受け入れるはずのなかった剝き出しの民族主義を彼は臆することなく受け入れた。その後数年、セルビア人の権利を再び呼号し続けもした。セルビア憲法を改正し、コソボ自治権を弱体化させ、指導者を自陣の支持者で固めた。警察、裁判所、メディアを掌握し、セルビア人の悲惨な事態と権利拡大の要求をあまねく知らしめた。

ミロシェビッチは、セルビア人を多数派にいただき、またふさわしい政治権力と影響力を備えた状態を思い描いた。事実、セルビア人に忠誠を誓う支持者が地方で政治権力を奪取し、彼は連邦レベルでも発言権をがっちりと握るに至った。かくして、代表票8のうちで4がセルビア人に配賦された。

さらに「真実の集会」を年に100以上も開催し、500万人にナショナリズムを拡散した。そのことを通して、ユーゴスラビアの他地域に居住するセルビア人にも、権力獲得を促していった。1989年3月、アルバニア人がコソボで政治的権利の一部奪還デモを組織した折、ミロシェビッチは同地駐留の軍1万5000と戦車を動員し、鎮圧を図った。「分離主義者と民族主義者」を断罪し、22名が犠牲になった。ユーゴ全土で、セルビア人がコソボ警察、司法、治安部隊を掌握していくのを、他民族は戦慄しつつ見守るほかなかった。

時を同じくして、中・東欧は、共産主義終焉による革命の波に洗われつつあった。ユーゴでは、クロアチア、スロベニアなど他地域指導者が、多党制移行と選挙実施を提起していた。しかし、ミロシェビッチは頑としてはねつけた。代わりに、同年6月、コソボの戦い600年記念日に、全土から参集したセルビア人100万人を前に、コソボで大演説が行われた。[7] セルビア人の責務として、「未来における敗北から自らを守護するために、不一致を除去すべきこと」が訴えられた。また、セルビア人にはもはやいかなる歩み寄りもないと誓約された。オスマントルコとの戦争を想起しつつ、「6世紀後の今頃、われわれは、再び戦争の渦中にあるだろう。直接的な武力行使の形式を取るものではないかもしれないが、避けることのできない戦いである」

ユーゴの人々にとって、主張はあまりにはっきりしていた。チトーによる兄弟愛と団結は、終わったのだ。セルビア指導者は、いかなる犠牲を払おうとも、自らの本来所有する全土支配権を奪還しようと躍起になっていた。ミロシェビッチ演説は、武力行使も辞さない強固な意思を突き付けていた。

2年後、統一を見たはずのユーゴはあえなく崩壊、「民族浄化」の凄惨な現実を世界は見せつけられることになった。[8]

民族と宗教が引火点

20世紀初頭、内戦が一つの深刻な問題として立ち現れたとき、多くはイデオロギーや階級によって引き起こされたものだった。1910年に勃発したメキシコ革命にあっては、権力保持のために武器を取る富裕な地主階級、対して改革を求める中産階級の労働者や農民、労働者組合連合の闘争が中心だった。同じことはロシア革命にも見られた。政治経済的不平等を背景に、労働者階級、農奴、兵士などが王政に対して蜂起、世界初の社会主義政権が樹立された。

1927年に毛沢東率いる中国共産党が蔣介石による腐敗した権威主義の国民党政権に対して蜂起した中国でも、同じパターンが見られた。1940年代後半のギリシア内戦においては、家族同士が反目し、世代を越えて父子による衝突が見られた。一方は王政に忠誠を誓い、他方は王政を解体し共産党政権の樹立を支持した。しかし、以前と変わることがなかったのは、イデオロギーをめぐる戦いであった点にある。イデオロギーが左翼と右翼を分極したのだ。

だが、20世紀半ばから、様相に変化が生じた。政治集団によってではなく、異なる民族や宗教などの集団による他を圧する内戦が見られるようになった。スタンフォード大学の研究者ジェームズ・フィーロンとデビッド・レイティンによるデータ・セットによれば、第二次世界大戦後の5年間で火を噴いた内戦の53％が民族派閥間によるものであったという。(9) 冷戦終結後には、75％が派閥によるものであった。この数十年の間に知られるようになった内戦を思い起こしてみていただきたい。シリア、イラク、イエメン、アフガニスタン、ウクライナ、スーダン、エチオピア、ルワンダ、ミャンマー、レバノン、スリランカ、いずれも民族、宗派のいずれかもしくは両方を原因としている。

研究者が内戦をさらに体系的に分析する中で、暴力の潜在的原因として、あるいは少なくとも根底をなす要因の一つとして、「民族」が俎上に載るようになった。[10] デューク大学のドナルド・ホロヴィッツ教授は、同様の主題を『Ethnic Groups in Conflict〈紛争の中の民族集団〉』（未邦訳）の大著として刊行している。20世紀を通じ、異なる民族や宗教間の戦闘事例が実に豊富に取り上げられている。実際に世界を見回すならば、あたかも国内の多数の民族間関係が、内戦の引き金のようにさえ感じられる。ユーゴなどはその典型であろう。

しかし一方で、データ・セットが構築され始めて間もない頃は、同理論に疑念が表されてもいた。[11] 民族間派閥による内戦激化の一方で、オックスフォード大学のポール・コリアーとアンケ・ヘフラー、そしてスタンフォード大学のフィーロンとレイティンの研究によれば、多民族を抱える国が、均質な国と比較して、必ずしも内戦が勃発しやすいわけではないことが明らかにされている。首を傾げざるをえない発見だった。それが要因たりえないのなら、なぜかくも多数の内戦が民族や宗教に端を発しているのだろうか。

政治的不安定性タスクフォースの示すもの

政治的不安定性タスクフォースでは、さらに微妙な民族指標をモデルに取り入れることにした。国内の民族・宗教グループの数と種類よりも、民族がいかなる権力と結びついているかを分析した。国の政党は、民族、宗教、人種の相違で、分裂し、互いを排斥し合うものなのだろうか。

長きにわたり、データ収集と分析に努めた結果、一つの顕著なパターンの存在に気づいた。ある国の特徴が、政情不安と暴力との間に強力な緊密性を持ちうることがわかったのだ。その特徴とは、「派閥主義」とも呼ぶべき、政治的分極の激化にあった。派閥の跋扈する国にあっては、イデオロギーより民族、宗教、人種的なアイデンティティに基礎付けられた政党が存在し、他者を排斥し、その犠牲の上に統治しようとする。旧ユーゴスラビア市民は、チトーがまさしくそうしたように、共産主義、自由主義、コーポラティズムなど、それぞれの政治信条による組織化が可能だったはずである。しかしそうはならなかった。指導者たちは、民族・宗教によるアイデンティティの活性化を促し、もって完全支配を目指した。

それからの5年というもの、政治的不安定性タスクフォースは、変数の有効性を確認すべく、測定と評価をたゆむことなく繰り返した。リーダーの1人モンティ・マーシャルは、ベンジャミン・コールとの共同研究において70年以上にわたる数百カ国の派閥主義の次元を調査した。結果として、一度アノクラシー・ゾーンに突入した国にとって、最大の兆候は、派閥にあることが突き止められた。マーシャルは次のように指摘している。「われわれは派閥主義についてのあらゆる事態を研究したわけだが、それがアノクラシーの外部に存在する最強変数との確信に至った[12]」。アノクラシーと派閥主義の2変数は、内戦勃発ポイントを何よりも正確に読んでいた。

派閥主義の国には、アイデンティティに基礎づけられた政党が幅を利かせているのが常である。多くの場合、柔軟性は持ち合わせていない。境界は厳格、時に一触即発である。競合状態にある集団は、規模的には似たり寄ったりであることが多い。実際のところ、2集団のパワーバランスが、激しいにらみ合いの原因となり、そこで勝負が決せられる。しかも、強力な属人性を特徴ともしており、支配的人物をいただいていることが少なくない。彼らは権力の獲得・維持のためなら、民族的・宗教的ナショナリズムに訴えることを厭わない。首尾一貫した政治綱領のようなものは存在していない。

研究者は、国による派閥主義のレベルを、（5）完全に競争的な政治システムから（1）完全な抑圧的システムまでの5段階で評価する。派閥主義的システムは（3）である（一国の派閥主義のスコアは、ポリティ・インデックスと連動しており、政治的競争力が弱まれば、同時に民主主義も弱まることになる）。

完全に競争的な政治システムは、安定的な非民族政党を持つ。一定期間を経て選挙による競争が行われ、敗北したならば潔く政権を手放す（ドイツ、スイス、デンマーク、オーストラリア、カナダ、フランスなどはすべて「競争的」システムに分類される）。

他方で、完全な抑圧システムにあっては、権威主義的傾向が顕著に見られる。競争などはお話にもならず、市民は派閥形成に着手したくともかなわない。かりにミロシェビッチが、チトー政権下でセルビア民族主義政党を結成しようとしていたら、瞬時に叩き潰されていたはずである。

派閥主義的システムは、ほぼ中間に位置している。市民には政党の結成が許されているが、少なくとも一つの政党は民族・宗教を基礎としており、ひとたび権力を掌握すると、他のすべての犠牲の上に身内を優遇するようになる。その点で、派閥主義は、きわめて頑強、しかもつかみどころがなく、アイデンティティに紐づいた政治形態であって、しばし戦争の兆候をなしている。

一例として、シリアでは、数百もの武装集団が、シーア派、スンニ派、アラウィ派、サラフィー主義等、宗教をめぐって相争ってきた。同様に、レバノンの多方面での内戦にあっても、スンニ派、シーア派、マロン派キリスト教、ドゥルーズ派などの宗教によって構成員は自他を区別していた。いずれもが、他の犠牲の上で政治権力を追求した。ジョージアでは、ジョージア人、オセチア人、アブハジア人が政治権力をめぐって争い、ローデシアではショナ人とンデベレ人が白人優位の政府を打倒するために武器を手にした。

政治的搾取の問題

専門的知見によれば、派閥による闘争は、おおむね予測可能な形態で生起する。特権階級や支持者などは、政権弱体化や人口変化などで、不満や脆弱性が高まったときを好機とする。政策課題をもって人々を糾合しようとするわけではなく、むしろ宗教や歴史感情を喚起するフレーズや、視覚に訴えるイメージを用いて、心を燃え立たせようとする。ミロシェビッチがコソボにおいて、オスマントルコとの戦争を大衆の記憶に鮮烈に呼び起こした事実を彷彿とさせる。

そのようなレトリックは、やがて集団分離を強化し、社会に緊張をもたらす。一つの派閥が権力を掌握するならば、その立場を利用して対立派閥を弾圧し、適正な手続きを反故にして、堂々と武装への道を闊歩することが少なくない。それによって、対立する集団間の恐怖と不信は高まり、さらなる緊張を呼び起こす。結果として、妥協点を見出せず武力行使に至ることになる。

分裂は、政治の形態で表現される。ルワンダのフツ人とツチ人、あるいはエチオピアの多くの政党がそうであったように、政党は特定の政策課題でなく、民族、人種、宗教などによって求心力を獲得するようになってしまう。指導者にとっては、支持基盤と将来の不確実性を低下させる上で、実に都合のいい方法である。政治的アイデンティティが、民族・宗教のそれと不可分になってしまったとき、有権者にとってまともな選択の余地がなくなるし、何より逃げ場がなくなる。

他方で、派閥による支持をがっちりと固めた政治家は、自らと支持者にばかり有利な、狭隘な部族議題ばかりを追求する力を手にしてしまう。その場合、政党や指導者は、他集団の排斥・犠牲も厭わず、自身の支配に汲々とする、追い剥ぎのごとき存在にならざるをえない。一切の妥協なく、司法などについても、自らの信念よりアイデンティティによる投票行動へと誘導する。ユーゴスラビアが内戦に突入したのは、クロアチア人、セルビア人、ボスニア人が、互いに消しがたい憎悪の炎を燃やしていたためではない。機会主義的な指導者が、恐怖や憎悪を利用し、権力獲得のために小規模の武装集団を世の中に差し向けたためである。

政治的搾取は、社会全体を分裂させ、損なわせるだけである。誰もが将来に不安しかない。政府が紛争を解決し、世の中をなんとかしてくれるのだという信頼をひどく損なう。そして、最終的には、生活と利益を守り、社会とはかくあるべきなんだよと耳打ちする。最も党派的行動に長けた政党に結集する。かくして国民が国全体を考える体制から、自集団のことしか頭にない体制に堕してしまう。

コロンビア大学の社会学者アンドレアス・ウィマーは、過去200年間に生起した約500件の内戦（484件）データを分析している。ある国で同種の政党が出現した場合、内戦の危険性はほぼ倍になることを明らかにしている。[13] さらにアノクラシーの国にいたっては、不安定化する危険は30倍にも達するという。[14]

「超派閥」とアイデンティティ

専門家の知見によれば、ある国で生起した派閥が、少なくとも一つの「超派閥」になると、武器を手にする危険は瞬間沸騰の次元に達するという。超派閥が形成されるのは、同じ民族、人種のアイデンティティが共有されているのみならず、同じ宗教、階級、地理的区域をともにしている場合である。[15] この場合、戦争が勃発する危険性は、異質の交流を包含する集団と比較した場合、12倍にまで高まる。民族集団がともに移動し、その先で地理的に限定的集住がなされて、類似した人としか交流が存在しない場合に超派閥は形成されやすい。第二次世界大戦中、ウスタシュ派の攻撃から辛くも生き残ったセルビア人の多くは、国境に沿ったクロアチア東部のセルビア人の多数居住するクラジナ地方へと逃れている。

しかし、経済的資源の配分も不平等、しばし権力者優位である。そのために、階級間格差が生まれ、民族や宗教的相違にいつしか融合してしまう。

同様の事柄は、スリランカでも起こっている。タミル人とシンハラ人が民族的相違から分離し、さらにヒンドゥー教と仏教の宗教的相違、少数民族のタミル人が北部と東部に集住する地理的要因から、もはや修復不能な乖離が生じてしまった。1983年、タミル人は、独立国家を目指し、戦端が開かれることになる。研究者によれば、最も不安定な国とは、社会が二つの支配的集団によって分離されているという。[16] いずれかは十分な規模を持ち、人口の40%から60%を占めることが多い。このような比率になると、武力紛争はさらに起きやすくなる。

ユーゴでは、セルビア人が人口の36%を占めていた。東方教会に属し、キリル文字を使用、主に農村に集住していた。クロアチア人やスロベニア人と比較して、貧しかった。他方で人口の約20%を占めるクロアチア人は、ローマ・カトリックに属し、ラテン語を使用し、沿海部に集住していた。

チトーは、超派閥発生から防護するために、政府改革、境界線の調整、宗教団体の政治活動抑制を行った。しかし、チトー亡き後残されたのは、共産主義の未来と国の主導権をめぐる不透明さと争いの両方だった。経済低落の中、市民はチトーが倒そうとした当のもの、すなわち民族、言語、アルファベット、宗教、階級、土地などへのアイデンティティに身の寄せ場を見出した。死後10年、セルビア人とクロアチア人は、民族や土地だけでなく、宗教、言語、経済的地位によって自身を別格化し、執着は雪だるま式に高まっていった。

政治においてそのことは顕著なものとなった。ミロシェビッチのコソボ演説から5カ月後、ベルリンの壁は崩壊し、直後には共産主義者同盟のユーゴで与党は解党した。徐々に形成されてきたセルビアとクロアチアの超派閥は、一気に炎に包まれた。ミロシェビッチが、セルビア人を歴史、階級、宗教を基軸として一つにすべく尽力していたのに対し、クロアチア人もまたナショナリズムに吐口を見出しつつあった。クロアチア民主同盟（HDZ）指導者のフラニョ・ツジマンは、共産党綱領を拒否し、クロアチア人至上の政党を旗揚げした。「大クロアチア」を提唱するツジマンは、クロアチア人独立を宣言し、セルビア人による政治支配に終止符を打つことを約した。1990年、各共和国で行われた初の自由選挙では、ユーゴ全土の市民が共産党の政治家を拒否し、代わりに民族派候補に投票した。セルビアでは、選挙に消極的であったミロシェビッチが大統領に選出された。クロアチアではツジマンが勝利した。

ツジマンとHDZは、即座に超党派による権力確保に乗り出した。クロアチア在住のクロアチア人のみを真正国民とし、それ以外の少数民族は二等市民（クラジナ地方のセルビア人を含む）へと格下げする新憲法を制定した。同様に、ウスタシュ時代のシンボルたる伝統のクロアチア旗と紋章を復活させ、チトー時代の官僚や警察の優遇措置からセルビア人を締め出した。

深刻化する格差問題

アイデンティティとそれに付随する強引な政策は、クロアチア在住のセルビア人を戦慄させた。クロアチア紋章は、血に飢えたウスタシュの記憶を思い起こさせたばかりではない。ツジマンの異常さは、ミロシェビッチの年来の主張を証拠立てるかのように映った。セルビア人は、他集団との歩み寄りはかえって事態を危険なものにすると脅威を覚えた。

クロアチア人とセルビア人のアイデンティティは、もはやユーゴスラビア人にあるものではなく、血統、言語、信条においても実に様々であって、両立はもはや不可能となりつつあった。クラジナでは、ミロシェビッチの支援を受けたクロアチア警察部隊との激しい衝突が発生した。1年後、クロアチアによる1991年6月の独立宣言がなされると、クラジナ地方のセルビア人はユーゴに残留できるよう、分離独立の意思表明を行った。セルビア人が多数を占めるユーゴスラビア人民軍（JNA）は、ただちにクロアチア在住のセルビア人支援に乗り出し、各地を戦車で制圧し、非セルビア人を追放した。二つの超党派が確定し、それぞれを食い物にしていた。これが戦争の真実だった。

クロアチアの都市ブコバルへの攻撃ほどに、超派閥間に穿たれた深い溝の存在を雄弁に語るものはなかった。(17) クロアチア人、セルビア人、ハンガリー人、スロバキア人、ルテニア人などが混住する裕福な区画であり、ドナウ川沿いのセルビア国境に位置していた。第二次世界大戦後、人々はさしたる問題もなく暮らしていた。しかし、敵民兵の銃撃が始まると、クロアチア人とセルビア人は互いに激しく反目するようになった。武装した市民が農場や家屋に火を放った。クロアチア警察はブコバルのラジオ局を接収し、セルビア民兵は地方の交通路を封鎖し、町を孤立させた。1991年夏、セルビア人主体のユーゴスラビア人民軍は攻勢を強め、87日間にわたって町を包囲した。ロケット弾や砲弾は日に1万2000発ほども撃ち込まれ、ヨーロッパでは第二次世界大戦以来の血で血を洗う戦闘となった。

クロアチア人とセルビア人の民族的対立の特徴はその激甚さのみではなかった。この戦闘は、いくつもの意味において、超派閥間で生じた断層の一つ、都市と農村の格差、すなわちグローバル化と技術革新の時代に深刻化する格差問題をも体現していた。確かに都市は多様化を増している。しかし、地方はそうではない。

また、都市部では若年化、リベラル化、高学歴化、宗教の希薄化が進んでいる。金融やハイテクから娯楽まで、より収益性が高く、ダイナミックな産業が都市に集中するようになり、格差は悪化する懸念がある。若い世代が農村を離れれば、農村は学のない肉体労働者ばかりになる。彼らは新移民に敵意を剝き出しにし、都市のエリートから見下されていると感じている。サラエボ人のズラトコ・ディズダレヴィッチは、市街戦を日記に記している。

「私たちは（セルビア人に）軽口をたたき続けてきた。だが、彼らは丘から次々と降りてきて、石鹼や水で足を洗い清潔な靴下を履くのに慣れているわれわれを憎悪していたのだ(18)」

都市部市民は変化と多文化主義を受け入れ、農村部市民は安定と伝統を重く見る傾向がある。地方ではメディアの数も都市部よりかなり少ないため、アイデンティティへの認識も自ずと異なる。ユーゴ農村部ではセルビア人支配のラジオ・ニュースが主要な情報手段であり、耳にした市民は過激な民族主義政党を支持する傾向が顕著となった。[19]

1991年11月、ブコバルが陥落するまでに、セルビア人武装集団は少なくとも2万の非セルビア人を放逐していた。[20] 民兵は、主要都市以外に住むセルビア人によって構成されていた。ベオグラード元市長によれば、事実上、それは農村市民とコスモポリタン・エリートとの戦いであり、都市の多文化主義への攻撃であった。セルビアの民兵がクロアチア人女性を凌辱し、200人以上のクロアチア人市民を拷問の上殺害、集団墓地に埋めた。

クロアチアではさらに4年戦闘は続き、セルビア人とクロアチア人は大量追放と殺人によって、クラジナから他派閥を一掃しようとした。「民族浄化」の語が広く用いられるようになったのは、数カ月後のボスニア内戦からだが、すでに地域全体の人口構成とアイデンティティを支配し、変容を迫る方途ともなっていた。クロアチアが勝利するまでに、約22万人のクロアチア人と30万人のセルビア人が路頭に迷い、約2万人が命を失った。このような事態は、ユーゴスラビアの他地域でも、おびただしい犠牲者を出しながら、瞬く間に繰り返されることになる。

民族主義仕掛人の暗躍

民族ナショナリズムと派閥は、その存在だけで一国に居座るわけではない。社会がアイデンティティで分裂するには、特定集団の名において差別的訴求をなし、差別的政策を追求する大衆の助力がぜひともなくてはならない。

彼らは通常、政治的な地位を求めているか、もしくは地位保全を試みている。権力闘争を支えてくれる有権者を囲い込むために、恐怖を刺激し、利用するのである。

専門家は、このような人たちを「エスニック・アントレプレナー（民族主義仕掛人）」と呼ぶ。[21] この語は1990年代にミロシェビッチやツジマンのような人物を説明するのに用いられ始めた。その後、同様の事象は世界のあらゆる場所でいくたびも起こっている。そのような仕掛人は権力を失う危険性が高いか、ごく近年失ったばかりであろう。元共産主義者であるためか、自らの将来を確保する他の手段はなきに等しいと考え、支配力奪還のために、分裂を利用する。暴力と混乱を引き起こすために、アイデンティティに依拠したナショナリズムを培養し、研究者が「一か八か」と呼ぶ戦略、すなわち、不利な事態にあっても一発逆転を狙う。[22]

紛争の契機は、経済、移民、宗教の自由など、表向きとは別であることが多い。民族主義仕掛人は、社会における自集団の立場や地位のために戦っているのは間違いない。自らの支配下にあるメディアの力で、外からの脅威に晒されていること、その脅威に対抗するには仕掛人のもとに集結しなければならないと市民に思い込ませようとする。また、自集団こそが優越しており、支配は当然なのだと、噴飯ものの煽り文句を用いて説得する。

ルワンダ内戦の2年前、1992年にカバヤで開かれた集会で、フツ人政治家レオン・ムゲセラはツチ人を害虫と言い放ち、「お前が首を切らない者は、お前の首を切る者」と加えた。[23] 2012年、スーダンのオマル・アル＝バシール大統領は、自国におけるアラブ人とアフリカ人間の不信を利用し、政敵に向けて類似した表現を用いている。

「主な目標は虫けらからの解放であり、神の思し召しによって、奴らを根絶することだ[24]」

民主主義への移行過程の不安定な政治情勢では、複数の民族主義仕掛人がいっせいに立ち上がり、大衆を刺激して、取り込むことはめずらしくない。政治家やメディア専門家が同じ過激派を信奉する場合、手を取り合うこともあれば、互いの行動や見解をてこに分裂を悪化させることもある。超派閥のように、利用可能なアイデンティティ層が多ければ多いほど、分裂は深刻になる。

最初は些細であっても、民族主義仕掛人が敵対する派閥の言語、歴史、地理、宗教に公然と疑問を投げかけ、燃え上がっていく。ラジオ・インタビューを契機として演説が始まり、SNSへの投稿が口コミでいっせいに拡散される。集会が始まり、街頭での大乱闘にまで発展する。恐怖を煽るレトリックは常に同じだ。民族主義仕掛人は敵の言動を利用して自らの支持者の信念をかぶせて、煽ってくる。

興味深いことに、一般市民は民族主義仕掛人に対してとらわれのない目を向けていることが多い。腹に一物あって、真実のすべてを語るわけでないことを知っている。クラジナの多くのセルビア人にとって、ミロシェビッチはさして人望があったわけではないし、ほんの数年前までごりごりの共産主義者だったのを知らぬ者はいなかった。ミロシェビッチが純粋な信条の持ち主と言うより、たんなる権力欲の塊であることは、誰が見てもわかることだった。

彼は、ナショナリズムが政治基盤を確保する容易な方法であることを知ってから、親セルビア演説を行っている。そして、市民は、生命、生活、家族、未来が脅かされている中であれば、支持しないわけにはいかなくなる。ミロシェビッチの言語技法は、どう見ても胡散臭かった。ミロシェビッチと政府は、12以上の新聞、ラジオ局、テレビ局を所有するポリティカ出版社を支配し、恐怖と疑念のメッセージを容赦なく視聴者に浴びせた。セルビアの歴史がいかに偉大なものであるかを力説し、セルビア人になされた数々の残虐行為を想起させた[25]。クロアチアが独立を宣言すると、セルビアの主要なテレビは、「クロアチア人の抱く暗黒の大量殺戮衝動」に対して、無防備なクラジナ地方のセルビア人に向けて盛んに報道を行った[26]。

それでもミロシェビッチは、在クラジナのセルビア人、とりわけブコバルの平和かつ多民族都市在住のセルビア人に対して、最悪の懸念を拭い去ることに成功しなかった。彼と違って、ツジマンには信念があった。ツジマンがクロアチア民族主義者となったのは、そうなることが人気や利益獲得の手段と化す10年も前だった。ザグレブ大学の歴史学教授でもあった彼は、民族の中世歴史の美しさを称揚し、深刻なホロコーストを否定し、ウスタシュ政権の成果を顕彰していた。

チトー亡き後の1980年代、ツジマンはアメリカやカナダを歴訪している。ウスタシュに心を寄せる亡命者や移住者への寄付を募り、民族主義政党旗揚げを試みたこともあった。最終的にHDZに着手したとき、「神とクロアチア人」というスローガンが掲げられた。ミロシェビッチによるメディア帝国に抗する形で、彼はクロアチア通信を創設し、セルビア人やユーゴスラビアが汚れた陰険なイスラム教徒から解放され、真の故郷たるヨーロッパに戻ろうではないかと電波を通して訴えた。

市民というものは、いかに危険性がわずかであったとしても、反対派が自分たちをなきものとするなら、何はさておいても守ってくれる指導者のもとに駆け込むものである。かくしてツジマンがクロアチア紋章を採択し、政府からセルビア人を粛清すると、クラジナのセルビア人住民は、喪失を目にして、ミロシェビッチの警告にはっとさせられた。同様に、ミロシェビッチがセルビア人の優位するユーゴ軍に対して、クロアチアへの出動を命令したとき、クロアチア人は、ツジマンの言うように、自身の生活様式が危機に晒されていると考えるようになっていた。両陣営ともに、自国とその文化を防衛するには、暴力以外にありえないとするところまで追い詰められていた。

差別と敵意

だが、アイデンティティをめぐってにらみ合いをけしかけるのは何も政治家に限らない。ブランドにかしずくビジネス・エリート、信徒増大に血道を上げる宗教指導者、視聴者と収益拡大に目がないマスコミ関係者など、多数とは言えなくとも民族主義仕掛人は確実に存在している。このような特権階級もまた、世の中が変化していく中で割を食うことになる。旧ユーゴなどでは、このような二次的ネットワークが、クロアチアを超えて戦争拡大を促すこととなった。

ブコバルが暴力の巷と化したとき、隣国のボスニア・ヘルツェゴビナの市民はそれを横目に、紛争は回避できるだろうとたかをくっていた。国勢調査での回答は「ユーゴスラビアが母国」が最も多かった[27]。ボスニアの首都サラエボは、クロアチア人、セルビア人、ボスニア人が数十年の間平和裡に共存しており、近代的で多様性豊かな都市として知られる。教育水準も高く、相互の婚姻率も高位にある。6年を遡る1984年には冬季オリンピックも開催されている[28]。

ベリナ・コヴァチさんは振り返る。「クロアチアで起こったことが、まさか私たちにもふりかかるなんて思いもしなかった[29]」。その頃彼女はビジネス・スクールを修了したばかりで、夫ダリスは弁護士だった。セルビア人、クロアチア人、ボスニア人それぞれの宗教的背景は異なっていても、ここサラエボでは誰もがありふれた生活を営んでいた。夫婦ともに交友関係豊かで、仕事もまずまずだった。誰がどの民族かなどいちいち気にする人はいなかった。ともにイスラム教徒ではあるが、みんながボスニア語を話し、誰もが似たり寄ったりだった。「僕たちは同じ文化の中にいるんですよ」。ダリスさんはそう語った。「違いを探すことに意味なんてないですから。民族的には同じなんです。ボスニアには血の混ざっていない家なんて元々ない[30]」

差別と敵意をわざわざ持ち込もうとするなら、少々荒っぽい策だって必要になる。ボスニア内外の民族主義仕掛人たちは、こぞってそんな役を買って出ては、電波や見出しを独占し、公共の場でがなりたてていた。

夫妻はミロシェビッチの次の発言を耳にすることとなった。「セルビア人は一つのユーゴスラビアでともに生きなければならないのだ」。同じ主張は、元精神科医、セルビア民主党を旗揚げしてミロシェビッチの代弁者を買って出たラドヴァン・カラジッチによってあまねく知られるようになった。

1990年11月の選挙において、ボスニア・ヘルツェゴビナ市民は、イスラム系、クロアチア系、セルビア系の3民族主義政党のいずれかに統合されたものの、どの政党もまったく歩み寄りを見せなかった。ダリスさんは当時を語る。「事実が故意に捻じ曲げられていたんです。誤報も目を覆うばかりにひどかった[31]」

1991年セルビアン・ペールTVは、サラエボの放送施設を占拠し、ボスニア・ヘルツェゴビナのセルビア人居住区に、民族主義的放送を仕向けた[32]。ニュースキャスターはイスラムの祈りを小ばかにするように顔を黒衣で隠し、性的被害者を嘲弄して、ナイフを突き上げた。そして、「サラエボ動物園でセルビア人の子どもがライオンの餌になった」などのありもしないフェイク・ニュースを放送した[33]。

やがてボスニア・ヘルツェゴビナ市民は、自らをボスニア人と呼ばなくなった。「在ボスニア・

セルビア人」「在ボスニア・クロアチア人」「在ボスニア・イスラム教徒（ボスニアクス）」と呼ぶようになったのだ。

ベリナさんがそのことを肌身に感じたのは、友人の結婚式だった。ヴィシェグラードという町で行われた式では、学校時代の友人も多く参列していた。「ボスニアの結婚式では、セブダリンカというオスマントルコ時代から伝わる恋歌が歌われるんです。たいていはこぶしをきかせて悲しみが歌い上げられるのです[34]」

しかし、ベリナさんと参列者が歌い始めたとき、別のセルビア人の友人が突然さえぎった。

「やめろ！　トルコの歌なんか、汚らわしいだろ！」

ベリナさんは今も思い出すたびに胸がつまる。「確かに私たちはイスラム教徒です。でも、セルビア人もクロアチア人もみんな同じ民族じゃないですか。私たちをトルコ人だと指差す行為は本気で侮辱しようとするときです。ボスニア人としてのアイデンティティと歴史をどぶに捨てるようなものです」

カラジッチのやり口

ミロシェビッチやカラジッチの話法によれば、イスラム教徒はオスマントルコ支配の残滓であって、その中ではセルビア人は低い身分に甘んじており、土地も所有できなかった[35]。式であの怒声を耳にしてしまってから、会場は水を打ったように静まり、もちろん歌はもう聞かれなかった。その夜車で帰宅したベリナさんとダリスさんは、ひどく落ち着かなかった。彼女はこう語った。「はっきりとわかったんです。人間が変わっていこうとしているんだって」

この日から5カ月後の1992年3月、ボスニア出身の大統領が独立の是非を問う国民投票を実施した。セルビアとボスニアの政治家は、激しく反目した。彼らはボスニアがセルビア人支配のユーゴの一部たり続けることを望んだのだ。投票の結果、独立が圧倒的優勢を占めることが判明するや、セルビア人勢力と多数派ボスニア人政府軍との武力衝突を見るに至った。

数週間のうちに、ユーゴスラビア人民軍（JNA）の支援を受けたセルビア人が同地域の約70％を制圧した。セルビア民兵は首都攻略を試み、政治家から軍司令官に転身したカラジッチ指揮下、サラエボ周辺の丘陵地帯に4年も続く包囲網が敷かれた。

それでもなお、ユーゴの民族主義仕掛人にはなすべきことがあった。1992年5月、クロアチア人政治家マテ・ボバンとカラジッチは、ツジマンとミロシェビッチ支援下、ボスニア人を完全排除し、クロアチア人とセルビア人による分割に合意した[36]（このときボバンは、「われわれはセルビア人とキリストの兄弟愛によって結ばれている。しかし、イスラム教徒とは、5世紀にわたりわれわれの母や姉妹に暴行した以外、なんの関係もない」と述べて、自己正当化したという[37]）。

剝き出しの行為は、やがて凄惨な結末に向かう。その後の3年間、セルビア人とクロアチア人は、数千名に及ぶボスニア人を強姦、虐殺、追放している。

ベリナさんとダリスさんが結婚式に出たヴィシェグラードでは、1500名ものイスラム教徒の男女の子どもが一斉検挙の上虐殺され、ドリナ川にかかる名高い橋からつき落とされた[38]。生きたまま焼かれた者までいた（戦闘開始時、同地の63％はボスニア人だったが、現在ではほぼセルビア人が居住している[39]）。

ボスニアが内戦に突入したときのことをベリナさんは思い出す。次男の育児休業中で、ちょうど子守を雇ったばかりだった。子守は若い女性で、郊外の丘陵地帯に家があった。ある日彼女は家の近隣に民兵がたむろするのに気づいたのだと落ち着いた口調で話してくれた。「食事を作るときなんかは、砲火が見えるの」と彼女は言った。「でもあれは自警のためで、軍隊ではないから怖くはない」と語っていた[40]。

しかし、ベリナさんはカラジッチのやり口を知っていた。民兵が何を目的としているのか、彼女にはわかっていた。数週間前、出産のお祝い会で、サーシャという同僚が彼女を傍へ呼び、実はセルビア民主党の党員に勧誘されたのだと耳打ちした。武器も供与してくれるとのことだった。「私は彼の言うことを真に受けませんでした。彼の親友にはイスラム教徒もいましたから。素敵な女性と結婚していて子どもが生まれたのも私たちと同じ頃」。ベリナさんは首を振る。「何かが迫っているのだと彼は私に伝えようとしていたのです」

お祝いから1週間ほどして、サーシャが殺害された。悲報に接したとき、ベリナさんは友人たちと一緒だった。本人はもちろん、残された妻子を思うと、胸がずしんと重たくなり、ただ涙が頰をつたった。友人は怒気を含んだ目でこう聞いた。「そのとき、彼はどこにいたの？」

「バリケードの上」。ベリナさんは答える。「どちら側なの?」。友人は問いを重ねた。溜息がすべてを物語っていた。セルビア人側だったのだ。

「何を考えているの」。友人は声を荒らげた。「彼はあなたの旦那だって殺せる武器を持っていたんだよ」

ようやくベリナさんにも飲み込めた。『奴ら』か、『私たち』のいずれかだけの問題だったのね」とようやく口にして、彼女は涙をぬぐった。

略奪政党

超派閥は、安定した民主主義国家にとってさえ対岸の火事ではない。世界最大の民主主義国インドでは、半世紀以上にわたって、広く見られる貧困、非識字、多様性、経済低迷をものともせず、一定の成功を収めてきた。ヒンドゥー教徒は全人口の圧倒的多数の80%を占める。イスラム教徒は14%、残り6%はキリスト教、シーク教、ジャイナ教、仏教、無宗教となる。とはいえ、憲法で信教の自由は保障されており、世俗主義は厳格に貫徹している。多様な人々が比較的平和に生活できる。

しかし2014年に右派のヒンドゥー民族主義政党のインド人民党(BJP)が政権を握るようになると事態は悪化していく。政権与党による経済や議会の腐敗に業を煮やした人々は、その圧倒的多数が変化を呼号して投票行動を変えた。同年選挙では、30年ぶりに単一政党が過半数を獲得した。ＢＪＰ党首ナレンドラ・モディが首相に就任した。

モディは青年時代にＲＳＳ（インド人はみなヒンドゥー教徒たるべしとする準軍事組織）に一枚も二枚も噛んでいた。やがて彼はアイデンティティに準拠した政治課題に目をつけた。排他的なヒンドゥー国家を強硬に追求し、最大州ウッタル・プラデーシュ州のヨギ・アディティヤナート首相をはじめ、過激派に政府要職を与えるなどした[41]。この人物は、イスラム教徒を「二本脚歩行の烏合の衆」と呼んで憚らなかった。モディはさらに過激派を文化・教育機関の要職に据え、名称変更や教育課程の統制を行い、事実上インド文化史からイスラム教徒を締め出すのに成功した[42]。２０１９年には、インドで唯一イスラム教徒が優位なジャンムー・カシミール州の特権的地位を抹消した[43]。さらには、イスラム教徒はインド市民権取得から外す道筋をつけた。

インドに見られる現象は世界で増殖しているものの一つの典型である。21世紀において懸念されるのは、民主主義そのものはさておき、世界最大の民主主義国の一部が衰退している点にある。従来、政治は税、社会保障、医療、教育などの統治を軸に行われていた。現在では、政治や政党による活動は宗教、人種、中央地方の価値観などのアイデンティティを軸に結束の強まりが見られる。極右指導者は、世俗主義的な社会的理念から、アイデンティティによる政治へと市民を引き剥がそうとしている。そのような指導者は、急激な変化と不確実性の高まる時代にあって、身を守るために一つにまとまろうとする人間の性を利用して同様の挙動に出ている。アノクラシーや派閥形成などの要因は、専制国家だけの問題ではない。脆弱化する民主主義国家においても増殖するにつれて、内戦勃発リスクをはらむエリアは拡大していく。

そのような変化が民主主義国家で顕著に見られる理由の一つに、略奪政党の勢力拡大が挙げられるだろう。インドのモディを例にとれば、国全体の犠牲の上に、ヒンドゥー教を優位に置こうとした。そして、民主主義における自由かつ公正な選挙、言論の自由、結社の自由という三つの根幹を攻撃することで、勢力を強めてきた。また国家権力を用い、野党幹部の収賄や汚職などの罪状を捏造して検挙を繰り返してきた。政権批判を繰り返す「フェイク・ニュース」元のジャーナリストをブラックリストに登載し、大規模集会を取り締まる法律を施行した。イスラム教徒と進歩的なヒンドゥー教徒が街頭で市民権法反対のデモを行ったとき、治安部隊をけしかけて凄惨な弾圧を行った。

分裂は1本の線で起こる

そのような事態にもかかわらず、モディとBJP人気は衰えを知らなかった。2019年の総選挙では、前回の2014年を越えて絶対過半数による大勝利を勝ち取った。彼が自国における超派閥拡大を助長し、それを利用するすべに長けており、外部の脅威とナショナリズムを煽りに煽って、国民の不安に付け込んだためであった。ニューデリーでは、かつては一つだった地域が、いつしか宗教によって線引きがなされ、事実上の分裂状態にある。ヒンドゥー教徒の暴徒が、路上でイスラム教徒をこん棒でめった打ちにする事件も起こしている。経済も公約通りの復調からはほど遠く、失業率は45年ぶりの高水準を記録している。

モディはとりわけ上位カーストのヒンドゥー教徒とイスラムとの高度の緊張の続く地方から、高い支持を得ている。(44) 実体的な暴力というものは、モディ自身があえてそうしているように、穏健な有権者の心を動揺させる。そしてイスラム教徒に対する発言は正しいと思うようになり、党勢拡大にはまことに好都合となる。また、不景気から一般の批判をそらすにもちょうどよい。

これなどは世界中の民主主義国の常套パターンと言ってよい。(45) ブラジルでは、元陸軍大尉ジャイル・ボルソナロが、人種と階級による都市と農村の格差を衝いて2018年に大統領の座を勝ち取った。彼は人気を博していた前任ルイス・イナシオ・ルーラ・ダ・シルヴァに牙をむいた。前大統領が汚職で有罪判決を受けたことに加え、経済悪化やギャングの殺傷事件急増などを背景として、国民の深刻な不安に乗ずる形で選挙戦を巧みに展開し、最終的に勝利を収めたのだ。

直近の国勢調査では、同国は白人を多数派とする国から脱却しており（現在では、52％はアフリカ系、アジア系、先住民族もしくは多民族）、ボルソナロは人種的断層を巧みに衝いて、無法地帯を呼び出したのだった。マイノリティに浴びせる野卑な暴言などは、政策内容のあらゆる点に見ることができる。

犯罪抑制のために黒人と混血によるスラムに軍を送り込み、勤務中の殺人警官を支援し、先住民族居住地域を開発し、ブラジル人と黒人のための大学のクオータ制を糾弾した。さらにブラジルのアフリカ系難民を「地球のカス」とまで呼んだ。この作戦は功を奏した。ボルソナロは、最終的には白人男性や富裕な国民の支持を獲得することで、大統領の座を奪取した。

一般市民にとっては、民族や人種に関するプロパガンダは、不満をくすぶらせた一部の過激派のガス抜き程度にしか感じられない。ラジオや政治系のテレビ、ツイートなどでの暴言などは、ただの悪ふざけと聞き流す人も少なくはない。ボスニアのテレビでラドヴァン・カラジッチが「国家が消滅しようとしている」と警告を発したとき、サラエボ市民の多くは何かめずらしいものでも見るように受けとめた。「私たちはカラジッチを発狂した精神科医もしくはただの調子に乗っただけの輩と思いました」とベリナさんは語った。[46] だが、民族主義仕掛人が巧妙に衝いてくる断層は、選挙や買収が絡むようになると、実に取り返しのつかない結果をもたらすことが明らかになった。

当時目にしたプロパガンダやミロシェビッチがセルビア人にまき散らした深刻な不安を今もよく思い出すとダリスさんは言う。「そのときは、ここまでひどいことになるとは想像もしていませんでした。私たちは自らの信条に従う善良な市民だったのです。これらが数日とか数カ月に起こったわけではないのだと知ったのは、すでに敵味方に分極された後のことでした。周到に時間をかけて準備されていたことだったのです[47]」

市民が一夜にして狭小かつ利己的集団に組織化されることはありえない。多くの場合、派閥形成の作用は気づかれさえしないし、その危険性に至ってはほとんど知られることもない。誰もが自身と家族や地域を新たな脅威から守り、自身の信じるところ、自国にとってよきことを追求しているだけと思っている。

武力衝突の報を耳にしたとき、ベリナさんとダリスさん夫妻は居ても立っても居られなかったが、長くは続かないだろうとも思った。サラエボで電気と水道が2週間も断絶したとき、ベリナさんは乳飲み子2人を抱えて兄の住むマケドニアに向かった。数週間だろうと踏んでいたため、ほとんど着の身着のままだった。しかし、夫の顔を3年も見ることなく、しかもサラエボに戻ることはなかった。アメリカへの難民申請が許可されたのは、1994年12月末のことだった。そのときには、サラエボの家は占拠されており、戻ることなど不可能だった。1995年2月にアメリカに到着したのは、スレブレニツァの周辺で8000もの子どもを含むイスラム教徒が虐殺される5カ月前のことだった。(48)

「ただただ茫然としましたね」とダリスさんは話す。「まさか互いに武器を取るなんて」(49)。だが、国外の監視筋によれば、その数年前からユーゴ崩壊の予兆はとらえられていた。1990年10月、CIAは「2年以内にユーゴは崩壊し、内戦突入の危険が高い」との予測を報告している。(50) 一つの理由としては、ユーゴの市民が民族を軸とした着実な組織化を経ている点にあった。予測はやがて的中する。いよいよ大規模内戦が勃発したのはそれから1年半後のことだった。

セルビア人が導火線になるとの見通しも的中した。同様の報告では、ミロシェビッチとセルビア人過激派が首謀者であり、彼らはナショナリズムに付け込んでセルビア人を動かしたと報告されている。ごく普通の市民なら、内戦を予見しようともしないし、誰が首謀者かを読みとろうともしない。実際のところ、市民は火種をとらえ損なっていることが少なくない。民族主義仕掛人が自身への意識をそらすために、すでにどこかの誰かに責任転嫁しているからだ。

しかし、内戦を研究する専門家は、着目すべきポイントをわきまえている。そして、それは市民が一般に疑念の目を向ける先とは、異なっていることの方が多いのである。

第3章

「格下げ」がもたらす悪夢

マタラムの悲劇

ダトゥ・ウドトグ・マタラム。これはフィリピン南部ミンダナオ島中部、イスラム教徒とカトリック教徒の混住する地域で、誰からも敬愛される人物の名である。イスラム教徒にとっては、日本軍の侵攻に立ち向かった第二次世界大戦の英雄であり、賢慮ある宗教指導者でもあった。また何か地元でもめごとが生じたとき、頼りになる調停役でもあった[1]。一方で、北から移住したカトリック教徒にとっては、異なる信仰者を平和的に結び合わせる人望でも知られていた。そのマタラムが、世界最大級の内戦に一役買うことになろうとは、誰の脳裏にも浮かびえないことだったろう。

20世紀初頭、海岸沿いの首都コタバトからカヌーで2日ほどかかる川べりの小村に彼は生を受けた[2]。当地のスルタンの子として、マタラムはイスラム社会の伝統を継承する首長「ダトゥ」になった。当時アメリカ植民地だったフィリピンにあって、マタラムは同等の地位にあった人々同様に、地元指導者であるとともに、マニラの政府代表という二つの役を担っていた。

１９１４年、マタラムは副管理人に昇格し、農村共同体におけるイスラム教徒の活動を監督した。さらには、学校の監督官に栄転し、イスラム児童の植民地教育にも貢献した。彼は、植民地主義を受容したダトゥの第一世代に属していた。行政官と敵対するのではなく、協働することで、地位を築いてきた。

第二次世界大戦従軍後、緑に覆われた熱帯ミンダナオ島３番目の面積を誇るコタバト知事に任命された。だが、意欲と能力に恵まれた行政官としての仕事ぶりを発揮して財政健全化に力を注ぐ間にも、世は刻々と変化しつつあった。それまで、同地域に暮らす先住民モロは、ほぼ外国の干渉を受けたことがなかった。人口も過密とまでは言えなかった。またモロ人は勇敢かつ優れた戦士で知られている。彼らに言うことを聞かせるのはたやすいことではない。

１９４６年、フィリピン独立とともに、膨大な人口を抱える北部から、ミンダナオ島へのカトリックによる移住が顕著に見られるようになった。政府は、ミンダナオの豊かな土地を開発し、全体の経済的利益に資するよう図った。[3] 肥沃な農地の所有権をカトリック入植者に与え、農業融資を行うなど、地元に対し手厚い援助がなされた。何世代にもわたって守り続けてきた土地から追われるイスラム教徒も少なくなかった。[4] そのような恩恵のもと、さらに多くのカトリック教徒がミンダナオに移住し、１９６０年には人口がイスラム教徒を大きく上回るようになっていた。

マタラムも、その変化に従って、マニラで政治的経済的恩恵に浴していた。一方で、新時代のダトゥも現れつつあった。マタラムたちとは異なり、いわゆるポスト・コロニアル（植民地主義後）の時代に生まれた指導者たちだった。多くはマニラの大学で高等教育を受けており、弁護士や教育者などの専門職に就いていた。配偶者はイスラム教徒ではなく、カトリックが多かった。ミンダナオとの文化的つながりは緊密とは言えなかった。

１９６５年にフェルディナンド・マルコスが大統領選に出馬した。辛うじて大統領選を制したマルコスはカトリックであり、主だった役職を自ら息のかかった子飼いに置き換えた。マタラムは、イスラム文化に精通し、地方の指導的立場にある者として尊敬を得ていたのに、ほとんど無きに等しい者となってしまった。

地位の喪失

政治的地位を失ったことは、1967年夏の事件でさらに痛ましいものとなった。[5] 司法省勤務非番捜査官が、彼の長男を射殺したのだ。同僚が弔問にも顔を見せなかったことが、怒りの炎に油を注いだ。家族と地域の絆がすべてという共同体社会にあって、許すべからざる侮辱だった。数カ月後の1968年5月1日、マタラムはイスラム教徒独立運動（MIM）を組織し、反撃に打って出た。フィリピン南部のあらゆるイスラム教徒地域は分離独立し、ミンダナオ・スールー共和国の樹立を呼びかけるマニフェストが公表された。

一方で、モロ人による独立要求は長期にわたるもので、アメリカによる植民地化から数十年後の1935年、100名以上のダトゥと他のイスラム教の主だった指導者が、分離独立の宣言書をワシントンへ送っている。彼らは、カトリック人口増大の中で、自らの宗教や文化の希薄化を憂慮し、自由な礼拝と生活の自由を主張していた。「宗教なくして生活なし」と記されていた。[6]

だが、マタラムの行動は恐怖を増幅させた。[7]「コタバトで武力衝突」の見出しが全土に躍った。マルコス大統領は軍を派遣した。イスラムの反撃から身を守るために、全財産を売却しミンダナオを離れたカトリック教徒もいた。
マタラムはというと、早い段階で、独立運動からは手を引き、農場に隠棲することにした。しかしMIMの旗揚げは、イスラムとカトリックの両陣営を強く刺激する予期せぬ方向に作用し、国を危険な内戦の泥沼に引き込んでいった。[8] 1969年初頭には、MIMはマレーシア政府の資金援助を受けて、イスラムのゲリラ部隊を組織するようになり、1970年3月にはついに武力闘争へと突入した。カトリックの暴徒がイスラムの農民を襲撃し、住居を焼き払った。対してイスラム教徒も報復に出た。イスラム教徒は、フィリピン政府がキリスト教徒による暴動を支援していると非難し、自ら武装集団を組織し、事態は悪化の一途をたどっていった。暴力に怯える人々が自衛のために武装し、結果として戦闘の意志ありと敵に誤認される「安全保障のジレンマ」の見本のような事態となった。[9]
そして、1972年9月、マルコスの発令した戒厳令がだめ押しとなった。[10] 両陣営の対立緩和が名目であったが、現実的には、南部の混乱に乗じて、自らの権力強化を狙ったものであった。イスラム教徒の男にとって文化的意味を持つ剣やナイフも例外とせず、全フィリピン人から1カ月以内に武器を没収するとした。抵抗するなら、「根絶やし」。
武器没収期限の数日前、数百名からなる武装イスラム教徒が、コタバト北部のマラウィ市を襲撃した。[11] 500名から1000名の反乱軍がミンダナオ州立大学、国家警察州本部、隣州を結ぶパンタル橋を襲撃した。このときにMIMから分離して新たに結成された過激派組織「モロ民族解放戦線（ＭＮＬＰ）」が初の戦闘に手を染めた。民衆蜂起まではいかなかったが、反乱軍は東南部へと退避した後、再結集を果たし、今度はゲリラ戦術を用いて、戦闘を継続した。初めには政府軍を攻撃対象としたが、後に標的を一般市民へと拡大し、ローマ・カトリック司教や、身代金目的で外国人も攻撃対象とした。

多数の分派を生み、さらに強硬なイスラム教過激派組織モロ・イスラム解放戦線（ＭＩＬＦ）とも戦闘を繰り広げるようにさえなった。マルコス以降のすべての大統領は、世界的に見て最長を記録した内戦の終結を試み、さまざまな自治権付与を提案した。しかし、多くの場合、政府は約束を履行することなく、モロ人の複数の集団同士の内戦は続き、10万人以上の犠牲者を出すに至っている。[12]

現代内戦の常套パターン

ミンダナオ島イスラム教徒の内戦はどのような要因によって説明可能であろうか。回答の一つは、フィリピンがアノクラシーへと足を踏み入れていった事実に求められる。１９６５年、マルコス大統領は、ほぼ民主的と言える政治体制を継承している（ポリティ・インデックスは＋5）。だが、4年の間に事態はアノクラシー・ゾーンに突入（＋2）、内戦が危惧されるポイントまできた。マルコスは個人と少数派の権利を弱体化し、政府権力を拡大しようとした。法の支配を弱め、司法の独立を抑制し、居住権力への数々の監視機能を取り除くことで実現した。同時に派閥化も進んだ。第二次世界大戦後、国は地方の政治結社の支配に甘んじるようになり、北はカトリック、南はイスラムがマニラの庇護を受けるために相争うのが常態となった。

派閥化したアノクラシー体制下において、多数の民族の不満がくすぶっているものの、多くは反乱にまでは至っていない。一例として、エチオピアには80を超える民族がおり、少なく見ても、5大宗教すべての信仰者がいる。それでも、反政府組織はごく例外的である。また、インドネシアなどは360以上の部族・民族言語集団が存在するが、武装したのはアンボン人、東ティモール人、アチェ人、パプア人のみである。なぜあえて武器を手にする集団が出てくるのか。

過去30年にわたり、研究者は1世紀にも及ぶ内戦の大規模データ・セットを用いて、その問いに答えようとしてきた。[13] 結果わかった驚愕の一つは——あるいは驚くべきことではないのかもしれないが——武器を手にする集団は一般に政治過程からはじかれているという事実だった。選挙権は限定的、政治的地位から見離され、政治権力全般から排除されている。だが、最も強力な決定要因は、その集団の経てきた政治的地位の来歴上の特質にある。すなわち、それまで権力の上位にあった人々が、落ちこぼれていくとき、実体的暴力に走る傾向は一挙に高まるということである。政治学者は、この現象を「格下げ」と呼ぶ。[14] もちろんその形態は多様であるわけだが、一触即発の国において、誰が武器を手にするかを予期する上での確かな視点の一つと考えられている。

ミンダナオのモロ人の場合、植民地化の過程で、徐々に権力を喪失し、フィリピンに編入させられてからはなおさらにひどくなった。それまで、彼らは統治者だった。ダトゥ、スルタン、ラジャは法律を定め、施行し、土地を割り当て、尊重すべき慣習を決定していた。暴力が常態化したのは、政府がミンダナオ在住のカトリック教徒を優遇し、現地イスラム教徒を排除して以降だった。マタラムらのイスラム教徒は「格下げ」されたのだ。その証拠は、土地所有、就業、政治的権力などの劣位を一目見れば明らかだった。彼らは自らの生活と文化を侵入者に奪われようとしていた。

これは現代内戦の常套パターンと言える。ＭＩＴ（マサチューセッツ工科大学）で政治学を研究するロジャー・ピーターセンによれば、20世紀を通じて東欧諸国を考察したところ、政治と文化における格下げが、地域紛争の激化要因となっているという。デューク大学の政治学者ドナルド・ホロヴィッツによれば、分裂した数百もの民族を考察したときも同様の傾向が見られるとしている。武器を手にする民族には、「われわれのものだし、そうあるべきだ」との主張が共通に見られる。

「格下げ」は、ユーゴ内戦の発端がクロアチア人でもボスニア人でもなく、ほかならぬセルビア人であった理由をも見事に説明してくれる。ミンダナオのモロ人同様に、セルビア人は自らを正統なる国家的継承者と見なしていた。かつてすべて自らのものだった。ユーゴ誕生の折、セルビア人は最大民族であり、軍と行政の要職をほぼ独占していた。セルビア人が、クロアチアやボスニアで武器を手にしたのは、両地域の分離独立を座視したならば、目も当てられぬほどの権力喪失を甘受せざるをえなかったためにほかならない。イラクにおいて、スンニ派が戦闘に着手したのも、アメリカによる派兵後、権力を喪失したためであった。モロ人、セルビア人、スンニ派のいずれもが、格下げを契機として武器を手にした点では共通している。

格下げとは、政治的事実であるとともに、心理的現実でもある。格下げ当事者は、富裕者、貧困者、キリスト教徒、イスラム教徒、白人、黒人などさまざまである。そこで意味を持つのは、当該集団の成員が、自ら当然としていた地位を喪失し、結果、激しい憤怒に焼かれる点にある。憤怒が派閥を内戦に駆り立てる例は枚挙にいとまがない。スタンフォード大学のフィーロンとレイティンは、スリランカのシンハラ人がシンハラ語を公用語化しようとしたとき、「ただちに、タミル人は強く反発し、自身の言語、文化、経済的な地位が脅かされていると知った」としている[15]。

そこには常に不公平感がある。権力の座にいる者がまったくふさわしからず、高位は不当との憤懣やるかたない思いがある。格下げとは、政治的敗北だけでなく、地位の逆転でもある。ある瞬間から、言語、法、文化の決定主体から、それを禁じられる側に変わる。

人は敗北を憎む。金銭、ゲーム、仕事、尊敬、仲間、いうまでもなく地位も。心理学者のダニエル・カーネマンとエイモス・トベルスキーは、一連の実験を通して明らかにしている。その実験とは、被験者に対して次のように尋ねるというものだった。「100ドル獲得する勝率は50%、100ドルを失う確率も50%だとする。この賭けに乗るか[16]」。結果、多くが賭けを拒否することがわかった。

理由はどのようなものか。人間は本来的に「失いたくない」生き物である。何かを新たに獲得するよりも、失ったものを取り戻したいという動機のほうが強い。人は幾年にもわたって耐えることができる。たとえば、貧困、失業、差別などを認容しうる。お粗末な教育機関、機能不全の病院、荒れ果てたインフラをも受け入れるだろう。しかし、当然に自らのものとしてきた地位をある日喪失すること、これだけは許すことができない。21世紀において最も危険な派閥がこれによっている。かつて権力を保持していた集団が力を失っていく局面である。

われわれはアブハジア人

ジョージアのアブハジアに暮らす人々は、紀元前6世紀にまでその歴史を遡ることができる。自らをコーカサス先住民と考えており、ジョージア以外に祖国はない。ソチ南部に位置するアブハジアは、翠玉のごとき黒海の水面から、そびえる山並みを望む風光明媚な地方である。アブハジアの人々は、自治を保持しつつも、それは長期にわたる征服を経た後のことであった。ローマ帝国、ビザンティン帝国、隣国ジョージア、オスマン帝国、ソビエト連邦などによる支配である。このような占領に次ぐ占領の歴史にもかかわらず、アブハジアの人々は、「アプスアラ（apsuara）」すなわち、「われわれはアブハジア人」の伝承によって、独自の文化と慣習を保持し続けてきた。

しかし、20世紀に入ってから、独自文化は喪失の危機に瀕することになった。最初の脅威はヨシフ・スターリンによる粛清だった。彼はアブハジアの知識階級を処刑し、グルジア文字を強制した。何万ものジョージア人を当地に移住させ、アブハジア人の民族支配を根絶やしにしようとした。1980年代後半、ソ連が解体の兆しを見せ始め、ジョージア人の独立を推進しようとしたとき、新たな脅威が出現した。あたかも、フィリピンのモロ人のように、アブハジア人にとって、スターリン死後確保した少数民族としての特権をジョージア人が取り上げるのではとの懸念がそれだった。

悪夢が現実となったとき、アブハジア人は武器を手にした。ジョージア独立から1年ほど後の1992年7月、自らの文化や言語への侵害に反発して独立を宣言した。ロシアの軍事援助を受けた戦闘員が、ジョージア民族一掃に向けた内戦を引き起こした。両陣営で数千名の犠牲者、膨大な負傷者と逃亡者が出た[17]。終盤までに、それまで地域人口の19％に過ぎなかったアブハジア人は過半を占めるようになっていた。支配権は彼らの手に移っていた。

専門家はアブハジア人のような集団を「土着の民」と呼ぶ。戦闘を厭わない格下げされた民族集団の多くは「土着の民」の典型である[18]。

その多くは先住民であり、歴史的にも地域の中核を担ってきた。出生地の正当な相続人であり、特権を引き受けるに値すると自負している。その認識は多数派の認識に加え、最初にその土地に居住し、支配した理由からも拭いがたく強固である。自らを「先住権を持つもの」と見なす一方、そこに住んでいたわけでもなければ、同じ母国語を共有するわけでもない者すべてを排除すべき「他者」と見なす。1800年以降の内戦についての研究では、「土着の民」に相当する民族によるものは60％、そうでない民族による28％と比較するならばほとんど倍であった。[19]かかる集団が危険なのは、抵抗運動の組織能力に著しく秀でているとともに、憤怒が圧倒的に破壊的であるためである。この2点は、内戦へと誘う主要因と見なしてよいであろう。

その圧倒的支配権を背景に、土着の民は、あまりにも当然視され、特権性を見失う。ありふれたものと見なしてしまう。年長者は国や地域の指導的地位にあり、国民全体のために政治的決断を下す。その言語は公用語であり、時に唯一の国家言語である。文化的慣習やシンボルを享受し、祝日を定め、宗教学校の優遇措置を設ける。

しかし、よそ者が自文化や言語を持ち込んだら――。間もなく、外部集団は地元住民を圧殺しかねないところまでいく。一例として、パプア人がある。パプア人は西ニューギニアの繁茂する森とともに生涯を送り、政治的経済的にも完全な自給自足の中にあった。インドネシア編入を余儀なくされると、今度はジャワ島、スラウェシ島、バリ島などからの移民が流入し始め、一挙に変化の濁流に呑み込まれた。1965年、パプアの先住民は独立を要求し、「自由パプア運動」を立ち上げた。[20]

1971年には、西パプア共和国を宣言し、憲法を制定するに至った。そして1977年には、外資系銅山を標的とした、断続的なゲリラ活動が開始された。後には、当該地域に居住する非先住民とともに、国軍や警察をも攻撃対象とするまでに内戦は拡大し、推定で10万ものパプア人が犠牲となっている。

公用語を母国語とする場合、非公用語を母国語とする場合と比較して、経済的に見ても巨大な優位性を手にすることができる。[21] 1939年から1975年までのスペインの独裁者フランシスコ・フランコはその点を実によく理解していたと言える。彼が権力を強化していった方法として、カスティリャ語を他言語よりも高位に置き、バスク語、カタルーニャ語、ガリシア語他の言語の公共の場での使用を禁じた。新生児はその土地固有の名付けを受けることも、固有言語を学校で教えることも、ビジネス利用も許されなくなった。言語は国家アイデンティティとも分かちがたく結びついている。最終的にどの文化が支配的であるかがそれによって決定されてしまう。

ウクライナのドンバス地方居住のロシア系住民が脅威に感じたのは、民族主義的新政権が、ロシア語を排斥し、ウクライナ語を公用語化することだった。言葉を適切に用いることができなければ、高い収入を手にするのは至難である。あるいは教育へのアクセス、特に高等教育を管理下に置くことも、特定民族を他より優遇する常套手段である。公務員はどの国でも優位にある職といえるが、そこへのアクセスも同様であろう。特権をある日喪失したとき、人は深く傷つき、憤怒し、やがて抵抗への挙を固めることになる。

民主主義国家では、土着の民は、移民や出生率の組み合わせなどの人口要因によって格下げされることが少なくない。ドナルド・ホロヴィッツが指摘したように、民主主義による選挙とは、あえて言い切ってしまえば、頭数を勘定することであり、「人数が誰の国かを示す指標」なのである。[22]

アッサムの悲劇

茶の大規模栽培で知られるインド北東山岳地帯のアッサム。１９０１年隣国バングラデシュからのベンガル人（イスラム教徒）移住を地元民（主にヒンドゥー教徒）はただ指をくわえて見守るしかなかった。そのはじめは、過疎の不耕作地開拓を目的とし、イギリスの植民政府によって行われた[23]。イギリスは、２種のベンガル人移住を奨励していた。すなわち、イスラム教徒に多い技能低位にある農民のベンガル人と、公務への就業可能な教養あるヒンドゥー教徒のベンガル人である。だが、１９４７年以降のインド独立後も移民の波はやむ気配を見せなかった。アッサム人はさらに疎外感を募らせた[24]。１９７１年から１９８１年の間、１２０万人もの移民が受け入れられたが、この数字はインドのどの地域よりも１人当たりとして見ると圧倒的だった。

むろんアッサム人の間では動揺が走った。まず懸念されたのは文化だった。バングラデシュからの移民増大につれて、ベンガル語が家庭、仕事、行政などで用いられるようになり、ベンガル文化が幅を利かせるようになったからだ。第二の懸念は政治だった。アッサム人は、イギリスが去った後には、人口多数を占めなければ権力維持はおぼつかないことを知っていた。しかし、移民によって、少数民族へと転落し、支配権を喪失する危機が目前に迫っていた。第三は経済だった。アッサムは隣国バングラデシュと比較して人口は少なく、未開拓地も広大だった。新規入植の草刈り場だった。

出稼ぎベンガル人農民は瞬く間に土地を占有し始めた。教養高いヒンドゥー教徒のベンガル人は誰もが羨む官位さえ得るようになった。移民の方が先住民よりも高い生活水準を手にするようになるのにさほどの時間はかからなかった。

対してアッサム人は、ベンガル人とイスラム教徒を自らの支配地域から排除すべく、民族派閥を組織した。[25] 1960年にはアッサム語を州の公用語と定めたことに端を発し、ベンガル人は職業的に著しく不利な事態に立ち至った。州立学校ではアッサム語が授業で用いられることとなり、ベンガル人にとってはさらなる障壁となって立ちはだかった。ついにアッサム人が行政職での優遇措置を受けるようになった。それでも、移民は減少の気配を見せなかった。選挙管理委員会の報告によれば、1979年議会開催までに、選挙人名簿には見慣れぬ名が多数登載され、大半がベンガル人という事態に直面することとなった。アッサム人は恐れていた事態が現実化しつつあることを悟った。移民入国と投票で1000マイルも離れたデリー政府は変容をむしろ歓迎しているのではとさえ勘繰りたくなるほどだった。

歴史上初となるベンガル人激増とアッサム人減少の事態が出来した。当該地域の主要都市では、長期にわたりベンガル人が人口においてアッサム人を上回り、ベンガル語が支配的言語となっていた。反移民運動を専門とするMITのマイロン・ワイナー教授は、次のように述べる。「アッサムは、ほかならぬアッサム人にとって異質な生活と文化の中心地へと変容していった[26]」

現在に至って農村部にあっても同様の変化は顕著であり、もはやその傾向が見られないところは皆無である。

かくして、人口動態の急変に加え、新たな有権者数激増に伴い、政治情勢も大きな変化に呑み込まれつつある。(27) 大きな問題の一つは、外国人による市民権取得と投票があまりにたやすく成し遂げられてしまった点にある。当時のインドでは、国内出生者、少なくとも両親いずれかが国内で出生した者、7年以上の居住者の3種に市民権を付与していた。となると、バングラデシュからアッサムに不法入国した者にも、10年ほどの居住実態さえあれば市民権が付与されてしまう。いうまでもなく、インドの支配的政党・国民会議派は合法・非合法問わず移民を奨励した。

ついに大虐殺へ

アッサム人からすれば、解きがたいまでの難問だった。政府がその気になったとしても、外国生まれのベンガル人の誰が合法で誰が非合法かなどどう判断できるというのか。インドには市民権を示すIDカードのような便利なものはなく、貧困層に至っては出生証明書さえ所持していなかった。要は区別などはなから無理である。アッサム人は、抵抗運動をもって事態に処するほかなかった。

1979年、中産階級の学生リーダーは、全アッサム学生連合（AASU）を創設、新たな要求を前面に打ち出した。それは次のようなものだった。

1951年から61年の間に移住してきた外国人が市民権付与の対象となること。(28) 1961年から71年にかけての移民は、インドの他地域に居住することとし、市民権は付与しないこと。

1971年以降の移民は、全員国外退去処分とすること。

これらの要求は、事実上の民族浄化を意味し、アッサム人が自らの政治的文化的優位を保持するための主張にほかならなかった。また、表向きは「不法移民追放」と称されているが、合法・非合法かかわりなく全ベンガル人が対象なのは明らかだった。

政府は要求に取り合わなかった。そのためにさらに過激なアッサム統一解放戦線（ULFA）が創設され、武装民兵による爆撃や要人暗殺など、市民をも巻き込む戦闘行為が開始された。[29]ULFAによって分離独立の危機さえ引き起こされている。しかし政権にあった会議派には、同派を支持するベンガル人を国外退去させる理由はおろか、移民制限の動機も持ち合わせてはいなかった。独立許可などまったくの論外であった。

AASU指導者の大半は都市部中流階級の出身で、十分な教育を受けていた。彼らは、不安と外国人嫌いに乗じて、ベンガル人移民がなけなしの土地と仕事を奪い、資源を蚕食し、農地を荒廃させていると信じ込ませることに成功した。[30]移民を「侵略者」と呼び、自らの運動を文化的・政治的・人口的な生存のための闘争と位置付けた。ついに、バングラデシュ政府はアッサムを植民地にしようとしているとの陰謀論まで広まった。

当初は、アッサム人にとって憤怒の矛先たるヒンドゥー教徒とイスラム教徒のベンガル人移民は、暴威の高まりにもかかわらず、静観していた。しかし、1980年には、反国外追放団体の結成が散見されるようになった。同年5月には、全アッサム・マイノリティ学生連合（AAMSU）が創設され、1971年以前に移住したすべての移民に市民権を付与し、少数民族迫害停止を要求した。[31] 両陣営の間には激しい衝突が繰り返され、州当局や公共物へのテロ攻撃も報告されている。

1983年選挙時に決定的事件が起こった。果たして政府は抵抗運動に妥協して1971年以降の移民には選挙権を付与しなかったろうか。むろんそうではない。1979年の選挙人名簿の継続的な有効性が発表されるや、アッサム人が主張する不法移民が国内に包含されることになり、暴力は苛烈さを増すことになった。選挙ボイコットが呼びかけられ、実際の戦闘も行われた。アッサムの専門家サンジブ・バルアによれば、暴動とは、「選挙問題を生存を賭けた最後の戦い」とする信念そのものだったという。[32]

当時、アッサム州中央マリガオンで学校に通っていたベンガル人少年マナシュ・フィラク・バタカルジーさんは、当時の様子を振り返る。

道脇にアッサム人殉教記念碑を目にした。アッサム語で「われわれが与えるのは血だ。国ではない」と記された看板もあった。[33] 夜にはたいまつ行進にも行き合った。暗闇の中で、「外国人、出ていけ」と連呼し、街を練り歩くのを目にした。

1983年2月18日、そのときが来た。[34] 朝8時、ネリー村付近の地元農民が、太鼓を打ち鳴らしながら、「アッサム万歳」を唱え、イスラム教徒の村を包囲した。鉈、槍、手製の銃を用い、

4000ものベンガル人移民を殺戮した。[35] 犠牲者のほとんどは逃げ切れなかった女性と子どもだった。さらに数十万が難を逃れ、多くは難民収容施設に退避した。「ネリーの大虐殺」と呼ばれる。新たな人口動態の現実への脅威から、格下げで追い詰められた人々がとった絶望のあがきだった。

経済要因はどう作用する

内戦研究者は長らく経済要因に目をくらまされてきた。初期の統計調査では、1人当たり所得と暴動との間の相関関係が指摘され、内戦勃発が何よりその事実を裏付けていると考えられてきた。貧困国の市民は、富裕国の市民との比較において、内戦参画傾向が高かった。しかし、優れたポリティ・インデックスとしての「市民参加」「選挙による選抜」「行政権力の抑制」などを考慮に入れたとき、経済は当初考えられていたほどの重みを示さなかった。むしろ内戦にとって赤信号と考えられてきた所得格差は、逆に作用することがわかってきた。

ジェームズ・フィーロンが発表した2010年の『世界銀行報告』によれば、「所得格差と内戦との間に正の相関関係は存在せず、かえって所得分布が平等な国の方が、どちらかと言えば内戦勃発傾向は高い」と指摘される。[36]

むろん、経済要因が内戦と無関係であるとか、所得格差に意味がないなどと主張するつもりはない。つまるところ、どの民族が置き去りにされ、弱体化したと感じるかに伴う決定要因として経済は少なからぬ意味を持つ。経済的不公正は、すでに存在する怨恨を増幅させる効果を持つようである。また、富裕な者にとって、貧困者を抑圧するなどごくたやすいことだ。

ウクライナ東部ドンバスの住民は、2014年に大統領選で敗れた上に、製造業も喪失してしまった。(37) ともに政治的に排斥され、経済的な見通しもなきに等しかった。(38) アッサム人は、割の良い仕事がよそ者に優先的に配賦されるのを目にした。

モロ人も、政府がイスラム教徒所有の土地を収用し、カトリック入植者や外国人の手になるプランテーションに譲渡するまで、武器を手にすることはなかった。地元のイスラム教徒にとって、政治的にはなすすべがなかった。1992年モロ人指導者はこうつぶやいている。(39)「外から伐採者がやってきて、われわれの美しい丘陵や山をめちゃくちゃにした。やがて永住者が続々と現れた。そうして見る間にわれわれは森の奥に追いやられていったのだ」

悪意はなくとも、経済格差は怨嗟の対象となる。近代化の過程においては、伝統的な農村社会は機能的都市へと変貌していくが、そのような世では、教育や技術を手にした市民が競争上優位となることは避けられない。

気候変動の脅威

あるいはグローバル化によって、製造業は発展途上国へと移転し、主として女性の担うサービス業に利益をもたらしている。「土着の民」は、そのような地殻変動の割を食う側に追いやられることが多い。多くは農村部住民であり、国の経済、文化、政治の中枢から遠く離れている。貧しく、学が浅いために、競争社会で勝ち残るのは至難である。本来保持していたはずの先住者特権は消滅しただけでなく、かえって生きる上での障害となる。この世界は彼らなくして当たり前のように動いている。彼らの方は忘れられ、蚊帳の外に追いやられたと感じるようになる。

ユーゴ内戦が勃発するまで、ボスニアのセルビア人は、クロアチア人やボスニア人と比較して貧しく、都市部同胞の豊かさに恨みの目を向けていた。他方でセルビア人はユーゴという大国の中で、政治的・軍事的に強大な一角を占めていたにもかかわらず、「二級市民」と見なされていた。モロ人は土地喪失に伴う経済的打撃に加えて、教育がないために移住者との競争で歯が立たなかった。

実際のところ、移民が紛争の引火点となることは珍しくない。彼らは貧しい農村に居住する「土着の民」のまともな競争相手となる。結果として恨みを募らせ、暴動へと向かわせる。気候変動の影響も加味すると、世界がかつて経験したことのない大移民時代を迎えていることは、憂慮を強める結果となっている。海面上昇、干ばつ、異常気象などにより、今後さらに多くの人々が移住を余儀なくされるであろう。世界銀行によれば、2050年までに、1億4000万人以上、東南アジア、サハラ以南のアフリカ、ラテンアメリカからの気候変動移民による流出を見ると予測されている。[40]

また、専門筋によれば、気候変動が資源不足を招来し、内戦の頻発を助長する危険も警告される。シリア内戦は初期的な例の一つであろう。[41] ２００６年から２０１０年にかけて、シリアは壊滅的な干ばつに見舞われ、政府による差別的な農業・水利政策もあって、深刻な不作にあえぐことになった。スンニ派を中心とする１５０万もの住民は、農村から都市へと移住することになった。キリスト教アラウィ派勢力の首都ダマスカスでは、スンニ派はアサド大統領に敵対すると見なされ、やがて宗教的差別と怨恨へと向かっていった。

気候変動は自然災害を頻発させ、貧しい農村部に請求書の少なからざる割合は回されることになる。差別的な政治経済政策や政府の無能によって、常に涙を呑むのはまさにこうした時期である。『米国科学アカデミー紀要』掲載の２０１６年論文によれば、民族的に分極された国では、武力による紛争発生の頻度が高くなる傾向にあるという。[42] １９８０年から２０１０年の間に、それらの国々の４分の１で紛争が発生し、気候問題と相まって、乗数的に脅威を増幅させることがわかった。

すでに内戦の危機の渦中にあるならば、自然災害は事態をさらに深刻なものにする。干ばつ、山火事、ハリケーン、熱波がさらに頻発しかつ激甚化する中で、大移住時代にあって、「格下げされた人々」にとっては武器を手にする理由にさらに事欠かなくなってくるだろう。

第4章

希望が死ぬとき

排除の構造

北アイルランドのカトリック教徒はひたすらに失い続けていた。12世紀、アングロ・ノルマン侵略に始まり、幾世紀にもわたるイギリスの植民地化、17世紀にはノース海峡を渡ってスコットランドのプロテスタントの定住を奨励するところにまで事態は悪化していった。１６５２年にはカトリックの所有地はすべて没収され、１６９０年には「アルスター・スコッツ」（当時スコットランド系プロテスタントをそう呼んだ）が北部人口の過半を占めるようになった。

受け入れがたい喪失のきわめつけは、１９２２年にやってきた。北部アイルランドのカトリック教徒が、アイルランド他地域とともに独立を拒否されたことだった。イギリスはアイルランド自由国なる新たな独立国を創設したものの、北部６郡は依然イギリス支配下にあった。最悪なことに、ウェストミンスターは北アイルランド国境線を書き換え、イギリス人プロテスタントが人口の3分の2を占めるようにしてしまった。そのことは当地の新たな疑似的な自治政府による教育、法、社会福祉、産業、農業が、カトリックではなく、プロテスタントによって担われることを意味した。ウェストミンスターは、法秩序を維持する条件で、プロテスタントに自由統治を許可したのだった。

北アイルランドのカトリックは、他地域から切り離されたにとどまらず、故郷にあってさえ少数派に甘んじることとなった。すでに外国勢による征服は完遂されていたのだ。

かくして、プロテスタントは、カトリックを権力の座から追い払った。よい仕事、土地、家屋から遠ざけるために、民主的とは言いがたい法を続々と制定していった。[1] 初代首相となったジェームズ・クレイグによれば、北アイルランドは「プロテスタント国」となり、アルスターの多数派利益への奉仕を目的とするようになった。イギリスの一部であるにもかかわらず、1人1票さえ保証されなかった。自治体選挙での投票権を得るには、家屋の所有が条件となっており、プロテスタントびいきが横行していた。地方議会もプロテスタントを優遇し、カトリックが不動産所有するのに数年も待たされるなど、住宅割り当てに決定権を有していた。仕事においても市議会が幅を利かせており、名や住所を口にしただけでカトリックは即お払い箱になる光景もめずらしくはなかった。[2]

カトリックのゲイリー・フレミングさんは、次のように語る。「両親、私などの家族全員、ひょっとすると未来に生まれてくる家族さえ、二級市民扱いが定められているんです[3]」

南部独立を果たしたアイルランド自由国のカトリックは、自由と法の下の平等を享受していた。にもかかわらず、北アイルランドは違った。それどころか、時とともにひどくなる一方で、耐えがたいまでになっていった。

イギリスは、北アイルランドのプロテスタントに統治を許すことによって、全人口の3分の1を除外する形で、部分的民主主義を実現させている。アイルランドにあっては、カトリックはプロテスタントと同レベルの力を勝ち取るだけの権利は持たなかった。保護や資源も付与されることがなかった。そのような制度は甚大な影響を持つことになった。プロテスタント優遇は、政治・経済・地理上の分断によって、二つの超派閥を生んだためである。プロテスタントは、イギリスの一部であることを選択するユニオニスト党を圧倒的に支持していた。専門職や特権的職業は独り占めされ、多数の企業や農場が所有されていた。他方でカトリックは港湾、建設、小農場などでの未熟練労働に従事した。また、カトリックはプロテスタントと比較して貧しく、都市部と地方では暮らし向きも異なり、子どもの学校まで違うことが少なくなかった。「なぜカトリックは貧しいのだと思いますか」とプロテスタントの人々に尋ねるならば、「ぐうたら、ちゃらんぽらん、子だくさん」と返ってくる。制度がもともと差別的に出来上がっているなどどちらりとも考えない。カトリックの側からすれば、悪循環にからめとられているのは疑う余地もなかった。

「事変」の始まり

20世紀半ばまでに、北アイルランドは内戦勃発の基本条件が見事に揃っていた。部分的民主主義、アイデンティティによる派閥、先住民の政治的排除などがそれらに該当する。だが、彼らは1922年以来の長きにわたり、差別や貧困の痛苦を甘受しつつ、暴力に抵抗してきた。いつか訪れる生活環境の好転を信じ、希望を持ち続けてきた。

1969年夏、事態は一変した。8月12日、プロテスタント1万名以上が、北西部国境の町デリーの労働者が集住するカトリック地区ボグサイドに沿ってデモ行進を行ったのだ。このデモ行進は、1689年にプロテスタントがカトリックの君主ジェームズ2世の攻撃を退けた「デリー包囲戦」を記念して、毎年数百人のプロテスタントが参加している。

だが、このときばかりはいささか不吉な含みがあった。差別への抗議を繰り返すカトリックの連中に、分をわきまえさせようとの意があったためである。現地の男女の子どもの見守る中、行進は近隣を通り抜けていった。カトリックの見物人には小銭が投げつけられ、行進者には投石が見られた。やがてプロテスタントの意を受けた王立アルスター警察（RUC）が駆けつけ、警棒と装甲車で強引に侵入してきた。アメリカの公民権運動からの触発もあって、カトリックも黙ってはいなかった。警察やデモ隊に投石し、屋根の上から手製のガソリン爆弾が投じられ、暴動へと発展していった。翌日、戦闘服とガスマスク着用の警察が現場に再び現れ、催涙ガスをまいた。さらにはプロテスタントによる民兵「Bスペシャルズ」まで乗り込んできた。それでも、現地住民をひるませるには足りなかった。彼らはプロテスタントを指導する連中が、権力維持のためなら何でもしかねないくらいのことは知っていたためである。

暴動勃発から3日目、英兵300名がデリーに到着した。プロテスタント系の首相が、警察の抑えが利かなくなるのを危惧して出動要請したものだった。ロンドンによる直接介入は分割後初だった。カトリック教徒たちは色めきたった。暴徒や警察から自分たちを保護してくれるとばかり思っていたためだった。

現実は厳しかった。英兵出動の目的が反対にプロテスタント保護のためだったと市民が悟るのにさほどの時間は要しなかった。軍は反乱鎮圧に動き、カトリック教徒の家屋を襲撃・捜索しつつ、時にデモ隊と衝突しながら、残忍な行為に及んだ。あくまでもカトリックは敵であって、同等の権利を持つ市民と見なされなかったのだ。

休戦を迎えた3日後、各地の暴動によって負傷者は1000名を超えた。家屋は焼失、死者6名を出した（ベルファスト5名、アーマー1名）。この衝突はアイルランド和平の終焉を告げるものだった。速やかにカトリック教徒による各地での抗議運動が組織され、双方のにらみ合いは深まっていった。

パトリック・ビショップとイーモン・マリーの2人のジャーナリストは次のように報じている。

「カトリック側は自らをプロテスタントによる虐殺の犠牲者と強く感じ、他方でプロテスタント側はIRA蜂起は目前だと強く感じた[4]」

英軍はベルファストのアイルランド人居住区における武装解除を試みた。しかし、新たな応戦はやまなかった。アイルランド共和軍暫定派（IRA）は、地域防衛のために旗揚げされた準軍事組織であるが、1970年10月には、積極的攻撃に打って出るようになった。当初は店舗や事業所への爆発物設置が主であったが、やがて英兵が標的とされるようになった。英軍を何とか駆逐せねばとの思いからだった。

2年半ほどを経た1972年1月30日、英兵は再びボグサイドに侵攻した。「血の日曜日」とされる同日、非武装市民26名（うち死亡14名）が銃弾に倒れた。政治による無裁判投獄に対し、平和的デモが敢行されているさなかでの出来事だった。逃げ惑う市民に対し背後から容赦なく発砲された。「事変」とされる内戦はかくして始まった。

ＩＲＡの差し出した新たな希望

カトリック教徒が争いごとを望んでいたはずもない。むしろ北アイルランドでの公正な政治的権利と平等な待遇を求め、数十年にわたり平和的に抗議活動が継続されてきた。抗議文をものし、協会を設立し、街頭でのデモ行進が行われた。屋外での抗議集会、座り込みも行われた。１９６８年には、在ベルファストの議会占拠も敢行された。１９６９年にはアメリカでのセルマ・モンゴメリー間大行進にならい、ベルファスト・デリー間の「長征」も行われた。しかし、プロテスタント側からは一切歩み寄りの手は差し伸べられなかった。何一つとして——。

英兵到着を見るまで、カトリック教徒は、ロンドンの民主的な政府が、プロテスタントの横暴を掣肘してくれるとの甘い見通しを手放せなかった。権力機構からの追い落とし策を知らないはずもなかったが、一方で、中央は党派性と似非民主主義的な彼らよりはいくぶんましだろうとたかをくっていたのだ。だが、彼らは善良なる監督者ではありえなかった。他の問題に気を取られた不在統治者に過ぎなかった。それでも、カトリック教徒は、最後には、きっと自分たちを守ってくれるに違いないとあてにしていた。

そこへきて、英軍の反乱鎮圧がいやがおうでも真実を表に引きずり出した。カトリック教徒が希望を喪失した瞬間だった。ボグサイドでの英兵による暴力行為を目にするにつけ、非暴力的な抗議活動がもはや無意味なのは明らかだった。シン・フェイン党前議長のジェリー・アダムズによれば、制度変更に付随するあらゆる試みは、「完膚なきまでに敗れ去った」のだった。[5]英兵が自らを異物のように見ているのを知った。彼らは、数千年来暮らしてきた土地に後からやってきたプロテスタントの味方だったのだ。本国は奴らの側であって、自分たちは敵なのだ。そのとき、希望は死んだ。それ以上明白な証拠などもはや存在しようがなかった。実体的暴力によって引きずり出された見まがいようのない運命だった。

研究者ならば、それらがどこで、誰によって引き起こされる傾向が高いかについてすぐにぴんとくる。民族に伴う派閥に支配されたアノクラシー国家において、「格下げされた」人々によってである。だが、その引き金はどのようなものか。何を最終要因として国は内戦の泥沼に引きずり込まれるのか。度重なる苦痛に人は忍耐することができる。長年の差別と貧困、音もなく緩慢な衰退の苦しみにだって耐えうる。しかし、希望の喪失にだけは耐えることができない。未来に目を向けたとき、そこにさらなる痛苦しか見出しえないとしたら、暴力以外は頭からきれいに追い払われてしまう。[6]

誰しも、基本的には希望を信じている。どれほどの苦境にあろうと、明日を信じたい。希望の存在が、今を耐えうるものとしてくれる。どんなに追い詰められても、自暴自棄にならず、今あるものの中で何とかやっていこうという気になれる。だが、希望は不確実なものを必然的にはらむ。希望をもてるということは、未来が不確定だからだ。その空白をよきもので満たしたい。

カトリックの人々は、本国政府がいずれ何とかしてくれるだろうとあてにしていた。それが希望を持ちえた理由だった。希望に対して警棒をもって報いられたとき、もはや幻想の入り込む余地はなかった。暴行に次ぐ暴行の中で、ついに希望は死んだのだ。ミンダナオ島のモロ人は、マルコス大統領の戒厳令に続き、土地と武器が強奪されたとき、希望を喪失した。北アイルランドのカトリックは、英兵に敵扱いされたとき、非暴力的解決への希望を失った。

体制への信頼を失った集団は、代替案を示す過激派に付け込まれることが少なくない。北アイルランドでは、暫定ＩＲＡがそれだった。アイルランド共和党の有力者ダニー・モリソンは言う。「誰もが打ちひしがれていたまさにそのとき、ＩＲＡが新たな希望を差し出してきたのです[7]」

反乱と希望

シリアで内戦が始まるなどと予期しえた者はほぼいなかった。チュニジア、エジプト、リビア、バーレーン、イエメンで、アラブの春の抗議者たちが街を埋め尽くすのをシリア市民は静かに見守っていた。デモから数週間、チュニジアのベンアリ大統領は辞任し、長期にわたるエジプトの独裁者ムバラク大統領も退陣する。その様子をシリアの市民は目にしていた。にもかかわらず、彼らがデモに参加しなかったのは、アサド大統領が恐怖と脅迫を巧妙に用いて、自国の分断に乗り出し、反体制派を弾圧していたためである。

基本となる条件は整いつつあった。アサド政権は国民に改革を約束しながら、実現できなかった。

かえって多数派のスンニ派よりも、自身のアラウィ派を優遇することで、派閥政治を強固なものとしてしまった。アラウィ派とスンニ派、富裕層と貧困層、都市と農村の格差は、2006年から2010年にかけての干ばつで顕在化した。シリア人の多くはスンニ派で、東部農村に居住していたが、地中海沿岸に居住する都市部の富裕なアラウィ派エリートが支配的だった。干ばつを契機として、数十万ものスンニ派がシリア都市部の貧困地域に流入してきたとき、アサドも政府もほぼ手を差し伸べようとはしなかった。

新たな貧困地帯に居住するスンニ派は、政府サービスや仕事が、自らの犠牲の上にアラウィ派地域に流れていくのを目の当たりにした。(8) また、政府治安部隊が反対派に露骨な嫌がらせをするのも目撃している。ダラアでは、他のアラブ諸国の覚醒に触発された若者たちが「民衆は政権の崩壊を望む」との落書きによって検挙、拷問、殺害されている。それでもなお、他国での反乱はスンニ派に希望を与えた。「チュニジア人、エジプト人、リビア人にできたことが、俺たちにできないはずはないだろう」

2011年3月15日、抗議行動に着手したとき、多くのシリア人は決して悲観していなかった。チュニジア、エジプト同様に、自分たちもできるに違いないと信じていた。当初において要求は控えめなものであった。表現の自由、野党結成の自由、不当逮捕や拘束からの解放などが求められたに過ぎなかった。しかし、時が経つにつれ、要求はエスカレートしていった。やがて教育改革、雇用の派閥間差別撤廃、政府腐敗の根絶などが掲げられるようになった。

「血が人を動かすんだ」

シリア南西部の都市ダラアは、ヨルダンまで車で10分ほど、イスラエルまで30分ほどの地点にある。落書きで若者が命を散らせた事件を契機として、ダラアは初期抗議活動の中心地となった（親が警察署に照会に行ったとき、こう言われたという。「子どものことは忘れろ。また作ればいい。やり方を忘れちまったのなら、お前んとこの奥さんをここに連れてこい。俺が教えてやるから」）。

3月18日、Facebookでのやり取りを経て、スンニ派は軍情報部も立ち入れない場所の一つであるモスクに集合した。「ハーリー、ハーリー（自由だ、自由だ）！」と気勢が上がった。その様子を動画に撮影。顔や携帯電話は隠さなかった。モスク内は安全と信じた。モスクから出るとき、何千ものデモ隊が待ちかねていた。みんな通りを縫うように、地方政府の本部へと行進した。初めての自由の感覚が彼らの心を快く刺した。

しかし、その後間もなくアサド政権の警察と市民防衛隊が出動し、群衆に向けて催涙ガスが噴射された。対してデモ隊は投石で応じた。催涙ガスと石がひたすらに乱れ飛んだ。夕方近く、マスクに黒服、身分証明書不携帯の男たちが目撃されるようになった。アサド政権の精鋭治安部隊「総合治安総局」の局員であり、群衆を蹴散らすために参集したのだった。上空への威嚇射撃が開始された。効果がないと見て取ると、次々にデモ隊を標的に発砲が始まった。スンニ派は近くのモスクに難を逃れ、救護所兼集合場所とした。白いシーツには檄文がペイントされ、屋外に吊るされた。アサドが交渉に応じるとの期待は潰えていなかった。

デモ開始後5日目の3月23日晩、街はいきなり停電となり、携帯も不通となった。ライフルで武装した兵士がモスクを襲撃、非武装のデモ参加者への発砲を繰り返した。数十名が犠牲となった。救急車で駆けつけた医師や救急隊員までもが、狙撃兵に射殺された。シリア全土のスンニ派は、この事件を受けて全国で抗議行動を組織化していった。アレッポのある男性は、「私たちはただ路上で要求を叫んでいただけ」と述懐する。[9]「私たちは誰の関心も引くことなく、いくらでも怒号を上げることができたはずだ。しかし、権力が私たちを攻撃したとたん、周囲にいた大勢も抗議に加わった。血だよ。血が人を動かすんだ」

スンニ派が希望を喪失するのにさほどの時間は要しなかった。アサド大統領が抗議行動にどう反応するかは未知数であったが、少なくとも改革に対しては前向きと信じられていた。本人は温厚なインテリ、イギリス留学経験もあって、改革派のアラブ人指導者と目されていた。歩み寄りもありうると思うのはむしろ自然だった。しかし、アサドによる返答は腹に一点の曇りもないことを証明した。

1週間後の3月30日、アサドはテレビ出演し、デモ以来初めて公的な場に姿を現した。[10]ハマーの病院のテレビ前で、外科医のジャマールさんは同僚たちとともに、固唾を飲んで見守っていた。

大統領補佐官はアサドが改革を発表し、投獄されていたダラアのデモ隊釈放をほのめかしていた。その代わり、彼はこの蜂起はシリアの敵によって支援された過激派テロリストによるものと決めつけた。一切譲歩などなかった。「もし望むのなら、戦争の準備は整っている」とカメラに向かって言い放った。ジャマールさんや同僚、アサド支持者さえ衝撃を受けないわけにはいかなかった。「この耳が信じられなかった」と後に彼は語っている。[11]

直接行動の引き金

その喧嘩腰は、抗議の声を一気に燃え上がらせた。中東専門家デビッド・W・レッシュによれば、この演説は「シリアを破滅的戦争へと決定づけた」という。[12] デモは拡大し、いよいよ巨大かつ煽情的なものとなっていった。警察や治安部隊はデモ参加者に激しい暴行を加え、発砲した。数万もの逮捕者が出て、暴動は激化した。4月末、ダラアは、シリア軍に包囲された最初の都市となった。戦車が投入され、屋上には狙撃手が配備された。治安部隊は糧食を没収し、電力切断のために現地派遣された。対して、デモ参加者は武装して対抗した。6月までに一部治安担当者の中には民間人殺害を拒否し離反者が出始めた。7月末には、そのグループが自由シリア軍（FSA）結成を発表した。

2011年9月になると、反政府武装勢力からの攻撃に対し、政府軍はいくたびも防御に回らねばならなくなった。スンニ派は抗議活動が事態の好転をもたらすと期待していた。しかし、アサド演説とそれに続く激しい弾圧は、未来への希望を徹底的に粉砕した。

抗議活動それ自体が内戦を起こすわけではない。むしろ抗議とは希望の表明と解すべきである。市民がシートやプラカードを掲げて街に繰り出し、シュプレヒコールを上げる。それは、政府が声に耳を傾け、何らかの改善がもたらされるとの期待からにほかならない。発砲されるとわかっていたら、恐怖で表に出ないか、もしくは武装して反撃するだろう。携帯電話一つで手ぶらで表に出るなど、能天気この上ない。それは、体制への信頼の表れでもある。アサド政権が抗議に耳を傾けて襟を正したなら、すぐさま荷をまとめて颯爽と帰郷したであろう。

抗議の挫折、それが希望の喪失と、直接行動の引火点となる。そのとき、市民はようやくにして体制への信頼がまったくの見当違いであったと悟る。イスラエルなどでは、何年間もパレスチナ人が非暴力的抗議を継続し、大規模なデモ、ストライキ、ボイコットに出たにもかかわらず、政府との交渉は一ミリも前に進まなかった。それは何をもたらしたろうか。パレスチナ人ジャーナリストのラドワン・アブ・アヤシュはこんなふうに言う。「民衆が暴発した[13]」

この発言は、抗議デモの挫折後、暴力が急速に昂進する傾向をはらむ事実を雄弁に物語っている。抗議は制度を正す最後の手段である[14]。また、平和裏に事態を変えようと聖母マリアへの祈りを唱えるおめでたい人々にとって、過激派に支配される直前の最後通牒でもある。

内戦前に起こること

内戦勃発前には、何年にもわたる平和的な抗議活動が見られる。[15] デモ参加者がある日突然兵士に豹変するのではない。裏切られ続けた集団の最も過激な要員が、他に方法がないと観念した結果として、やむなく武器を手にするのだ。暫定ＩＲＡメンバーのブレンダン・ヒューズは次のように指摘する。

「忘れないでほしい。何百年もの間、アイルランド人が、正当な権利を求めて選挙を含むありとあらゆる方法に訴えてきたことを。にもかかわらず、そのたびにイギリスは私たちを裏切ってきたのだ[16]」

平和的抗議運動が挫折したときにのみ、さらに過激な派閥メンバーが優位に立つようになる。かくして、誘拐、暗殺、爆弾テロが実行に移される。２０００年、イスラエルのエフード・バラク首相とパレスチナのアラファト議長によるキャンプ・デービッド会談が決裂した後、アラブ・イスラエル戦争における最大の修羅場となる第二次インティファーダが起こっている。アルジェリアでは、過激な武装市民がテロに走るまでに、フランスからの組織的差別に対抗して、長期にわたるゼネスト、ボイコット、抗議行動が続いた。デモの挫折は、穏健な手法が実を結ばなかった結果なのだ。

民主主義国家、専制国家を問わず、抗議行動に処するのはたやすい。１９８９年、天安門広場でデモが起こったとき、中国政府は学生指導者を虎視眈々と監視し、集会を盗聴し、参加者の特定と捕縛、処罰を実施できた。戒厳令を発令し、25万の兵士を北京に派遣することもできた。このような圧倒的な権威主義的体制を前に、抗議活動の展開はきわめて困難である。健全な民主主義国家の場合、制度自体が妥協と融和を内包しているために、抗議運動の失敗はほぼない。

しかし、アノクラシー体制のもとでは、抗議運動は不安定化し、断固たる手段を打ち出す見通しの利く対処を行うには制度的にも脆弱であり、加えて不安定な状況下では真の政治改革を約束しえない。中間領域に属する国々は、暴力的過激派集団形成の最適条件を満たしている。

また、国民が派閥に分断された国においても、抗議行動が原因となる場合がある。ハーバード大学で非暴力抵抗を研究するエリカ・チェノウェスによれば、抗議団体が当該国における人口の大半を包含する場合、政府は交渉に応じやすく、取り締まりも困難という。大規模かつ主流であるほどに、政治家の支持を獲得しやすくなる。民族や宗教による派閥、さらには超派閥などは、多様性を背景としておらず、社会の一部のみしか代表していないために、政府は歩み寄りたい気にならない。

アメリカで公民権運動が実を結んだ理由の一つは、正しい意味での連合であったためである。ケネディ大統領やロバート・ケネディ司法長官をはじめとする政府内の強力な後押しや、全米の白人リベラル派も味方だった。他方で、ブラック・パンサーはそうではなかった。アフリカ系アメリカ人のみであったために、ＦＢＩからも目をつけられることになった。権力を喪失した民族排他的な派閥は、政治的孤立を招きやすく、処罰も比較的に容易である。

デモが挫折するとき

抗議とは一つの警告でもある。体制は機能を維持しつつも、深刻な矛盾をはらむ事実を市民が教えているからだ。2010年以後、世界中の抗議運動は急増している。[17] 1900年のデータ収集着手以来、この10年はかつてないほどの数に及ぶ。2019年だけでも、チリ、レバノン、イラン、イラク、インド、ボリビア、中国、スペイン、ロシア、チェコ、アルジェリア、スーダン、カザフスタンなど、あらゆる大陸の114カ国で政治的抗議活動が行われた。[18] そこには西ヨーロッパやアメリカなどの自由民主主義国も含まれており、国際NGO団体フリーダム・ハウスによる自由度の高い国々でさえ多く見られるようになっている。

それら抗議活動がこれまで見られなかったほどの割合で挫折を余儀なくされているのは、最大の懸念事項といってよい。1990年代、平和的手段による抗議活動の成功率は65%だった。それだけ政治的変革や独立がもたらされたことを意味する。[19] しかし、2010年以後、成功率は34%にまで低下している。非暴力的抵抗の専門家チェノウェスは、「何かが変わった」事実を認めている。[20]「最も古く、最も自由な民主主義国家の脆弱性がさらに増しつつある」

デモが挫折するとき、内戦を招きやすい国では、ある危険な瞬間が訪れる。選挙がその原因ともなりうる。

コートジボワールにおける民主化移行、そして1990年代に実施された一連の早期選挙が好例と言えるだろう。1960年、フランスから独立した同国は、1993年までフェリックス・ウフェ＝ボワニによって統治されていた。「パパ」と親しまれたボワニ大統領は、コーヒーやカカオ産業の大幅なてこ入れを図った。また特定民族による多民族支配を防ぐために、クオータ制による一定割合の民族割り当てを導入した。結果、経済的な富裕化と政治的安定がもたらされるようになった。

しかし、1990年に実施された初の多党選挙で、大統領を筆頭とする政治家が、民族的アイデンティティの政治利用に乗り出したことで事態は一変してしまった。出身部族のバウレを優遇しているとの非難を背景に、対抗政党のローラン・バグボが大統領選に出馬することになった。バウレはコートジボワール最大民族の一つであり、南部に集住している。一方で、ウフェ＝ボワニ党は、バグボ党を外国人や北部民族の利権を代弁していると嚙みついた。1995年の選挙でも、民族間派閥による紛争は継続し、野党による不正選挙とボイコットが行われた。政権を掌握した勢力は、野党派を政府から排除し、国内の南北分断を激化させた。

最終的には、2002年9月に北部市民の反乱が勃発した。権力からつまはじきにされたのが理由だった。選挙とは、派閥間抗争の厳しいアノクラシー体制下では、格下げされた集団の敗北を機に一挙に不安定化する危険性をはらむ。1960年から2000年にかけて行われた世界の内戦調査によれば、選挙で敗北した民族が実体的暴力の行使に出る傾向の高いことがわかっている。[21] ブルンジでは1993年に内戦が勃発している。その際に、ブルンジ初となる複数政党による大統領選挙と立法委員選挙が行われ、そこで少数民族のツチ敗北から反乱に至った。

ウクライナ内戦は、2014年の選挙に端を発している。大規模抗議に直面して辞任を余儀なくされたヤヌコビッチ大統領に代わり、ペトロ・ポロシェンコが勝利したあたりが引き金となった。ウクライナ東部ロシア語圏のヤヌコビッチ支持者は独立を宣言し、武装して対抗した。

アメリカでは、アブラハム・リンカーンが南部民主党の支持なく初の大統領に就任したことが、南部の住民に分離独立を決意させた。

選挙それ自体が危険であるはずはない。むしろ、多くは選挙を民主主義のシンボルととらえ、前向きに政治参加している。コートジボワールでは、内戦前の選挙で8割以上が投票した。ブルンジも1993年には登録有権者の93％が投票している。

選挙は希望を与える。[22] 市民の意識を長期的展望に向ける。今日敗北したとしても、明日には勝利できるかもしれない。そう信じる。市民が未来に希望を抱くほどに、制度内で平和裏に行動する傾向は高くなる。

しかし、敗北した側が、もはや権力奪取は不可能と確信するとき、希望は一滴残らず蒸発してしまう。1860年のアメリでの選挙では、かつては強かった南部から1票の選挙人も出すことなく政権を奪取した候補者が現れたことで、南部民主党は破壊的なダメージを被った。共和党は奴隷制廃止を是としており、南部住民への配慮は無用だった。

選挙によって未来について意味ある情報を手にしうるなら、不確実性は低減する。第一に、選挙によって集団がどれほど競争的かがはっきりする。連続的敗北を喫するならば、それはもはや党が得票しえないことを示し、結果として政権から排除される危険性が高い事実を知らせる。まして、勝者総取り方式が採用される場合、不安定化への誘因はさらに激しくなる。大統領制は多数派有利の制度である。特定政党や派閥が過半数の支持を得なければ政権の座に就くことは不可能だからである。

民族カード

コートジボワールはアメリカ同様に大統領制の国である。大統領は多数決で決せられ、国家元首であるのみならず、政府を代表し、軍最高司令官をも兼任する。かかる制度で何より重要なのは、選挙での勝利にほかならない。アフガニスタン、アンゴラ、ブラジル、ブルンジ、インドネシア、ナイジェリア、フィリピン、ルワンダ、ベネズエラもすべて大統領制である。そのために、いずれも激しい政治的暴力をくぐり抜けてきている。ある調査では、1960年から1995年の間に内戦を経験した民主主義国のすべてが多数決もしくは大統領制を採用していた。(23) 比例代表制をとる国は一つもなかった。

多数決制度における民族派閥の存在は、選挙をさらに不安定なものとする。市民がある民族派閥に参集すると、その選挙支持基盤は固定化され、選挙結果の予測可能性を飛躍的に高めてしまう。当該国の人口統計を一瞥すれば、人々の投票行動がかなりの確度で予見できるのだ。誰もが選挙結果を事前に知っている。人口統計が変化するか、政治体制が変化するか、あるいは派閥がより包括性を伴わない限り、選挙結果が予測にたがう事態にはなりえない。

また、選挙は与党が公正な政治を実施しているかについての情報をも提供する。権力者が真に民主主義を信じているかどうかもはっきりしてしまう。一方が選挙結果を操作し、民主的な監視と均衡が脆弱で、平和的な政権移譲が行われないならば、公正な競争による選挙の信憑が失われてしまう。1948年にアルジェリアで実施された新議会選挙では、フランス人入植者が自陣を勝利させるために、あまりに悪辣な選挙不正に手を染めたために、「アルジェリア選挙」は不正選挙の代名詞となってしまった。そうなると、排除された集団にとっては未来永劫権力へのアクセスが存在しない事実を暴露することになる。不正選挙は、希望を踏みにじる行為なのだ。

さらには、選挙それ自体が派閥形成を助長し、政治家が民族カードを切る方向に導く。民族カードとは、わざと民族的ナショナリズムと不公平感情を煽り立て、自らへの支持を動員する手法である。立候補に先立つ選挙運動もまた、反乱の重要な地盤となり、それが政治的関与の低い市民を大きな政治運動に引き込むだけの集団を必要とする。選挙運動は特定の旗印のもとに人を集結させ、政治権力を奪取するプロセスである。ある意味で、平和的な形態をとりつつも、武力闘争の前兆と見てよい。

一度選挙になると、党指導者は即座に支持の取り付けに迫られるが、中には暴動を起こしたくてうずうずしている輩もいる。(24) とりわけ武器が日常的に流通する国などでは、政治集団と武装集団を隔てる壁は危険なまでに薄い。

選挙は市民的義務としての価値ある行動を組織化し、国家を強化する。制度への信頼を刷新し、1票の持つ力を再確認させる。しかし、同時に、特定集団の地位低下をあからさまに示す証左ともなりうる。そのことが未来への希望を打ち砕き、暴力に訴えても失うものは何一つないと確信させてしまう。

1週間で革命を起こす法

内戦は時にほんのちょっとした事件を発端とすることがある。いわば引き金となる事件である。それは時に選挙、抗議活動の失敗、あるいは自然災害などによって引き起こされる。フィリピンの場合、それはイスラム教徒の新兵による孤立無援の虐殺事件を契機とした。レバノンでは、息子の結婚式に向かう途中でキリスト教徒が殺害された事件もあった。グアテマラ内戦は、激甚な地震によって、政府の無能と腐敗が露見し、その後内戦になだれこんだ。しかし、背景を仔細に見るならば、しかるべき歴史的経緯が存在していることがわかる。学生、亡命反体制派、元軍人など、一般市民より権力や政治体制に強い関心を寄せる過激派小集団が引き金となることがほとんどである。ボグサイド暴動を起こした男女の子どもがアイルランド内戦を始めたわけではない。真の当事者はＩＲＡを創設した過激派である。

準軍事組織創設者のショーン・マック・スティオファイン、シェイマス・トゥーミン、ジョー・カーヒルらは、初攻撃計画を遡ること数十年前から準備会合を開いていた。アメリカ南北戦争では、独立戦争時代の愛国者をモデルとしたミニッツメンと称される民兵が、勃発数十年前の1830年代にはすでに南部全域で活動を開始していた。[25] 民兵は過激な分離主義者の小集団によって組織されており、多くは白人農園主であり、南部独立への支持獲得のために運動していた。白人労働者階級を自身の掲げる大義への理解獲得のために何年もの期間を費やしていた。「アラブの春」に端を発するシリアの内戦さえ、自由シリア軍設立者は戦闘開始前のトルコで半年間検討を重ねていた。一般市民が武装集団の存在に気づく頃には、すでに十分に盤石かつ力強く成長を遂げている場合が少なくない。

その際、政府がはからずも過激派組織を後押ししてしまう危険もある。複数の調査研究によれば、過激派集団の初期に圧倒的暴力をもって政府が鎮圧してしまうと、いかに大衆人気に乏しい集団といえども、地域での支持は昂進することがわかっている。[26] 政府が自国民に銃を向ける行為自体が、道行く一般市民を過激派に変えてしまう力を持つ。シリア南西部のエンジニアであるアブ・タイルさんは、同様の作用がダラアで起こったと語っている。政府軍が町を停電させた後アル・アマリ・モスクを襲撃し、数十名のシリア人を殺害した。地元民は銃撃を耳にし、ダラアへと平和を願ってやってきた。治安部隊は問答無用で発砲を繰り返し、地元民間人を一掃してしまった。「このことで本を1冊書くなら、『1週間で革命を起こす法』というタイトルになるだろうね」とアブ・タイルさんは語る。[27]

初期過激派なら、政府との衝突による市民の死などの、こぜりあいが本格的内戦への導火線となるのを知らないはずがない。彼らは政府の弾圧を好機として、それに従って計画を練る。ハマスは、学校、モスク、住宅地を武器保管場所に選び、あえてイスラエル軍の爆撃を誘った。[28]ブラジルのマルクス主義者カルロス・マリゲーラは、過激派の同志に対し政府軍を狙うよう仕向けて、反撃を誘発した。[29]政府が自国民弾圧を強化し、罪無き人を検挙し、都市生活を耐えがたいものとすれば、市民による反政府感情が高まるとの読みがあった。

北アイルランドでは、IRAのトミー・ゴーマンが次のように回顧する。「英軍と政府による抜き差しならぬ応酬は、われわれにとって最高の採用機関となった」[30]

スペインにおいて、分離主義集団ETAは、フランコが第二次世界大戦中ドイツ軍にバスク爆撃を許すまでは特に地元市民からの支持は得られなかった。ある専門家によれば、「治安部隊が野放図に暴れるほどに、人は一挙に過激化していく」という。[31]そのため、政府による強硬策に導かれるように内戦は暴発するかに見える。過激派はすでに武装は回避不能と知っている。だが一般市民もまた、その考えが自らを益すると判断するようになる。

暴力対決仕掛人

過激派はしばしば平和的な抗議運動に便乗することもある。先のエリカ・チェノウェスは、「暴力対決仕掛人」と呼ぶ[32]。

彼らは社会運動を暴力に引き寄せていくことで、運動自体を乗っ取ろうとする。もちろん政府による反撃を誘発する目的もあるが、それ以上にデモ参加者に不安と恐怖を与え、穏健な構成員にも武装の必要を肌身でわからせる目的もある。彼らは過激派の助力を求めるようになり、平和的手法では我が身を守れないことを知る。

政治指導者はかかる安全保障のジレンマを自らが作り出していることを十分に知らないかもしれない。ツジマンはセルビア人を「クロアチア国内の少数民族」と再定義し、忠誠を求めた。このことがセルビア人の恐怖心を刺激し、ミロシェビッチの思うままになったその事実を果たして本人は理解していたのだろうか。恐怖に陥ると、過激に傾くほどに勝率が高まる。

では、なぜ特に民主的政府は、暴動を回避しうるにもかかわらず、デモ参加者に屈服しないのか。ヒントとして、政府自らが生存の危機を認識していることがある。アサド側から見ればシリア民主化はスンニ派支配に道を開き、アサドとアラウィ派支持者を無力化するか、もしくはさらに事態を悪化させるだろう。イラクのフセインやリビアのカダフィが権力を返上したときに何が起こったかを彼らはよく見ていた。むろん同様の轍を踏むつもりはなかった。

多民族国家の他の指導者は、武力以外に国をまとめる方法など存在しないと信じている。1955年から2002年にかけての民族自決の研究で、潜在的な分離主義者を多く抱える国では、指導者が交渉のテーブルに着く可能性はなきに等しく、武力に訴える危険が高いことがわかっている。[33] 指導者がある集団に独立を認めるならば、他の集団も独立を要求するようになる。分離主義の連鎖反応が火を見るより明らかなら、武力で決着をつけることが未来の紛争防止上役立つ。東ティモール独立運動に際して、インドネシア政府は弾圧をもって臨んだ。人口の25％が犠牲になったと推定されるが、それは国内の他の多くの民族による独立要求阻止の見せしめの意味合いが強かった。

また支配階級のエリート、投票者層、軍幹部も、内戦へと導く危険性がある。いずれかに肩入れしている指導者は、気づけば秩序形成に参画している側よりは、形成される秩序を受け入れる側にいる危険性を避けられない。フランス政府、アルジェリア在住の政治力を保持する本国入植者が軍将校の支持を得ており、歩み寄りの余地もなかったために、戦争を選択せず独立を許諾した。内務省はフランス系アルジェリア人に牛耳られ、警察はさらにその内務省に牛耳られていたためである。

中国共産党の趙紫陽は、天安門事件に際し、妥協案を提示した。しかし、党内強硬派から、対応の生ぬるさを批判され、あわや失脚の一歩手前というところで、やむなく軍事行動に出ることになった。

無知もまた、政府による過剰反応を惹起し、巨大内戦の引き金となりうる。存在感希薄で影響力の脆弱な地域であるほどに、政府が過剰反応する危険性がひときわ高いとの研究も存在する。[34] 北アイルランドとの責任交渉にあたっていたイギリスのジョナサン・パウエルは、「北アイルランドで何が起こっているかについて、本国イギリスはほぼ何も知らなかった……情報は古かったし、誤った人々を監禁していた」と述べている[35]。しかし、イギリスは暴力的鎮圧に訴えることで、カトリック教徒からの信頼を喪失しただけでなく、北アイルランドを暫定ＩＲＡに引き渡しもした。継続的抗議行動に政府がどう反応するかは何とも言えない。感情的要因からも予期せぬ事態を生起させる。激昂と恐怖が常態となる。双方が復讐を誓い、現にその行動を要求する。だからこそ、格下げされた集団による初期のテロ行為は、誰もが思うよりもはるかに危険なのである。

暴力対決仕掛人たちは、考えられるより大きな賭けに出ている。さらには21世紀初頭の数十年間、内戦誘発を企む過激派は、強力な武器だって思いのままに使用可能になった。比較的安価かつ瞬時に手に入り、怨恨を刺激するのにもまたとない道具である。その危険性を認識する人は今もって多いとは言えない。

第5章
暴動増幅装置
——SNSの罠

ミャンマーでの体験

私たちが尾行に気づいたのは、車で1時間ほど走った頃だった。グレーのセダンはすでにぎりぎりのところまで幅寄せしていた。私たちの小型トヨタ車は、道路の陥没や自転車、歩行者を避ける関係上、時速30マイルも出せていなかった。目的地マンダレー北部の古い植民地時代の町は、美しい庭園とひんやりした山の空気、そして軍事基地でその勇名を馳せていた。軍服の男が待ち構えていた。

「お前、名前は。どこから来た。なぜここにいる」

夫と幼い娘と私の3人はミャンマーにおり、誰もが刮目する大変化の中だった。２０１１年、数十年にわたり国家を強権支配してきた軍事政権から、民政移管したばかりだった。統治者の軍幹部は選挙実施を容認し、著名な野党指導者のアウン・サン・スー・チーの解放にも同意した。歯車が回り出せば、この美しい国の生活には目も覚めんばかりの変化がもたらされ、自由かつ豊かで、市民に優しい国になるはずだった。

しかし、私たちは同時に、この国がいともたやすく政治的動乱に巻き込まれていく一抹の懸念を抱いていた。選挙が現実のものとなり、スー・チーが勝利して首相になった場合、瞬く間にアノクラシーに陥る危険がそれである。そのとき、軍は独裁的支配と国家財政の双方を手放し、みじめな負け犬となるだろう。また、仏教徒派閥の台頭も無視できなかった。ミャンマーはそれまではビルマと呼ばれていたが、多数派の仏教徒と少数派のイスラム教徒の間でこぜりあいが絶えなかった。それはイギリス統治下の1826年から1948年にまで遡る。その間、インドやイスラムの熟練労働者が、イギリス統治下の産業労働要員として移住してきた。とりわけ移民を多く受け入れた地域では、本来の住民たる仏教徒――土着の民――は疎外感にじりじりと焼かれていた。

仏教徒は新たな産業経済から放り出され、低賃金の農業に追いやられた。1930年代には、仏教徒の民族主義者によるイスラム教徒への抗議運動が始まり、「ビルマ人のためのビルマ」が高唱されるようになった(1)。以来、インドのイスラム教徒とアラカン地方のイスラム教徒ロヒンギャは白眼視され、市民権も奪いとられてきた。法的代理権は認められず、強制労働収容所に監禁されるようになった(2)。反政府勢力が抵抗すると、政府はそれを弾圧正当化のために利用した(3)。統治体制が解放されるならば、仏教徒は政治権力を手にし、格差を利用する動機を強める危険性があった。

しかし、私たちの訪問から1年ほど、ミャンマー民主化を楽観視しうる理由もまた存在した。カレン人の反政府勢力との停戦合意がなされ、数百名の政治犯が釈放され、選挙ではアウン・サン・スー・チーの党が圧勝したのだ。国内では検閲法さえもが機能しなくなっていた。

旅行中、ようやくネット接続できたのは、ヤンゴン繁華街の場末にある植民地時代に建てられた年代もののホテルのPCのみだった。ほぼつながらなかった。iPhoneを見せても、得体の知れぬ物体に怪訝な表情を浮かべるだけだった。しかし、2011年に成立した新政権はネット規制を大幅に緩和した。やがてFacebookさえできるようになった。スー・チーの国家顧問就任が決まった2015年には、それまでネット接続可能な国民1％（北朝鮮を除けば最低レベル）から、一気に22％にまで上昇した。それは一つの巨大な達成のように映ったものだった。

偽情報による巨大氷山

他方でそれは災いでもあった。2012年、仏教徒の超国家主義者（多くは僧侶）が、Facebookを用いて、全土に住むイスラム教徒を標的とするようになったのだ。[4] 暴動の頻発はイスラム教徒のせいにされ、この侵略者は仏教徒にとっての脅威にほかならないと喧伝された。投稿は「豚に食われろ」とのコメントとともに拡散されていった。[5] グループページでは、ロヒンギャの国外追放に怒号を上げる大規模集会がアップされた。SNSは瞬く間に超人気プラットフォームとなり、ニュースの発信源ともなった。やがて、軍関係者も利用するようになり、ヘイトスピーチやフェイク・ニュースの温床となった。力を失いかけていたときに、恐怖がその動きを強める役割を果たした。[6] 軍とのにらみ合いを望まない政府関係者は、この流れを是認し、何千もの偽アカウントから偽情報を拡散するようになった。不法移民と見なされる「ベンガル人」（彼らはロヒンギャをこう呼ぶ）が暴力や犯罪に手を染めていると嚙みついた。

ラカイン州では、2012年6月に初の暴動が発生し、8万のイスラム教徒が家を追われたと報告されている。1年を経ないうちに、ロヒンギャへの民族浄化が全世界に報道されるようになった。[7] 最初の衝突は、治安部隊の見守る中、暴徒化した仏教徒によってなされたと言われている。同地の仏教徒は、火炎瓶、鉈など手製の武器を用いて、村々を襲った。時には兵士も加わった。Facebookによってデマが扇動されているのは誰が見てもはっきりしているのに、政治はそこにロヒンギャが居住している事実さえ認めようとはしなかった。それらを報道したジャーナリストは刑務所行きだった。Facebookへの働きかけはことごとく妨害された。

2013年、スタンフォード大学でドキュメンタリー・フィルム制作を学ぶオーストラリア人の学生アエラ・カランさんは、暴動の模様を動画に収め、Facebook副社長エリオット・シュレージへの直訴を試みた。ヘイトスピーチとロヒンギャ虐殺の関係を明らかとするプロジェクトも発表されたが、Facebook側の反応は鈍かった。1年後には、ノルウェーの電話会社テレノールがミャンマー市場に参入し、携帯電話購入者は無料でFacebook利用し放題として、アクセス数を激増させた。

その後、ジャーナリスト、企業、人権団体、海外政府関係者、そして国民の中にも、Facebook経由で燎原の火のごとく広がる生のヘイトスピーチと偽情報に警告を発し続けた者は何十人もいた。[8] それでもFacebookは沈黙したばかりか問題の存在さえ認めなかった。[9] 2016年10月、一挙に事態はエスカレート、軍は殺害、強姦、逮捕、さらには放火を繰り返した。同年12月までに数百名かそれ以上が殺害され、数千名かそれ以上が家を追われた。だが、それでも真の惨劇は

２０１７年８月に起こった。軍は仏教徒とともに、大量殺戮、国外追放、強姦の挙に出た。翌年１月までに、推定で２万４０００名のロヒンギャが殺害され、１万８０００名の女性子どもが強姦、性的暴行に遭った。[10] 11万６０００名が何らかの暴行を受け、３万６０００名が火中に投じられた。推定で１００万近いロヒンギャのうち70万名が国を追われた。ベトナム戦争以来の規模だった。

民主主義活動家でノーベル賞受賞者のスー・チーには世界から事態を何とかするよう要請が相次いだ。しかし、スー・チーは暴力の存在を認めず、代わりにミャンマー西部から亡命するロヒンギャの写真は偽物と断じて、Facebookで次のように述べた。「人権と民主主義による保護剝奪がどのようなことか、私たちは誰よりも深く理解しています[11]」トルコのエルドアン大統領との電話会談でも、「ミャンマーのすべての人々に保護される権利がある」とも述べた。ロヒンギャ迫害は現実ではなく、「偽情報による巨大氷山」の結果であるとした。

ＳＮＳと民主主義離れ

２０１０年以降、世界を見渡す限り、毎年民主主義の階梯を上る国よりも、下る国の方が多くなっている。[12] 下降は若い民主主義国ばかりでなく、民主主義が神聖視されてきた豊かな国でさえ見ることができる。選挙で選ばれた政治家の中には、言論の自由自体を攻撃し、憲法を改正して権力集中が図られた例さえある。また代議政治の弱体化も見られる。いずれも、独裁はなくてはならぬものと国民を説得した結果であった。

スウェーデンの研究機関V-Demは、世界中の民主主義国家を調査し、100を最も民主的、0を最も非民主的として評価した場合、西ヨーロッパではスペインが最もひどく、ギリシア、ドイツ、フランス、イギリス、アイルランド、オーストリアが続く。最も自由主義的な北欧諸国も、2010年以後、順位は下降している。過去100年で最優等の常連だったデンマークは10ポイント、スウェーデンは35ポイント下げた。民主主義の衰退速度は高く、同機関は2020年に初となる「専制化警報」を発している。

少なくともここしばらく、注目すべき例外はアフリカ諸国である。[13] 過去10年のほとんどの期間、サハラ以南のアフリカは、世界で唯一、民主主義を拡大させた地域である。[14] ブルキナファソは、27年間にわたる半専制支配を経て、2015年に初めて民主化移行を経験している。シエラレオネは2018年、与党が選挙で敗北、政権交代の結果、民主化へ移行した。コートジボワールは2015年、植民地時代以後初の国際的監視による包括的選挙を実施している。ガンビアは20年にわたる軍事支配の後、2017年に民主制に移行している。

アフリカ諸国は別の観点からもいささか様相を異にしていた。同時期、世界で最もネット普及率の低かったのがアフリカだった。2016年には北朝鮮が最下位だったが、それに続くのはエリトリア、ソマリア、ニジェール、中央アフリカ共和国、ブルンジ、チャド、コンゴ民主共和国など12カ国だった。

ネット・アクセスの増加を見るようになったのは、SNSを主たるコミュニケーション手段とし始めた2014年を境とする。2015年から、Facebook、YouTube、Twitterがサハラ以南に進出し、それに呼応して、紛争の次元が上がった。一例を挙げるならば、エチオピアでは、2019年に地元当局が青年を武装させているとのフェイク動画が流れた。それによってティグライ人とオロモ人間の緊張が一気に高まった[15]。民主的選挙を経て新政権に移行した2018年以後、さらに反目は加速した。ある分析によれば、緊張激化はFacebookを中核とするネット・アクセス急増期に重なるという[16]。

中央アフリカ共和国では、近年SNSを用いて喧伝されるヘイトスピーチが、イスラム教徒とキリスト教徒間の分断を致命的なものとしている。2019年、サハラ以南諸国のV-Demによる民主主義評価は、他の国や地域同様下降し始めている。

世界的に見られる民主主義離れが、ネット、スマホ、SNSの普及期とほぼ一致しているのは偶然ではない[17]。私たちが日々目にする新しい情報環境は、今世紀世界が経験した唯一にして最大の文化的・技術的変化にほかならない。

パンドラの箱

Facebookは登場当初にあって民主主義を促進する優れた手段として歓迎された。人と人をつなぎ、アイデアや意見交換を自由に促進し、巨大メディアでなく市民自らがニュースのキュレーターたることを可能とした。それは生活者の手に権力をゆだねる上でまたとないツールにしか見えなかった。反体制派を組織し、コミュニケーションを図る新たな方法の入手と、自由と変革の新時代開拓がそれによって約束された。

2009年、Facebookは世界でも最高の人気を誇るプラットフォームとなった。2010年には、YouTube、Twitter、WhatsApp、Instagramも同じく人気沸騰し、成長を続けている。2013年には、アメリカ人の23%が少なくともニュースの一部をSNSから入手するようになった。[18] 2016年までにその割合は62%以上、今日では70%を超えている。

しかし、それがパンドラの箱であるのは、火を見るよりはっきりしている。情報共有の時代は、誤報（間違った情報）、偽情報（意図的に誤解を促す情報）の拡散にとっても、無限定かつ無秩序な回路を開いてしまったからである。

それまでメディア環境から締め出された人々、あるいは少なくとも民衆の支持獲得など夢のまた夢だった底辺者、陰謀論者、荒らし、デマゴーグ、反民主主義的工作員が一挙に支持を集めるようになった。ワシントン大学情報市民センター共同設立者のケイト・スターバード教授によれば、「2009年当時、誤情報問題は比較的軽微であり、実際に『あまり気にし過ぎることはないですよ』とうそぶいたほどだった。[19] 目にする情報のほとんどは正しく、善意によるものであった」と話す。しかし、5年も経ないうちに、SNSにおける虚偽情報は青天井に広がった。各国に浸透し、耳目を引くようになり、はっきりと目に見えるパターンがそこに生まれた。民族間の派閥が生まれ、社会的分断は拡大した。移民への憎悪は危険水域に達し、ポピュリストは嫌がらせで当選するようになった。かくして暴力の連鎖はとどまるところを知らなくなった。規制無きオープンなSNSプラットフォームは、内戦にとって完璧なまでに好都合な促進条件となったのだ。

そのビジネスモデルがまた曲者だ。[20] Facebook、YouTube、Google、Twitterなどのテクノロジー企業は、収益獲得のために、ユーザーに少しでも長くとどまってもらう（エンゲージ）必要がある。子猫のリンク、著名人の噂のリツイート、動画共有など、滞在時間が長いほどに、広告収入ががっぽり入る仕組みになっている。また、利用時間に応じてユーザーの行動データを収集し、広告ターゲットを見定めやすくなるため、さらなる増収に結びつく。Facebookが「いいね！」ボタンを導入したのは2009年のことである。ユーザーから人気の投稿はそれによって丸見えとなった。同年、民主主義衰退の前年にあたる年に、Facebookはさらなるイノベーションに着手した。その人の過去の「いいね！」を用いて、フィード投稿を決定するアルゴリズムの導入がそれである。YouTubeを所有するGoogleも後を追った。

過激派パイプライン

結果わかったことがある。最も好まれるのは、まったりしたものよりぞくぞくするもの、真実よりも嘘、共感より憎悪という事実である。扇動的な投稿に「いいね！」する傾向が、そうでないものよりもはるかに高い。バズるのを目当てに野心的投稿へのインセンティブを生み出している。「いいね！」によって、ユーザーは、真偽とは別に、怒髪天を衝く投稿によって溜飲を下げるようになった。その後、調査の結果、エンゲージを獲得する情報は、まさにこのような憤怒、失望、暴力へと導くことが白日の下に示された。

ニューヨーク大学のウィリアム・J・ブレイディらが50万件のリツイートを分析したところ、モラルや情動に関するワードが登場するたびに、リツイートは20％増大することが判明している。[21]ピュー研究所による別の調査では、「憤激を伴う拒絶」を含む投稿は、他との比較において、約2倍もの「いいね！」と「シェア」を獲得したという。[22]コンピュータ科学者で、Googleの元倫理問題担当のトリスタン・ハリスは、２０１９年の『ニューヨーク・タイムズ』インタビューで次のように説明する。「YouTubeをさらに視聴してほしいと思うなら、僕だったら、何でもありのやばいところに誘導するだろうね[23]」

悪いことには、行動アルゴリズムは半ば自己強化的に、ますます異様な情報サイロに手を染めており、陰謀論やフェイク・ニュース、過激投稿などを通して、ユーザーを誘っている。レコメンデーション機能は、限られた過激投稿へとユーザーを拉し去る導線となった。[24]

たとえば、子猫を救助する警官の投稿に「いいね！」したとする。Facebookは警察関係の慈善団体や警察を支持する投稿でも、さらに過激なページを盛って表示させる。ローマのサピエンツァ大学コンピュータ科学者ウォルター・クアットロチオッキは、４年にわたってFacebookグループの5400万件を調査分析している[25]。結果、意見交換が長くなればなるほどに、コメントは過激になることが判明した。ある調査では、YouTube視聴者は、辛口トークショー司会者ジョー・ローガン（2020年視聴数は2億8600万）のような穏健な右派動画を好んで視聴するものの、やがて過激な極右系動画に強引に引きずり込まれることが少なくないという。同研究は、YouTubeを「過激派パイプライン」と結論付ける[26]。

内戦を研究する筆者らにとって、SNSが心底侮れないのはこのエンゲージを核とするビジネスモデルである。現在の方法では、発信情報の真偽などどこ吹く風と、すべてが受け入れられてしまう。同時に、ニュースや情報の門番であるはずの巨大テクノロジー企業には、自社プラットフォーム利用者や発言を制限するだけの動機が存在していない。むしろあまねく伝えられるほどに、株主利益にかなうことになる。

かりにあなたが過激派メンバーだったとしよう。訴えたいことを世界中に流布したいなら、SNSほど理想的な手段はない。ミャンマーでは、過激派僧侶の指導者アシン・ウィラトゥが、反ロヒンギャの熱烈な支持者を得たのは、同様の事例である[27]。ウィラトゥは軍政時代にその過激発言のかどで投獄の憂き目にあった後、2013年以降は過激カルト集団指導者として表舞台に返り咲き、教団の内外で数千に及ぶ信者を獲得している。ウィラトゥはムスリム問題についての「説教」で全国行脚し、軍による介入拡大を訴えた（2019年には、スー・チーをイスラムの侵略者に生ぬるい態度しかとっていないと批判したことから、扇動罪で逮捕）。

深まる分断

一連の注目を集めた情報共有、それらに関連したプラットフォームに現れた2017年虐殺関係のストーリーなどが世に出たこともあり、2018年、Facebook(現Meta)社はついにコミュニティ内の暴力行為に一定の力を行使してきたことを認めた[28]。CEOのマーク・ザッカーバーグは、ヘイトスピーチやフェイク・ニュース抑止に全力を尽くすと発言した。同社はビルマ語に堪能な従業員を3名雇用し、最終的には484ページ、157アカウント、17グループを消去した。だが、活動家や人権団体の多くにはまったく焼け石に水だった[29]。

すでに時遅しだった。Facebookでブロックされた軍指導者は、今度は反イスラム、反ロヒンギャで盛り上がりを見せるTwitterに目をつけた[30]。2017年夏、ロイターが発見した数百の新規アカウントに、ある人が同種のコメントをしていた。「ミャンマーにロヒンギャなんてものはない。ただの不法移民、テロリストに過ぎないだろ[31]」。しかし、Twitterもほぼ投稿を消去しなかった。今日はっきりしているのは、どのSNSも自社プラットフォームが東南アジアで民族浄化に利用されていたことについて、無為無策であった事実である。

ミャンマー軍によるロヒンギャへの暴力的キャンペーンは内戦ではない。ロヒンギャは組織化も反撃もできなかった。これは政府と仏教徒による少数民族への一方的な攻撃であって、民族浄化の一形態であった。以上は世界中にはびこる紛争の極端な例であり、民族主義仕掛人がSNS

を有効な拡声器として用い、恐怖と暴力で煽りに煽った結果にほかならなかった。2018年春に至っては、Facebookは国民的対話装置となっていた。ティン・チョー大統領辞任発表もテレビやラジオを差し置いて、Facebookでなされたほどだった。[32]

口にするのもためらわれるが、ミャンマーは内戦になる危険がある。2020年11月、選挙でスー・チーの政党が圧勝した。数カ月後、不正選挙として、軍はスー・チーはじめ野党指導者追放のクーデターを起こした。2021年春、デモ隊と警察が市街地で衝突し、長年にわたってSNSで深められた分断はさらに激甚なものとなった。軍は速やかに非暴力的な抗議者の拘束に着手した。路上で市民を射殺し、暴行の上検挙・投獄した。夜陰に乗じて指導者を拉致した。Facebookが軍を締め出し、関係する企業広告をブロックしても、かたや個人ページではクーデターを正当とし、下級の政府関係者も結集させるプロパガンダが流布された。[33]

2021年3月末は、それまでになかったほどに血の匂いがぷんぷん漂っていた。ヤンゴン市郊外居住の抗議活動指導者ソエ・ナイン・ウィンさん（仮名）はアメリカのジャーナリストの取材に涙ながらに応じた。[34] もはや非暴力抗議は意味をなさなかった。彼はこう言った。

「外交が失敗し、殺戮がやまないのなら、国民は自分の身を自分で守るほかありません」

彼はすでに戦闘準備に着手していると明かし、「内戦はやはり起こるでしょう」と付け加えた。

Facebookは政権への跳躍台

「フィリピンの果物かご」とされるミンダナオ島。この島の市長がロドリゴ・ドゥテルテだった。2015年に大統領選出馬を決意したときはほぼ無名と言ってよかった。金も人脈もなきに等しかった。しかし、彼には知識があった。マーケティング・コンサルタントのニック・ガブナダを雇用し、当選を可能とするだけのSNS網を築いた。ガブナダは数百名ものインフルエンサーに金をばらまき、候補者への賞賛と対抗馬への批判、さらに注目を促すハッシュタグを広く拡散させたという。

ドゥテルテは、政府への不満に目をつけ、それを増幅させるためにSNSをフル活用した。既存メディアを政治エリートの犬と痛罵し、体制にケチをつけ、上層階級の腐敗を糾弾した。麻薬汚染への不安を煽って、秩序回復のための警察による取り締まり強化を主張した。

2016年のドゥテルテ勝利はFacebookなしに語ることはできない。ブルームバーグのローレン・エッターはフィリピンを「Facebook優等国」と持ち上げたほどだった。[35]

選挙戦が始まった。フィリピン最大のオンラインニュース「ラップラー」創設者にして著名ジャーナリストのマリア・レッサが大学生有権者向けフォーラムを開催したとき、そこに姿を見せたのはドゥテルテのみだった。[36] 速やかに若者向け主要プラットフォームのFacebookに力は傾注された。対立候補へのフェイク・ニュースやよからぬ噂をふんだんに織り交ぜて選挙戦を有利に進めていった。

戦略は成功だった[37]。マニラ首都圏、南部セブアノ語圏、長期にわたり抑圧されたモロ人発祥の地ミンダナオ島で過半数の票を獲得した。出口調査によれば、腐敗した政治エリートが嫌う、教育ある若年有権者の支持が確認されている[38]。対立候補と比べて選挙予算は見劣りするにもかかわらず、ドゥテルテは２０１６年に第16代大統領に就任した[39]。

独裁への腹を持つアウトサイダーを大衆感情の上げ潮に乗せて政権をひったくるツールとしてＳＮＳ利用はほとんど常套化している。トルコのエルドアン、インドのモディ、スペインのマリアーノ・ラホイなどに政権を与えたのも同様の手口だった。いずれも巧みな手法に通じたダークホースだった。

ラホイは２０１６年スペインで、現職支持だったFacebookユーザーを巧妙に囲い込むことでまさかの勝利を射止めた。ＳＮＳは候補者に対してオープンな環境のみでなく、誤情報やプロパガンダ発信のための豊かなプラットフォームをも供している（たとえば、YouTube、Twitter、Facebookなどによって無限にリーチ可能となる）。

それまでは政治家が有権者に訴えるに際して、党幹部、人脈、新聞社などのゲートキーパーを介する必要があった。しかし、ＳＮＳにあっては、いかに過激な候補者や政党であっても、そのようなものとは無縁である。

誤情報キャンペーン

しかも、たんに主張を世間に拡散するのみではない。ＳＮＳのアルゴリズムによって、アウトサイダー的存在が、恐怖と怨嗟を介した華麗なるエンゲージメントをばねに、敵対者や体制の虚偽を広域に流布することが可能となった。フリーダム・ハウスによる２０１７年報告によれば、その年少なくとも17カ国で、誤情報キャンペーンが選挙戦を実質的に動かしている。[40] スーダン政府は、国家情報安全保障局内に「サイバー・ジハード」の部局を設置し、偽アカウントを立ち上げて、FacebookやWhatsAppの人気グループに潜入させた。政策を称賛するコメントを多数つける一方、批判的なジャーナリストをこき下ろした。報告書は次のように述べる。

「ベネズエラの工作員は定期的に加工映像を駆使して、反対派についての誤情報をＳＮＳに拡散させ、選挙を前にかき乱し、反対運動の信頼性を低下させた。[41] ２０１７年のケニアでは、８月選挙を目前にして、ＣＮＮ、ＢＢＣ、ＮＴＶケニアといった一流報道機関のロゴ入りフェイク・ニュース記事や動画をＳＮＳのメッセージ機能でユーザーが当たり前のようにシェアしていた」

もちろん反民主主義的性向をはらむポピュリストが政権を獲得するのは、現代史上初というわけではない。ただし、異なるのはそのシステムである。以前は軍クーデターによっていたが、現在は有権者自身によっている。

この現象は、ＳＮＳが民主主義に向けられた市民の疑念を候補者が煽りに煽って、付け込むことが主要因となっている。誤情報キャンペーンは、体制攻撃に利用され、代議制、報道の自由、司法の独立などへの信頼を失墜させ、寛容と多元への支持を低下させる。恐怖を煽るために使われることもある。極右の法と秩序を重んじる候補者を当選させるのに一役買うこともある。最終的には、選挙結果に疑念を抱かせ、不正選挙を高唱して、一部有権者から票が盗まれたとさえ信じさせる。民主主義国家にあっては、候補者への適切な判断のためには、有権者が正確な情報を与えられていることが大前提である。しかし、SNSがひたすら垂れ流すのは、有権者に都合の悪い情報である。民主主義過程への信頼が失われると、代替的な制度支持の傾向が高くなり、保護を確約し、確かな未来を謳うカリスマに進んで権力を明け渡すようになる。

まさにドゥテルテが民主主義的慣習を破壊した折に行ったのがそれだった。

あるいはボルソナロがブラジルに対してなしたことも同様である。ともに、大統領になるなど誰も思いつきさえしなかった。2014年、活動家で選挙参謀のファディ・クランによるブラジル有権者対象の世論調査では、66%がボルソナロに投票する意思は「ない」ことが判明した。[42] 極度に右翼的で、政治経験もお粗末と見られていたからだ。しかし、ボルソナロはなけなしの資金を用いて、FacebookやYouTubeに広告掲載し、SNSを手足のように操る初の選挙戦を展開した。[43] 初期のYouTube動画やFacebook投稿は醜悪なまでに対立候補を攻撃していた。[44] 前大統領ジルマ・ルセフをボストン・マラソン爆発犯になぞらえた。女性問題庁長官エレオノーラ・メニクッチは、まったくありえないながら、共産主義者兼ナチであり、国家の敵とする動画も制作された。ある動画で極端な政治的拷問の必要を主張するかと思えば、別の動画では軍事独裁政権復活を求めた。ゆっくりと「いいね！」がつきはじめ、再生回数も増加していった。初期には陰謀論が強調されていたが、やがてグローバルな白人至上主義思想が中心となった。たいていのポピュリスト指導者に違うことなく、自身を悪辣な主流派政治家を告発するアウトサイダーの地位に置いた。(45)やがて旧メディアからの追及を受けると、一般国民とSNSによる直接的コミュニケーションを背景に、それらがいかに腐敗し嘘にまみれているかを呼号した。(46)

選挙戦から半年後、彼は大統領の座を獲得した。投票した有権者の9割は記事を目にして、それらの真実性を疑うことがなかった。今日もなお、WhatsAppやTwitterを通して支持者と頻繁にやりとりし、「全大文字」でがなりたてている。ここ数年、毎週YouTubeとFacebookで、1000万以上のフォロワーにライブ配信している。

アルゴリズムが分極を助長

あなたは言うかもしれない。こんな反民主主義的態度を続けていたら、どこかで馬脚を現すだろうと。しかし、彼らは権力を盤石にするまでに、SNSを手足のように操り、平和と繁栄のためには反民主主義的手段がぜひともなくてはならないと有権者に信じ込ませてしまう。

ドゥテルテは何百もの個人を動員している。多くは中国で（熱心な支援をしている）、偽アカウントを取得し、批判者に嫌がらせを仕掛けたり、大統領賞賛のコメントをつけたりし続けている。(47)

本人について記されているTwitterのうち20％はボットと考えられている。(48) かくして2020年10月までに支持率は91％に達している。

ハンガリーにも同様の事例が存在する。ヴィクトル・オルバン大統領の人気も、時とともに衰退するどころか、かえって高まりを見せている。ヨーロッパでは、ドイツのための選択肢（AfD）、イタリアの北部同盟、ベルギーのフラームス・ベランフ、フランス国民連合、オーストリア自由党などの右翼反移民政党が近年支持率を増大させている。

SNSはやたらに声のでかい者が他者の声をかき消してなきものとする、いわばダーウィンを思わせる「適者生存」である。自由民主主義国家と権威主義的政権が拮抗する中にあって、うかつにもSNSは独裁を助長してしまっている。国々に対し民主主義の階梯を下降させるのみではない。民族、社会、宗教、地理上の分断を強め、派閥を形成する強力な契機ともなる。むろん神話や感情、政治への不平不満など、派閥主義を助長するものなら、すべてが垂涎のコンテンツとなる。SNSのアルゴリズムは、分断助長のコンテンツを後押ししている。そうと知りながら人と人を仲違いさせ、価値観や見解を異にする人々をありもしない現実の中に押しやって、結果として社会を分極させる。

一例を挙げてみたい。極右の民族主義国家としてスウェーデンを思い浮かべる人はおそらくないはずだ。反対にスウェーデンは進歩的な政治文化や行き届いた福祉制度で国際的知名度を誇っている。同国の人々は「スウェーデン例外主義」とも言われる、共同体、平等、相互扶助への献身ぶりを誇りとしてきた。スウェーデンの人々は、それを「フォルクヘメット」と呼ぶ。「国民の家」という意味である。

しかし、2014年9月9日、元ネオナチ政党が同議会で第三党になる事態に立ち至った。欧米民主主義国の中でも、スウェーデンが人種差別的、外国人嫌いの政党を受容したことに多くは虚を衝かれた。『ニューヨーク・タイムズ』ジャーナリストのジョー・ベッカーは、数カ月を費やして原因を調査している。(49) スウェーデン民主党として知られる同党は、第二次世界大戦中に武装親衛隊への参加歴のある化学者によって1988年に旗揚げされている。2005年、党首ジミー・アケソンは党のイメージ改革に着手し、「ハーケンクロイツと戦闘ブーツ」を「スーツとネクタイ」に衣替えし、ナチズムからポピュリズムに路線変更した（党員によるナチ制服着用での会合は金輪際禁止された）。しかし、この党には問題があった。同国の新聞、テレビ、ラジオは広告掲載のみならず、郵便配達まで拒否した。よって党は拡大できず、多くの国民は存在さえ知らずにいた。

状況を一変させたのがインターネットだった。まさにベッカーが見出したように、2009年に元ウェブ・デザイナーのアケソンは、ネット上での存在感増大に注力し始めた。Facebookページを続々と立ち上げ、自らだけでなく他の党首も、フォロワーと直にやりとりできるようにした。その中で、「社会のニュース」「今日のニュース」という二つのサイトを開設し、日常の極右ストーリーを掲載するようになった。移民や極左の情報は撒き餌で、即座に読者がつくようになった。

ベッカーの指摘によれば、2018年、スウェーデンの選挙に絡むジャンク・ニュースの85％は、上記2つのサイトと、「フリー・タイムズ」という第三のサイトに発しているという。毎週100万人以上の閲覧を得たが、この数字はスウェーデンの二大新聞読者数に匹敵する。[50] ネットを主軸に戦われた選挙戦からわずか1年後の2010年には初議席を獲得している。[51] 2014年には国会で第三党へ躍進した。要した時間はわずかに9年。

同党は、自身を「ネオナチではない」としている。あくまでも、日々起きている社会の変化に目を向ける、善良な労働者階級であると同党党首は言う。確かにもっともらしくは見える。党員はブレザーをまとい、清潔感もある。しかし、ネット上で発せられている言葉を見ると、似ても似つかぬ実像が嫌でも目に飛び込んでくる。それは、自らの歴史的権利が危殆に瀕していると訴える、アイデンティティを懸けた派閥の姿である。劣後した「奴ら」との関係で自らを規定し、国民の家から追放するのに熱心な実像である。

サイトを閲覧すると、イスラム系移民は犯罪者、動物虐待者であり、ヨーロッパの法などはなから相手にしていない輩にほかならないというストーリーを目にすることができる。また、「心ある隣人の情報で、外国人の強盗を逮捕」などの記事があり、過剰に演出された写真が添えられている。スウェーデンを素朴で幸福な時代に戻せと同党は強調する。「国民の家」を奪回すること、それが目標なのだと。[52]

ユーチューバーと民族主義仕掛人

民族主義仕掛人にとって、SNSはまさに夢である。そのアルゴリズムによって、民族主義過激派はあらぬものを押し付けることで、特定他者への悪意ある風説を醸成させる。SNSは民族的少数者を標的とし、分断をつくり出す上で理想的な手段なのである。

民族主義仕掛人は、人々が共有しうる物語を形成するためにSNSを利用し、フォロワーたちがうさぎ穴にはまるよう絵を描いている。スウェーデンのユーチューバーであるヴェダッド・オドバシッチは、「アングリー・フォーリナー」(彼は白人で、ボスニア・ヘルツェゴビナ出身)の名で、過激な反移民動画を制作している。[53] その一つが「インタビュー——多文化主義の犠牲者」であり、もう一つは「スウェーデンの観光客は安全ではない」である。彼の手になる動画は3300万回以上再生されている。また、同じくスウェーデンのユーチューバーで、レナート・マティカイネンは極右政策や陰謀論を得意とし、YouTube番組と、いささか問題のあるニュース・プラットフォーム、SwebbTV(スウェーデンの右派チャンネル)で番組を持っていた。[54] YouTubeはガイドライン違反で、2020年に閉鎖しているものの、個人アカウントはゆうに600万回以上も再生されている。

この10年ほど、世界各地でSNSによる力強い後押しのもと、民族主義仕掛人が雨後の筍のごとく出現し、隆盛を誇っている。インドでは、モディが民族主義仕掛人の教科書通りに非ヒンドゥー教徒へのヘイトを繰り返している。

Twitter、Facebook、YouTubeなど4700万を超えるフォロワーと直にやりとりしつつ遂行されている(2020年3月時点で、モディのTwitterフォロワー数は、オバマ元大統領、トランプ大統領(当時)に次ぐ、世界の政治家で3番手だった)[55]。「ヒンドゥトヴァ」(インド文化でのヒンドゥー優位を説く運動)をきわめて頻度高く発信する。モディはメディアを知悉した少数の民族主義仕掛人に育てられてきた。テレビ司会者のアルナブ・ゴスワミはモディ支持の誤情報やヘイトスピーチを拡散し[56]、他方で著名なヨガ行者のババ・ラムデヴは自らのプラットフォームをフル活用してヒンドゥー民族主義者を扇動し、どさくさに紛れてアーユルヴェーダ関連製品まで売り込む始末である[57]。

ブラジルでは、ユーチューバーのナンド・モウラが、ボルソナロ支持にかこつけた陰謀論や極右の罵詈雑言を背景に視聴者を激増させ、その数現在300万にも達している[58]。イギリスでは188万の登録者を持つユーチューバーのポール・ジョセフ・ワトソンが、イスラム教では性的暴行はむしろ称賛されると発言し、難民は寄生虫持ちとあしざまに罵倒する[59]。

もし現在もミロシェビッチが存命だったら、間違いなくSNSを崇敬し、TwitterやFacebookで大セルビア神話を声高に叫んでいたはずである。アルバニア人暴動のフェイク・ニュース動画も大好物だったろう。むろんクロアチア人によってセルビア人の仕事が奪われているというストーリーもシェアしなかったはずはない。そして、ボスニア人がセルビア人の子どもを虐待しているとの陰謀説をこぞってリツイートしたことだろう。統一を呼号して、敵対者への誤情報拡散のために、荒らしの専門チームを組んだことだろう。SNSのアルゴリズムは多数のフォロワー、「いいね！」、そして多額の報酬をもってその労に報いたことだろう。

ポピュリズムの引き出す原初的反応

民主主義国において、言論の自由と代表的な声の原則は歴史的にも扇動主義への対抗から健全な公論を形成してきた。その中で、今日の民族主義仕掛人の持つパワーには心底驚かされる。民主主義国フランスでは、極右政党・国民連合（旧国民戦線）ルペン党首による反移民や自国文化至上主義などの醜悪な言辞によって、取るに足りない運動と眉を顰められてきた。そのこと一つとっても、彼らがSNSによってどれほど上げ潮に乗ったかがはっきりする。現在、ルペンの娘マリーヌ指導下、同党は主要政党の中でも抜きん出てすぐれたメディア活用によって、人種間の対立を利用し、扇動的メッセージを垂れ流している（ルペンは15名の常勤を持ち、調査、ミーム作成、ネット上での反対派工作などにいそしんでいる）(60)。

2017年の決選投票で敗北し、EU資金の不正流用で捜査されたにもかかわらず、2019年までにルペンはEU議会で、マクロンを上回る22議席を確保し、自国議会でも議席を獲得した(61)。かつて、自由民主主義国家において、極右政党が選ばれるなどほぼありえなかった。しかし、民族主義仕掛人による不安と恐怖、土着の民神話とその喪失譚は、SNSに憑依された人々にとって抗しがたいものであることが証明された。「右翼ポピュリズムは常に人の心をつかむ」と

Facebook幹部は語る[62]。同氏によると、ポピュリズムは、「国家、保護、他者、怨嗟、恐怖」などの感情に訴えることで、「信じがたいまでに強烈」に「原初的」反応が引き起こされるのだという。

スウェーデンでは、「社会のニュース」と「今日のニュース」の記事は、国民や家族の安全、文化や社会への脅威を煽るべく制作されている。それらのサイトが、主たる情報源となり、アルゴリズムに導かれて前景化し、強化されていったとしたら——。きっと誰だってわがスウェーデンは崩壊寸前、犯人たる移民か極左は許しがたいと拳を固めるようになるだろう。誰もそのような人を説得することなどできなくなる。

ヨーロッパの民主主義が暴力的対立にどれほど脆弱であるかを理解する人は少ない。誰もが長寿、回復力、危機対応の標語に慣れ切ってしまっている。しかし、それらが妥当したのは、SNSが民主主義の敵として社会に侵入し、通路を敷設し、それを経由して民主主義の敵たちがいとも易々と内側から突き崩していく以前の話である。ネットが明らかにしたのは、「人民の人民による人民のための政治」がいかにはかないかだった。

サイバー空間に過激派が殺到

無精ひげの目立つ33歳、バークレー出身のシェーン・バウアーが、米最大の民兵に加入するのは、あっけないくらいに簡単だった[63]。Facebookページに「いいね！」するだけ。彼が民兵に加入しようと考えたのは、家族を何としてでも守らなければと考えたためではない。彼は受賞歴を持つジャーナリストだ。2016年、全土に出現した民兵の背景で何が起こっているのかをその目で見届ける取材を試みたためである。

バウアーは、スリー・パーセンター・ネーション、愛国国防団、アリゾナ州民兵団の3つのグループに「いいね！」した。すると、すかさず自動的に他の民兵ページがレコメンドされた（筆者がアリゾナ州民兵団を検索したところ、5つの別の同州民兵が出てきた）。Facebookはユーザーの目を引くコミュニティなら、いささか過激な集団であることもいとわず、間を取り持ってくれるのだ。

バウアーはすべてに漏れなく「いいね！」した。プライベート・グループのメンバーになるには、管理者に怪しい者でないと思ってもらわなければならない。バウアーはとるものもとりあえずアカウントを開設し、オバマ批判や国旗のミームを投稿した。シリア人がメキシコ経由でわが国領土に不法侵入する脅威をブログ投稿した。目にとまったたくさんの民兵関連ページには、数十の友達申請をした。

「2、3日で100人以上と友達になりましたね」と彼は言う。間もなく、スリー・パーセント共同愛国団による「春の決起集会」なる非公開グループを発見。さっそくアクセスし、アリゾナ州とメキシコ国境で行われる警備イベントの存在を知った。投稿された情報によると、自前の武器、衣料品、ボディカメラ持参の現地集合が条件だった。なすべきことはまさにそれだけだった。

今日にあって、人を組織するのにSNSほどにうってつけのツールは存在しない。2011年のアラブの春のデモ、2017年女性の大行進、ブラック・ライブズ・マターもSNSなくしてありえなかった。思いを同じくする人々を結び付ける力学が、過激派や憎悪、そしてやがて暴力の渇望へと引き込まれるとき、一触即発の火薬庫が現出することになる。新たなメンバーは、現在ネットを介して手に手を取り合える人を見つけ、仲間になり、非暴力的抗議を妨害し、自らの「大義」のための装備を着々と整備していく。爆弾製造情報をシェアし、戦闘経験を持つ海外の軍事顧問と安全にチャットできる。(64)

さらにFacebookは「オンライン武器公開バザール」なるものを主催し、拳銃、手榴弾から、重機関銃、誘導ミサイルまでの武器がずらりとそろっている。(65) 暴力的過激派問題の専門家J・M・バーガーは、数名のフォロワーしかいなかった2012年から、SNS上の白人民族主義者グループの動向をウォッチしてきた。

4年後には、ほとんどの場合フォロワーは600％以上に激増していた。2018年までに、「数十万もの新旧の人種差別主義的過激派が殺到するようになっていた」という。(66) 2018年以降、白人民族主義者のグループ数には微減が見られたが、全体数に変化はなかったようだ。プラウド・ボーイズのような人気グループが中小グループを併呑していった様相も見て取れる。(67)

焚きつけて炎上させろ

ISISなども、ネット、チャット、Twitterなどを用い、居間でくつろぎながら、過激に人を煽り立てるプロパガンダを発信中である。約100カ国から少なくとも3万の市民を勧誘、シリア内戦参加を促している。SNSは見事なまでにいい仕事をしており、あるISIS亡命者が指摘するように、実践者はふさわしい見返りを獲得している。

「メディアを操る者は、兵士より価値がある。……月収だってかなりのもの。高級車だって持っている。内部の人々を戦闘へと誘引し、ISISに新しい人々を勧誘するだけの力を備えている」(68)

従来、暴力的過激派の泣き所の一つとして――とりわけ領土を支配していない場合など――資金調達があった。だが、アプリを用いれば、国境を越えて瞬時に送金可能である。それなら小規模組織も十分生き延びられる。ロシア系アメリカ人学者ベラ・ミロノバは2011年シリアでの新たな反政府勢力創設者の1人、マハゲリン・アルアラに資金調達方法を聞いてみた。

回答は次のようなものだった。「はじめに着手したのは、グループのYouTube動画制作だった。(69)リーダーには、グループの規模感を匂わせられるものなら、何でもいいからかき集めるように頼んだ。武器でも車でも何でも。制服があるなら軍隊式にメンバーが整列しているところなんか。とにかくありったけだ。要するに素人じゃないことを示すだけでよかったんだ」

実際、このグループはペルシャ湾岸在住のさるシリア人富裕層からの資金援助を受けていた。

ひとたび組織され、扇動が始まると、SNSが火薬庫における1本のマッチの役割を果たす。過激派制作の動画や巧みな煽り文句による集団的恐怖の炎は、暴力に飢えた連中を炎上させるのである。

エリカ・チェノウェスによれば、暴力対決仕掛人の多くは、非暴力的抵抗に割って入って、運動を過激化へと導く。そのための手頃なツールが、扇動と挑発をこの上なく鮮やかに増幅させるＳＮＳである。フランスの黄色いベスト運動などは外部過激派・扇動家が主導をとるべくFacebookを用いた結果と見られている。ネット悪用に詳しいルネ・ディレスタによれば、こうした輩は、「人を焚きつけて炎上させるのに実に長けている」という(70)。

つまるところ、かくも暴動を加速させる張本人は、ＳＮＳのアルゴリズムにほかならない。アルゴリズムによって、危機は絶え間なく増幅され、絶望の憤怒は暴発を待つ。過激派が拡散させる誤情報は、非暴力デモ参加者の信用を失墜させ、反対派による攻撃を市民に予期させる。彼らは穏健に過ぎて、住民を保護するほどの力はなく、少なくとも反対派の連中と比べるとあまりに生ぬるい印象（その多くは事実ではない）を形成する。暴動が火を噴くのはまさにそのときだ。これまでの方法が問題を解決してくれないと悟った瞬間、火薬庫が爆発する。

ＳＮＳの力強い一押しで、ついに堪忍袋の緒は音を立てて弾け飛ぶ。

第6章

足元に忍び寄る不吉な影

選挙泥棒を止めさせろ！

2021年1月6日早朝――。

ホワイトハウス南側のエリプス広場に、防寒着に身を包み、MAGA（Make America Great Again）ハットをかぶったトランプ支持者の一群がたむろしはじめた。[1] 全米のいたるところから、彼らはつめかけていた。大統領が姿を現すのを待ちわびつつ、南にワシントン記念塔、西にリンカーン記念館、東に議事堂と伝統ある母国の中心を視野に収めた。今踏みしめる芝生は、かつて北軍野営地だった。彼らもまた愛国者。憂国の念はいよいよ深く、略奪を見て見ぬふりなどできようはずもない。

大統領が現れた正午には、「アメリカを救え」の集会参加者は数千名にまで膨らんでいた。群衆はざわめいていた。前年11月の大統領選挙から数週間を経て、トランプはバイデンに敗北した事実を受け入れられず、それが不正選挙であって、正当な地滑り的勝利は詐取されたと主張した。トランプ敗北のために、各州が裏から手を回したとして民主党を槍玉に挙げた。選挙後、弁護団を組織し、選挙結果に異議を唱え、知事や選挙管理委員会には強圧的に票数変更を迫った。

マイク・ペンス副大統領は、選挙人団の票をひっくり返せるとありもしない主張をしていた。しかし、結局のところそれらの努力も水泡に帰し、その朝、トランプが支持者たちの前に立ったとき、別の場所ではバイデン勝利を証する国会議員たちは議事堂に参集していた。

「こんな馬鹿な話はない」とトランプは口火を切った。国旗にうずめられた壇上で、聴衆に向かい、決してあきらめはしないと宣言した。共和党はまだ覆せるのだ。1時間以上にわたって、支持者たちは羨望と誇りの相半ばした思いをもって耳を傾けていた。支持者たちの激しい怒気はトランプの言葉の端々にもはっきりと表れていた。トランプと書かれた旗、「選挙泥棒を止めろ」のプラカードも見られた。トランプはその様子を眺めていた。群衆から、「USA！ USA！ USA！」の集団連呼がいつしか嵐のように巻き起こった。

トランプは悦に入っていた。集会開催に当たっては、草の根グループと共和党資金提供者、工作員が協働していた。[2] 12月19日のツイートでは、「1月6日にDCで巨大抗議行動を決行。逃げるなよ。おもしろくなるぜ」とあり、多数の参加者が見込まれていた。[3] 新年を迎える日には、再び次のツイートが見られた。「1月6日午前11時。ワシントンDCで大抗議集会を行うからな。場所の詳細は後ほど。選挙泥棒を止めろ！」

ペンス副大統領が次期大統領認証への不干渉を示唆すると、トランプはさらに執念深く食い下がった。1月4日ジョージア州集会では次のような発言が聞かれた。「もし民主党が上院とホワイトハウスをとるとすれば、『この』ホワイトハウスはとれないだろう。命を懸けて戦うからな。そして必ず取り戻す！」[4]

「今日が終わりじゃないからな！」大統領はエリプス広場に向かって声を張り上げた。「まだ始まったばかりだ！」[5]

群衆は、退役軍人、経営者、不動産業者、祖父、母、州議会議員、元オリンピック選手、オレンジ帽のプラウド・ボーイズなど、とにかく色とりどり。ほぼ白人の男だ。「神、銃、トランプ」とデザインされたTシャツも目に飛び込んでくる。聖書を手にする者も目に付いた（前夜の集会では、グレッグ・ロック牧師が、神は「愛国者による軍」を育てておられるのであると語っていたほどだ[6]）。群衆の歓声に押し出されるように、トランプは支持者たちと議事堂まで練り歩き、示威的に議員には正義を実行せよと迫った。「われわれは、この国を取り戻すためになくてはならない誇りと勇気を授けたいと考える」と語った。そして、その側に立つことを宣誓した。

実際のところ、トランプはホワイトハウスに戻っていた。しかし、支持者たちは何をなすべきかを知っていた。数週間前から、FacebookやTwitterや右派系SNSのParlerを用いて、準備を怠ってはいなかった。「かすめ取られた」選挙へのやるせない憤怒をシェアしつつ、移動に伴う調整に抜かりはなかった。警察に足止めされずに済む最適経路はもとより、議事堂に侵入するにはいかなる道具や手立てを要するかもシェアされた。ネットに見られた過激なものには、ペンスやペロシ下院議長他の議員を逮捕せよというものまであった。防弾チョッキを着込み、ガスマスクとジップタイ（手錠代わりに使用する）を携行し、銃には銃弾を装塡し、いつ戦闘になってもいいように装備してきた者も少なくはなかった[7]。

長きにわたり、政治的暴力とは、指導者自身によって正当なものとして奨励されてきた。実際に2016年に遡るならば、ヒラリー・クリントンの大統領選挙戦で、「豚箱にぶち込め」の大合唱になったことがある。トランプは、選挙を通して、自身の血の気の多さを群衆はかえって好感すると気づいた。同年の投票日の数カ月前、彼はシーダーラピッズで、選挙集会に抗議する人たちと一悶着あった場合、弁護士費用の請求書は俺に回せと支持者たちにぶちあげた。[8] 同月、ラスベガス集会が野次で妨げられたとき、「奴の顔面に一発ぶちかましてやる」と恫喝さえした。[9] その後、銃さえ持っているなら、ヒラリー・クリントンの大統領就任を阻止できるとほのめかし、国民はあっけにとられた。[10]「ヒラリーが判事を選ぶようになったら、何もできなくなる。皆さん、憲法修正第二条（武器保有権が明記されている条項：訳者注）の方々は、もしかしたら何かあるかもしれないが、何とも言えないな」

大統領当選で、トランプはさらに大胆になった。[11] 就任から半年後、白人至上主義デモがシャーロッツヴィルに集結し、抗議するプロテスタントの参加者が殺害される事件が起こった。トランプは、いずれの側にも「立派な人たちはいた」と述べ、暴行事件に直接触れることはなかった。

「君たちは特別なのだ」

2020年のブラック・ライブズ・マターの抗議デモでは、ミネアポリスやポートランドなどの諸都市での暴動に非難の意を表明しつつも、その後デモ参加者を「テロリスト」呼ばわりし、連邦警察出動を恫喝的にほのめかし、一気に緊張が高まった。同年春、新型コロナの蔓延で、各州で営業停止が日常化する中、「愛国者」連中にミシガン解放を呼びかけ、州都に乗り込んで民主党のグレッチェン・ホイットマー知事に規制解除を迫ったりもした[12]。上院議会で武装デモ隊が議員をにらむ写真がネット上を飛び交ったとき、「実に見上げたやつらだ」とTwitterで持ち上げもした。

共和党議員や福音派指導者、保守メディアの上層インテリはトランプを支持しつつ、一方で何年も前から、カリスマ性は認めつつもその傍若無人さには眉をひそめてきた。しかし、あの1月の朝、エリプス広場に参集した群衆にとっては、大統領の発言はもはや観念の産物ではありえなかった。トランプは、栄光ある共和国の完全性を保守するという使命を付与したのだった。「今命を懸けなかったら、この国は滅亡するぞ[13]」

演説を終える間もなく、誰もが議事堂へと歩を進めていた。わき道に目もくれずペンシルベニア通りとコンスティチューション通りを猪突猛進し、時々互いに写真や動画を撮影しながら一行は進んだ。前夜、近隣の共和党と民主党の全国委員会本部に何者かがパイプ爆弾を仕掛けた。議会に集結し、取り囲んだ。何とか侵入して、選挙人団の集票をどうすれば阻止できるか考えがめぐらされた。ある者は戦術を実行する装備に身を包み、別の者は自動小銃を振ったりしていた。南部連合旗、国旗、「トランプのために戦う」「トランプのための退役軍人」と記された旗、「イエス様が救ってくださる」などのプラカードを手にしていた。にわか仕込みの絞首台が設置された。

西側では、暴徒が間もなくバリケードをなぎ倒し、警官隊と激しいもみ合いになった。塀をよじ登る者もいた。化学薬品を散布し、窓ガラスを粉々にする者もいた。窓清掃用の足場から2階へと上がる者もいた。東側では最大のバリケードが突破された。ペンス副大統領はじめ上院議員を議場から追放した10分後のことだった。「マイク・ペンスはわが国と憲法を保守するためになすべきことをなすだけの勇気を持ちえなかった」とトランプはツイートした。[14] にわかに活気づいた暴徒は、ついに西側正面玄関を破壊した。円形会議場への通路を移動する中で、標的の名が叫ばれた。「ペロシ!」「シューマー!」「ペンス!」

警察が議場を閉鎖し、議員を退避させる中で、デモ隊は廊下へとなだれ込み、さかんに自撮りしていた。誰もが誇りに満ち溢れ、恐怖などなきがごとくだった。あたかも、そこが自分たちのために用意された場でもあるかのように、あるいは法的根拠でもあるかのように、議事堂の中で歩を進めていた。包み隠すべきものも、恐れるべきものもなかった。事務所を探索し、設備を破壊し、下院議長押印の演壇を持ち去り、ノートPCやダライ・ラマの額装写真をかっぱらった。像を汚し、中国の美術品を壁から引きはがした。下院議場になだれ込み、上院の壇上から神の名を叫び、赤いMAGAハットと「トランプ2020　でたらめ政治はもうこりごり」の旗を立て、実物大のフォード大統領像脇でポーズを決めて、全世界にライブストリーミング配信を行った。はちゃめちゃとはまさにこのことだった。彼らはかすめとられた選挙から共和国を救う真の愛国者だった。

午後3時頃、トランプはツイートした。「暴力は反対だ![15]」遅かった。暴徒の1人はすでに射殺されていた。もう1人は圧死していた。警官にも負傷者は多数出ていた。包囲は4時間以上続き、最終的な犠牲者は5名に上った。午後4時17分、関係者とバイデン次期大統領によるいくたびにもわたる懇請の後、トランプは動画をツイートした。執務室から離れた食事室のテレビで、包囲網を眺めている。「地滑り的選挙だったのは、誰もが知るとおりだ」と告げた。[16]だが、祭りは終わりだった。彼は暴徒に告げた。「われわれは君たちを愛する。実にあっぱれだ」

数時間後、再びツイートがなされた。暴動についての弁明として、長期にわたり辛酸をなめてきた偉大なる愛国者の手から、勝利がくすねられたことへの当然の報いであるとした。

「今日という日を永遠に忘れるんじゃないぞ！」[17]

アメリカはアノクラシー状態

他の国民同様に筆者もまた1月6日の出来事に強い衝撃を禁じえなかった。しかし、同時に、何か既視感のようなものもあった。

2015年のベネズエラ大統領選に先立つ数カ月、結果のいかんにかかわりなく大統領から退くつもりはないと断言したニコラス・マドゥロ、2010年コートジボワールで、選挙が盗まれたと言って憚らなかったローラン・バグボなどの大統領たちが次々と脳裏に浮かんだからだ。前者は権威主義に偏り、後者は内戦に突入した。

実際に目にしているものを受け入れたくない自分がそこにいた。私にはサラエボ出身のダリスさんのことが思い出された。彼は幾年を経ても、多文化的で血の気の多い国の人々がいつ果てるともなく激しく刃を向け合う様を何とか理解しようと悪戦苦闘していた。

しかし、ここはアメリカだ。私はそう思わないわけにはいかなかった。アメリカは寛容の精神を備え、民主主義に敬意を払う国ではなかったか。

そこで出てくるのが、歴史を体系的に分析する政治学である。わが愛してやまぬ民主主義が衰え、内戦に向かおうとしている、そんなことを信じたい人などいるはずがない。衰退はきわめて緩慢に起こっているため、渦中にいながらも認識も理解もされないことが多い。読者が外国の分析家であり、ウクライナやコートジボワール、ベネズエラを観察するようにアメリカに目を向けるのなら、チェックリストに従い、確実に内戦への階段を上がる条件を一つずつ確認することになるだろう。結果として、建国後2世紀以上の民主主義国アメリカが、ぎりぎりまで追い詰められているのを知るはずだ。

第一の条件は、アメリカがどの程度アノクラシーに近くなっているかである。それはポリティ・インデックスのスコアによって知ることができる。この指標は、すでに説明したように、完全な専制国家から完全な民主主義国家までを－10～＋10の範囲で評価するものである。[18] その中間には－5～＋5のゾーンがある。

アメリカは1776年以来、政治体制についてのデータが蓄積されており、最後の専制的状態は1797～1800年の間、主として政治的競争力が限定的であった（1790年代の発足以来、

連邦派（フェデラリスト）が統治していた）ことにより、＋5と評価された。(19)

1801年3月、民主共和党のトーマス・ジェファソンが大統領に就任すると、＋6に上昇し、1829年に民主党のアンドリュー・ジャクソンが大統領に就任すると＋10へとさらに上昇した。以後、ポリティ・インデックスが大きく低下したのは2回のみである。1回は1850年、南北戦争に際して、南部民主党が北部共和党に対してなりふりかまわぬ政治を展開していた時期に当たり、指数は＋8まで低下している。その後、1876年選挙で混乱が収拾される翌年の1877年まで回復しなかった。

1960年代から70年代初頭にかけての公民権運動の時代には、大規模デモが頻発し、キング牧師やケネディ大統領の暗殺なども起こった。ニクソン大統領は強引な戦術に走るようになり、政府が国民に直接的な暴力を振るいさえした。同時期、再びアメリカの民主主義は＋8へと低下している。公民権運動、ウォーターゲート事件、ニクソン辞任により、＋10へと戻った。

そして今次、再び下降が起こっている。2016年の大統領選挙を契機に、＋8まで落ち込んでしまった。プロジェクトが民主主義の評価で用いるのは、政府統制からの選挙の自由度、行政府の制約度、政治参加の制度的公開性、大統領選の競争性という4点である。世界のオブザーバーは、2016年選挙を一応自由と見なしはしたものの、完全な公正性については疑問符を付けた。選挙のルールは党派的利害関係によって変更され、投票権は全国民に保証されてはいなかった。

さらに、国の情報機関は、ロシアのエージェントが選挙妨害を目的とする組織的なオンライン上のキャンペーンに手を染めていた消息を明らかにした。

チェック&バランスは機能しているか

就任数カ月、トランプと共和党は、行政の制約を踏み越えていった。自らに忠実でないと見た高官を問答無用で更迭し、官僚機構を用いて反対派を処罰した。任期が進むほどに、行政権が膨張し、納税申告の公開を拒否し、行政命令を乱発して、犯罪者の友人を赦免するようにさえなった。かくしてアメリカは、議会に一言の相談もなしに、行政命令で統治する「大統領帝国」（大統領の歴史研究者アーサー・M・シュレジンジャーJr．の著書タイトル）へと変貌した。[20] 行政の制約については、現在ではエクアドル、ブルンジ、ロシアと同カテゴリーに分類されている。

2019年、トランプは議会への協力を拒否し、とくに弾劾訴追に際しては、スコアは＋7まで下降した。議会には行政府を調査監督する権限が与えられている。ノースカロライナ大学の法学者ウィリアム・P・マーシャル教授は、「われわれはチェック&バランスのシステムを持ち、議会が行政に対して行使する最大のチェックの一つはその監督権にある」と指摘する。[21] しかし、ホワイトハウスは情報提供を拒否し、召喚阻止をめぐる訴訟を提起し、召喚状を握りつぶすよう当局者に指示した。他方で、上下両院の共和党は大統領に進んで追従し、行政の暴走を許した。

2020年には、世界的なパンデミック、経済不安定化、警官による黒人殺害に端を発する人種差別への暴動など、最も健全な民主主義国家にあってさえ、強い緊張をはらむ危機の年となった。それでもトランプは自国制度への市民の信頼を高めるどころか、あえて弱体化させていった。ロックダウンを政治問題化することで、コロナ蔓延抑制を意図する州知事に戦いを挑んだ（2020年4月、彼は次のようにツイートしている。「ミシガンを解放せよ！　ミネソタを解放せよ！　ヴァージニアを解放せよ！　そして偉大なる憲法修正第二条を遵守せよ。それは包囲下にある！」）。[22]

ブラック・ライブズ・マターによるデモで全米が騒然とする中、トランプは市長を無能呼ばわりし、デモ隊に武力を行使すると脅迫した。かくして、恣意的にそれらを振りかざした。[23]6月1日には、ラファイエット広場での記念撮影のために、警察に催涙ガスと思われる刺激物を使用させ、数百名の無抵抗なデモ隊を一掃した。「市や州が、住民の生命と財産を守るためにとるべき行動を放棄するなら、私は軍を用いて問題解決を図ることになる」とジャーナリストに語っている。[24]

任期満了に近づくと、郵便投票を無力化させることで、選挙への不信を植え付けた。かくして民主主義の命ともいえる平和裏の権力移譲に泥を塗った。2021年1月6日、エリプス広場で、「命を懸けて戦う」と鼓舞し、実際に戦った。だが、国を救うなどとんでもなく、民主主義を衰退させたのみだった。その日を境にポリティ・スコアは＋7から＋5へと下降し、1800年以来最低を記録した。

内戦への壁は薄い

かくしてアメリカは2世紀ぶりにアノクラシー国家へと変貌した[25]。まずはその事実を真正面から受け止める必要があるだろう。私たちはもはや最も伝統ある一貫した民主主義国家にはいない。その栄誉は現在、スイス、ニュージーランド、カナダの順である。われわれはカナダ、コスタリカ、日本などポリティ・インデックスで＋10の国々と肩を並べることはもはやない。

だが、悪いニュースばかりではない。民主主義への防護柵は困難にあってもしかるべき堅固さを保持している。トランプと共和党は、有力な州で不正選挙を主張して60を超える訴訟を提起したが、50以上は却下または棄却されている（通過した一部も上級審で却下[26]）。

保守派の判事が多数を占める連邦最高裁といえども、選挙そのものへの挑戦には手を触れなかった。共和党の州当局者はトランプからの嫌がらせに遭っていた。アリゾナ州知事に対し選挙結果認定を行わないよう脅迫し、ジョージア州の州務長官に対しては勝利に要する票を何とかしろと迫るなどしていた。もちろん彼らが屈することはなかった[27]。

軍も同様だった。在任中将軍に便宜を図りつつも、権力拡大を承認するどころか、重要な局面では距離を置いた。2020年、マーク・エスパー国防長官は、ブラック・ライブズ・マターのデモ隊制圧のための軍の派遣を断固拒否した（後にそのために解任されている[28]）。2021年1月3日、ジェームズ・マティス、マーク・エスパー、ディック・チェイニー、ドナルド・ラムズフェルドら存命の元国防長官10名が、『ワシントン・ポスト』紙に、遵守すべきは憲法であって大統領ではないとの声明を発表した[29]。彼らはマーク・ミリー統合参謀本部議長が数カ月前に出した次の声明にも同意している。「選挙結果の決定に当たり、軍の出番はない」

希望の兆しは他にもある。1月6日、議事堂の安全が確認された後、議員は速やかに業務に復帰している。選挙結果を公認し、平和裏の権力移譲と法の支配を保持した。FBIはただちに暴徒への捜査を開始し、反政府民兵組織オース・キーパーズのリーダーを陰謀罪で起訴した[30]。FBIは就任式の警備担当州兵を審査し、国防総省は内部の極右過激派排除を強化した。バイデン大統領とカマラ・ハリス副大統領は、平和的に就任宣言を行った。

それでもなお、起こったことのあまりの速度に触れないわけにはいかない。アメリカ人は自国民主主義の最高の出来映えに慣れ切っている。東欧や南米の国々にまで憲法が輸出されてきたほどだった。しかし完璧な民主主義国からアノクラシーへと下降するのにわずか5年。内戦状態の国々（多くは3年以内にスコアが6ポイント以上低下する）ほどではないにせよ、驚くべき速度である[31]。モンティ・マーシャルは「5ポイント低下はボーダーラインと見るべき」と指摘し、潜在的には体制転覆の予兆とも見られている[32]。V−Dem研究所副所長アンナ・リュールマンの言によれば、あまりに急激であって、少なくともアメリカの歴史に類例のない事象という[33]。

部分的民主主義は、完全な民主主義と比較して内戦のリスクが3倍とも考えられている。また崩壊過程にある民主主義国家がアノクラシー・ゾーンに突入した直後、内戦のリスクは一気に沸騰する点を想起したい。その閾値（現在のアメリカは＋5）の事態では、政権運営の拙劣さと非民主主義的施策が相まって、制度はさらに弱体化し、内戦突入への障壁は低くなる。[34] 今後アメリカの課題は、有権者が自らの民主主義が適切に機能し、またそれが身の安全に資すると確信しうるか否か、そして政治指導者の手によってそのための防護柵を再構築しうるか否かにかかっている。

アイデンティティによる政治

ジェームズ・マディソンとアレクサンダー・ハミルトンは、アメリカの民主主義が危殆に瀕するとき、それは派閥の手によって引き起こされると考えていた。共和国にとって最も危険なのは外敵ではない。支配に執着した国内の敵である。そのように『ザ・フェデラリスト・ペーパーズ』には記されている。

そのような派閥指導者は、機あらば権限強化に走り、公共の利益より自らの利益を選ぶであろうし、他の市民の権利や共同体の永続的で総合的利益に反するいかなる行動も厭わないだろう。[35]

建国の父たちは、最大の脅威をもたらす派閥は、階級に基礎づけられていると考えた。財産所有者が自らの富を保守し、その再分配を阻止することを目的として統治権力の集中をはかるのを懸念してきた。マディソンのモデルは、行政、立法、司法の分権を強化することで、かかる脅威に対抗しようとした。

しかし、18世紀アメリカの指導層は、自らの脅威となる派閥が階級ではなく、民族的アイデンティティになることまでは予期していなかった。1789年当時にあって、少なくとも連邦レベルでの有権者は全員白人男性だった。今日、投票行動を予期する主要因は人種である。(36) 黒人、ラテンアメリカ系、アジア系の3分の2以上は民主党を支持し、白人の約6割は共和党に票を投じる。(37) このような投票行動は、いくつかの民族の票が2党でほぼ割れ、白人労働者階級の多くが民主党に投票した前世紀半ばの現実とは著しく乖離している。

現実に、オバマが大統領に選出された前年2007年には、白人による民主党支持率は51％で、共和党支持率とほぼ変わらなかった。現在、共和党支持者の90％は白人である。(38)

アイデンティティによる政治への移行は、1960年代半ばにリンドン・ジョンソン（この大統領は品性に欠け頑迷でありながら、政治的手腕に長けたテキサス人だった）が公民権法を支持し、南部白人を裏切ったところから始まった。旧南部連合11州の有権者は、1世紀以上にわたり忠実な民主党員であり、共和党大統領のリンカーンが分離独立を拒否したことに、今もって苦々しさを禁じえない。しかし、1964年、ジョンソンの立法で事態は急展開した（彼は特別補佐官ビル・モイヤーズに、「これからしばらくの間は、南部は共和党に引き渡されるだろうな」と語っている）。

同年の大統領選挙では民主党が圧勝したが、ジョンソンの対立候補で共和党のバリー・ゴールドウォーター——彼は公民権法に反対だった——は、態勢立て直し後初めて深南部の選挙人をすべて獲得した。(39) 大統領候補リチャード・ニクソンは、その意味するところを対岸から眺めていた。1962年『エボニー』誌記者に対し、「ゴールドウォーターが勝利すれば、わが党は初の白人の

みの政党となるだろう。それは歓迎すべきことではない」と語っている。(40)

だが、ニクソンが考えを改めるのに、さほどの時間を要しなかった。1968年の大統領選に出馬したニクソンは、人種由来の不満を政治利用すべく、「法と秩序」を訴えつつ、「麻薬との闘い」を公約に掲げ、白人の恐怖心に拍車をかけた。このような南部攻略によって、共和党が勝利し、その後30年近くも政権から遠かった上院まで奪還したのだった。ロナルド・レーガンが「福祉の女王」を辱め、ジョージ・ブッシュがウィリー・ホートンを貶めたように、さかんに隠語を用いつつ、後の共和党候補者も大統領選勝利を期して同様の手法を採用することとなった。ブッシュは選挙戦でジョン・マケインが色の黒い隠し子がいるという醜聞を流して非難された。

SNSと分極化

その数十年、他のアイデンティティ・マーカーもまた政治化されていった。次は宗教であった。共和党上層部は、福音派指導者やそこに動員される教会員の支持確保のために、さらに妊娠中絶反対の立場を堅持していった。キリスト教右派の政治団体モラル・マジョリティのリーダーであるジェリー・ファルウェル・シニアなどはさらに勢力を増していった。他方、民主党としては、無神論者、無宗教者、リベラルな有権者を取り込む機会ととらえ、女性の権利や中絶賛成の姿勢を強めていった。21世紀初頭には、キリスト教徒や福音主義者ならば、共和党以外の選択肢はなきに等しかった。中絶をめぐる初期の党対立に続き、同性愛者、さらにはトランスジェンダーの権利などについても党による乖離が強まっていった。共和党富裕層はそれらに乗ずるかたちで白人労働者階級の票を獲得していった。試みはおおむね成功した。共和党に投票したからといって労働者の経済的利益が図られることなど期待薄にもかかわらず。

かくして道徳と文化におけるアイデンティティが、従来のありようをはるかに超えて投票行動を左右するようになった。白人の福音派が共和党の3分の2を占めるようになった[41]。それとは反対に、非キリスト教徒（無宗教、ユダヤ教、イスラム教を含む）は、民主党の過半を占めていた。共和党は、銃保持の権利など関心を惹く政策を打ち出し、移民や人種構成の変化（2045年までに白人は少数派に転落するとも予測されている）への不安に付け込むことで、地方在住の白人票をさらに取り込むようになった。同様に、民主党は銃の入手を制限し、都市部の多様性を受容するという、共和党と真逆の政策によって、さらに都市政党の様相を呈するようになっている。今日、農村と都市の真の格差要因は、国家志向とグローバル志向の市民的格差を意味するようになっている。

オバマ大統領誕生の頃には、政治的分裂は民族と社会のアイデンティティと切っても切れない関係になっていた。政策についての見解、たとえば、増税か減税か、学校の選択制を支持するか不支持かといった争点よりも、要は「誰が好きで誰が嫌いか」という集団帰属意識のほうが政治的意味を持つように変化してきた。すなわち、政策的な問題ではなく、イスラム教徒か否か（オバマはイスラム教徒ではない）、市民権を保持しているか否か（オバマは保持している）など、アイデンティティに伴う問題に対して過剰なまでの意識が向けられるようになった。結果として2つの部族があらゆる課題をめぐって争うようになった。共和党側では、勝利をもたらすためなら、民主主義など消えてなくなることさえ厭わなくなった。

さらに、SNSによって情勢は悪化した。両党がアイデンティティをめぐって鋭く対立していたのとほぼ同時期、Twitterが爆発的に普及し、Facebookがありふれたものとなり、SNSはほぼわれわれの生活に常駐するようになった。そこで目を向けるべきは、対立から利益を得る人々の存在である。分断を扇動することで、視聴率や影響力を行使できると考える、愉快な民族主義仕掛人ネットワークが出現した。クリックごとに収益が増えるメディアの巨人たちは、さらに捻じ曲げられた情報を大衆に向けて大量散布するようになった。

情報通TVパーソナリティのタッカー・カールソン、ショーン・ハニティなどのTVタレントは、陰謀論の拡散や憎悪と分断による視聴率向上に余念がなかった。アレックス・ジョーンズ（ネットラジオ・動画発信者）は陰謀論者として政治不信を煽れるだけ煽り、2010年には冠番組が週200万ものリスナーを獲得するようになった[42]。キース・オルバーマン（ニュースキャスター）も、左派の有権者扇動に長けていた。

ドナルド・トランプ——民族主義仕掛人の超大物

そこに政治的泥沼に足を取られた超大物の民族主義仕掛人が姿を現した。その名をドナルド・

トランプと呼ぶ。

トランプは政権獲得にあたって、アイデンティティを訴求することで、政治的足掛かりを得られるとすぐにぴんときた。過去において、オバマの出生地を問いただす人種差別的十字軍を創設したことがあった。

かくして彼はアイデンティティによる政治を堂々と自身の綱領に取り入れた。彼は黒人はみな貧しくて暴力的と決めつけ、メキシコ人はみな犯罪者という。性的醜聞にもかかわらず、キリスト教の価値を語る。

女性に対しては、「馬面」「デブ」「ブス」の不快語を臆面もなく口にする。大統領に就任すると、即座にイスラム教徒に渡航禁止令を出し、ハイチ、エルサルバドル、アフリカ諸国を「肥溜め」と名指した。その政策は帰化主義的であった。メキシコ国境に「偉大なる美しい壁」の建設をはじめ、国際協定から離脱し、中国との貿易で戦争を挑んだ。

フロリダの退職者による「ホワイト・パワー」なる動画をリツイートした[43]。米軍基地に所在する南部連合軍将兵遺産保護のために国防費法案に拒否権発動をちらつかせて脅したりもした。

すべてにおいて、トランプは民族主義の助長者であった。１９８９年の独立クロアチア大統領の座を得る計画として、クロアチア人を民族派閥に統合しようとしたツジマンと手法は似通っている[44]。フツ人過激派がツチ人をゴキブリ呼ばわりする一方、自身を選民としたのと同じ手口でもある。90年代半ばに、コートジボワールのコナン・ベディエ大統領が、先住民票増大を企図して移民推進政策を逆転させたのも同類である。

インドのモディ首相などは、今もなお、ヒンドゥー教徒のためのインドを推進するために、同様の政治行動を崩していない。

過去半世紀、共和党大統領においても、かくも恥じることなく人種差別を公言し、他の犠牲の上に白人の福音主義者を優遇した大統領はいなかった。[45] 当初共和党がそこに親和性を見出しうるのか定かでなかったが——テキサス州選出の上院議員テッド・クルーズは、大統領選挙期間中にトランプを「道徳的とはほど遠い」と批判していたものだった——結局トランプに籠絡される形で自身の政策実現方法を見出している。中には高所得者減税、企業の規制緩和、環境破壊などが含まれていた。

トランプが大統領に就任し、共和党が上院を支配することで、共和党側は、何年にもわたり、民主主義の推進を阻むと懸念される保守的な判事をもって、司法システムを固めることが可能となった。ゲリマンダーは両党ともに見られる戦術であったが、共和党は総力を挙げて取り組んだ。共和党系の知事や州議会は、有権者ＩＤ法、有権者名簿の削除、投票所における時間制限、投票での行列への差し入れにまでいたる。[46]

今必要とされる問い

思い出していただきたい。

一国の派閥のレベルは5段階評価であり、5が最も少なく、1が最も多い（3は黄信号と見なしてよいだろう）。2016年、アメリカは3まで下降し、現在もウクライナやイラクと並び同水準をキープしている（同年、イギリスも3まで落ちている）[47]。このような政治的派閥抗争は過去に2度しかない[48]。南北戦争前の数年間がそれにあたり、南部民主党の強硬さと、非白人を法の下の平等から排除しようとする強い意志によって特徴づけられたものである。

2度目は1960年代半ばの公民権運動、ベトナム戦争、反体制派弾圧で国が揺らいだ時期である。ともに政党による未来像に決定的乖離の生じた時代であった。それは、「この国はどうありうるか」「どうあるべきなのか」との問いによって示しうる。

現在それに瓜二つの事態の中にいる[49]。従前のように、ある団体はヴィジョン追求のためにさらに過激になり、非合法的手段も厭うことなく、刃をむき出しにしている。今日、共和党はほとんど盗賊に見まがう行動をとっている。

約2000名の専門家による2019年の政党評価によれば、共和党は、トルコの公正発展党（AKP）やポーランドの法と正義（PiS）などの急進的右派でしかも反民主主義的政党にも見まがうと評価された[50]。民族や宗教に主たる力点を置いている点も同じである。共和党は他の市民の犠牲のもとに、白人民族主義的政策を追求するポピュリストを支えてきた。そして、原則よりも人的要因を上位としてきた。2021年2月に開催された年次保守政治行動会議（CPAC）では、トランプの黄金像が展示されていた。出席者対象の調査によれば、68％がトランプ再出馬を待ち焦がれており、95%が共和党に対してトランプ政策の積極的推進を望むと判明した。[51]

共和党は現在、議席維持のためだけでも、さらに熱狂的に支持者に対峙し、生き残りをかけた死闘のさなかにある。同様の点は、2020年選挙後、共和党政治家があらゆる状況証拠に反し、トランプによる主張を公然と支持、もしくは黙認したときほど雄弁であったことはない。テッド・クルーズは、フォックス・ニュースの「マリア・バーティロモと読む日曜朝の未来」に出演し、有権者による不正を指弾した。[52]

1月6日、トランプ支持者がエリプス広場で気勢を上げるさなか、共和党のテッド・クルーズ、マイク・ブラウン、ジョン・ケネディ、ロン・ジョンソン、スティーブ・デインズ、ジェームズ・ランクフォード、マーシャル・ブランクバーン、ビル・ハガティ上院議員が投票転覆の最後の試みに打って出た。[53]

139名の共和党下院議員(66%)は、バイデン大統領の認証に反対票を投じた。アラバマ州選出のモー・ブルックスとノースカロライナ州選出のマディソン・コーソーンの2名の下院議員はエリプス集会で演説をぶった。それは、ジェームズ・マディソンとアレクサンダー・ハミルトンの危惧した最悪の事態にほかならず、権力闘争による民主主義の解体を意味した。

2012年という分水嶺

219年間、アメリカ大統領は1人の例外もなく白人だった。上下院議員、最高裁判事、閣僚のほぼすべても事情は変わらなかった。建国者たちが、先住民虐殺を容認していたこと、奴隷所有者であったことなどは、自由とその限りなき機会に付随する神話としてはいささか都合が悪かった。

セルビア人にはコソボの戦いがあり、ロシア人にはキーウ・ルーシ（母なるロシアの起源はウクライナにありとする信仰）があり、スペインにはカトリック教徒のための土地確保のレコンキスタがあった。そして、アメリカには新たな生活を求めたピルグリムがいた。建国の物語によれば、大陸を横断し、その富を手にすることは、少なくとも白人プロテスタントの宿命といってよかった。だが、イスラム教徒のミドルネームと黒い肌を持つバラク・オバマの大統領選出は、その神話を覆した。オバマの勝利ほどに、アメリカの人口構成と政治的パワーバランスの変容を雄弁に証拠立てるものはなかった。[54] 黒人初の大統領であっただけではない。閣僚の過半も非白人で占められた。その顔ぶれが端的に示す変化は、２０１２年国勢調査による人口推計でも確認された。アメリカ生まれの新生児の過半が非白人であったことが判明したからだ。[55] ヒスパニック系とアジア系の人口は過去10年ほどで43％増加したのに対し、白人の増加率はわずか６％に過ぎなかった。２０４５年までには、マイノリティが白人マジョリティを上回るとも見られている。

ジョンズ・ホプキンス大学の社会学者アンドリュー・チャーリンによれば、「同年の国勢調査が『分水嶺』だった。いかにこの国が文化的に多様なものとなったかを白日の下に晒した」。[56]

２０１５年、プエルトリコとメキシコの血を引くニューヨーク出身の作曲家リン＝マニュエル・

ミランダは、ブロードウェイで『ハミルトン』を初演した[57]。建国の父たちを演じたのはすべて有色人種だった。初演は大成功。だが、従来の安住者たちにとっては、伝統からの大いなる逸脱以外の何ものでもなかった。白人市民、とりわけ農村部の多くは、経済的に取り残されてしまったとの疎外感が高まっていた。1989年以降、非大卒の白人労働者層の生活の質は、ほぼすべての指標で低下している[58]。所得、持ち家率、結婚比率などは急落、平均寿命も低下した（ただし、労働者階級のラテン系や黒人家庭、あるいは大卒白人世帯に同様の傾向は見られていない。これらの層については、1989年から2016年にかけて横ばいもしくは改善が見られた）。

世界貿易の開放が進展する中で、アメリカ製造業は空洞化した。ペンシルベニア州ホームステッドや、オハイオ州ヤングスタウンの市民においては、地元製鉄所の組合仕事を失い、その後、完全閉鎖を見届けることになった。また、自身の息子たちが海外の戦争に駆り出され、戻ってきたらきたで手当のない最低賃金仕事にもやっとの思いでありつく始末だった。オピオイド中毒や自殺で友人を失いもした。

白人労働者階級はアメリカの主役とされ、そのスタイルや価値観はノーマン・ロックウェル作品の画題にも好んで取り上げられたほどだった。だが、現在、政府は彼らを見捨てているように見えなくもない。世界貿易協定が締結され、東西海岸のエリートや都市部居住者が、白人労働者階級の犠牲の上に利を得るようになった。移民は増加し続け、不法入国も受容するようになった。

アメリカ政府は、あたかもベンガル人をアッサムに移住させたインド政府、ジャワ人を西パプアに移住させたインドネシア政府、シンハラ人をタミル地域に移住させたスリランカ政府に見まがう存在となった。アメリカ白人の目にしたもの、それはインドや中国から移住してきた、英語を母国語とせず、キリスト教を信仰しない若者たちが、価値ある技術職にありつき、もはや自分たちとは縁もゆかりもない「アメリカン・ドリーム」を謳歌する姿だった。

そのようなどうしようもない疎外感が権力獲得のまたとない好餌とぴんときたのがトランプだった。だからこそ、トランプはイスラム教徒や黒人を「あいつら」呼ばわりして誹謗し、分極にもてるエネルギーを叩き込んだ。同時に、多数派の白人、すなわちアメリカの「土着の民」の格下げに怒りの語気を強めた。他の民族主義仕掛人同様、トランプは、白人、男性、キリスト教徒、農村部の鬱積した不満を、正当な遺産をかすめとられた被害者として単純化し、すっきりと枠にはめた。事実、宗教、銃、雇用などの権利や機会など奪われようとしているものについて口酸っぱく語っていたのもそのためだ。

選挙スローガンは、栄光への回帰だった。「アメリカを再び偉大な国へ」。多くの人々は、トランプの中に他とは異なる何か、自分たちの生活に寄り添ってくれる何かを認めた。2017年1月、就任演説において、トランプは白人労働者層の経てきたことを「アメリカ人殺し」と表現した。「彼らの痛みはわれわれの痛みだ。彼らの夢はわれわれの夢であり、彼らの成功はわれわれの成功だ」と国民に語りかけた。(59)

現在、白人系は東北部、中西部、山岳地帯の農村部に偏って居住しており、非白人系は都市部、南部、海岸沿いに集中する傾向がある。都市部と農村部の格差は、トルコやタイなど他の極右運動の際立った特徴ともなっている。権力と経済資源の地域分布ではさらに大都市集中が進んでいる。大都市は均質性の高い農村よりも多文化傾向を強めている。地理的集中を伴う農村部主体の運動の場合、首都から離れているために、兵士を募集し、資金を集め、警察の目をかいくぐるのが比較的容易であり、暴力的抵抗が生起しやすくなる。シリアのスンニ派、ミンダナオ島のモロ人、西パプアのパプア人などにも同様の傾向が見られる。アメリカの都市部にも過激派が存在するのはむろんだが、退役軍人の割合が高い。過激派の多くは銃文化が根を下ろした地方部に多く存在している。

土着の民への好餌

土着の民の悲憤慷慨は、必ずしも正当とは言えないにせよ、ありありとした切実なものとして感じられている。トランプの方法が見事に奏功したのはそのためである。

臨時IRA指導者は、プロテスタントによってもたらされた政治経済的差別に対抗するアイルランドのカトリック教徒による純粋な怒りを利用した。共和党は、白人層の不満を受け入れることで、世界で「土着の民」の擁護政党と同類になっていった。ユーゴのセルビア急進党、ミンダナオ島のフィリピン・イスラム党、スリランカのタミル民族同盟、ヨーロッパの極右政党などが典型であった。スウェーデン民主党は、移民問題を軸に選挙戦を展開し、票の獲得に成功した。

ヨーロッパでのシリア難民が問題化した後、2015年には、ドイツのポピュリズム政党・ドイツのための選択肢（AfD）が、さしてぱっとしなかったところから一気に国内第二党に躍進した。オーストリアの自由党は2000年代前半の苦戦の後、反移民を掲げて2017年には大勝利を収めている。現在では中道右派と勢力を二分している。

トランプがことさら強調する鬱積した不満は、他の民族主義仕掛人によって増幅され、陰謀論や偽情報も相まって、被害者意識を日々募らせている大衆に好餌を与える。選挙参謀スティーブ・バノンによるブライトバート・ニュースは、「極右」報道を押し込んでくる。これには移民の危険性とアメリカへのシャリーア（イスラム法）到来に焦点が当てられていた。SNSパーソナリティのマイク・サーノビッチは、Twitterで数十万ものフォロワーを獲得し、民主党議員は悪魔崇拝で小児性愛者とするピザゲートなどの陰謀論を拡散し、フォックスにも記事を掲載させている。[60]

SNSのアルゴリズムとトランプの機関銃ツイートが、白人保守層の被害者意識を刺激する。プリンストン大学とニューヨーク大学の研究者による2016年の調査によれば、自称保守派および共和党員は、民主党やリベラルと比較した場合、フェイク・ニュースをシェアする傾向が高い事実が判明した。[61] オックスフォード大学での研究も同様に、保守派はリベラルよりはるかに故意に誤解を促す情報や誤情報を拡散させる危険性が高いとの結果が出ている。[62] このような傾向は、ごく最近の2019年のイギリス選挙でも認められた。[63] SNS研究の第一人者クレア・ウォードルは、保守党による広告掲載にあたり、その88％はファクト・チェッカーの検査で「誤解を招く危険あり」としている。他の政党も同様である。

彼が未来の候補者に示したもの

トランプは未来の候補者に対しても、いかにして白人有権者の一部を自陣に固定化し、いかにして投票所に足を運ばせるかについての妙策を示した。特に注目すべき研究としては、オバマ支持からトランプ支持に転向した有権者の予測要因として、経済的豊かさの変化ではなく——ほぼ影響を与えなかった——、多数派・少数派の興隆による不安を含む、既得権益への懸念を明らかにした点にあった。[64]ジャスティン・ゲストは、共和党支持を予測する最も確かな方法として、白人労働者階級に対し、「この数十年、権力や地位などで何を失いましたか」との問いにあるとした。[65]

力の喪失をひしひしと感じる白人層が圧倒的に共和党支持に回った。他の研究によれば、白人の社会的地位への脅威を実験的に引き起こすと、少数派への懲罰的政策が白人の支持を取り付けやすくなるという。[66]

広く評価される人種的不満指標で最高のスコアを手にしたほぼ全員、2016年選挙でトランプに投票し、その反対はヒラリー・クリントンを支持している。[67]党派の特性を考慮しても、黒人の利益や平等な権利要求を苦々しく感じる白人は、投票に対して最も大きな影響を及ぼしている。

ある調査によれば、人種的憤激度の高い共和党員は、さほどでもない共和党員よりも、トランプ支持率が30%高かった。[68]さらに説得力を持つのは、人種への態度と離党との相関を示す研究である。[69] 今日、人種的憤激を募らせる者が、明日、共和党に入党する見通しはきわめて高い。

人種的憤激指数の開発に携わった研究者は、白人の人種観がこの半世紀劇的な変化を見せたと指摘している。[70] 同時に、多くが少数民族を劣位に見る国から、あらゆる人種の平等を信じつつも、アフリカ系その他少数民族が特別な利得の過剰要求に憤激する国へと変貌を遂げたとも見ている。かかる態度は、反黒人であるとともに、厳格な個人主義による扇動の結果でもある。そのような白人は、政府支援や保護を要求することによって、黒人たちはプロテスタントの勤労倫理や価値観に不従順と感じている。

2016年の全米選挙調査では、約40％（白人の約50％）が人種的憤激層と分類された。これは新手の偏見が広域に共有されている事実を示唆している。[71] 内戦の当事者が極貧層ではない事実は記憶にとどめておくべきだろう。かつて特権を保持しながら、そのありふれた幸せを喪失したと感じる人々である。[72]

歴史の中で、人は時間と労力を傾けて、自身がその土地に住んでいる正当性を主張し続けてきた。敗戦の現実を受け入れがたい南部人は、南部連合の娘たち、連合国退役軍人会、クー・クラックス・クラン（KKK）などの団体が、金の亡者の北部に文化や生活を破壊された品格ある南部の物語を丁寧に紡いでいった。南部のシンボルとして知られる記念碑、農園、旗は、「失われた物語」を象徴するものであり、その支配が盤石だった古き良き時代への郷愁に彩られている。

2020年大統領選に敗北したトランプも、同様の物語を作り出した。南部連合が「失われた物語」――さらに優れた人々がおり、決して敗れたわけではない――に固執したように、トランプも同様に、われわれは敗北したのではなく、選挙は真の相続人からかすめとられたのだと主張した。議事堂への攻撃が挫折した後、その神話はトランプ自身とその信奉者にとって都合のいい物語を提供することになった。自分たちは移民を閉め出したりはしていない。ただ規則に従うべく促しただけだ。不寛容などとんでもない、それは敬神の念からだ。過激派など心外極まる。国を一心に思う愛国者だ。自分たちはそのために身を粉にして戦ったんだと。

運動が暴動に変ずるとき

2020年選挙は共和党にとって壊滅的とさえ言ってよかった。現職は記録的な得票であったが、それでもなお700万以上の差で、ホワイトハウスを失った。2カ月後、大統領選の死命を決するジョージア州では民主党が2連勝し、新副大統領ではカリフォルニア出身の黒人で南アジア系女性が上院の決定票となった。

あらゆる希望が挫折した時、運動は暴動へと姿を変える。議事堂襲撃事件で明らかになったのは、右派市民は自身の格下げに憤るのみでなく、現行制度が自身に不利益をもたらすと信じていることだった。フォックス・ニュースから上院議員に至るまで、彼らが信頼に足ると感じるものはすべて同じことを語っている。議事堂包囲攻撃から数日を経て行われた世論調査によれば、共和党有権者の4分の3ほどが選挙結果に疑問を呈していたという(73)。また、共和党員の45%が襲撃を支持していることも明らかとなった[74]。

２０２１年3月時点でも、共和党員の過半数が、選挙は盗み取られたのであり、トランプこそが真の大統領とがなり立てている[75]。バイデンの平和的な大統領就任式に際しても、その考えに変化は見られなかった。政治的立場に関係なく、特定の政治目標達成の手段として暴力を受け入れつつあるのだ。

近年の調査によれば、民主党の33％、共和党の36％が、暴力行使に対して、「ある程度は正当化しうる」としている[76]。２０１７年の時点では、両党において、同様の見解を持つ者はわずか８％に過ぎなかった。別の調査によれば、共和党員の20％と民主党員の15％が、互いの政党で大量の死者が出ればこの国はまともになるはずだと回答している[77]。それにしても、現時点で散発的な暴動は、どの時点で内戦へと変わるのか。希望が挫折する瞬間をどう特定しうるのだろうか。

数十年にもわたり、ＣＩＡは、世界中の反乱鎮圧や、内戦の未然防止のために、その問題を研究してきた。同機関の任務は海外情報の提供にあるが、２０１２年公開の機密解除報告書によれば、国内で生まれる過激派の生成傾向に焦点を当てている。ほとんどの反乱軍は、「その発展から衰退に至るプロセスの中で、類似した段階をたどる」という[78]。前段階では、共通の憤懣要因を特定し、支持者を集め、行動を正当化する物語や神話を旗印にアイデンティティの確立を行う。次に、仲間を募る。中には訓練のために海外渡航する者もいる。そして、武器や物資の備蓄に手を染める。

おそらくアメリカは１９９０年代前半のどこかで反乱予備群段階に入ったのだろう。アイダホ州ルビーリッジ事件の右翼活動家ランディ・ウィーバーの妻子が連邦捜査官に殺害された事件、テキサス州ウェイコで51日間続いた包囲事件（宗派「ブランチ・ダヴィディアン」が、ＦＢＩに踏み込まれて、家屋に放火し、22名の子どもを含む80名の死者を出した事件）。１９９０年代の半ばまでに、事実上50州のすべてで民兵の活動が見られ、ピークに達したのは、ティモシー・マクベイがオクラホマシティで１６８名を殺害したアメリカ史上最悪の国内テロ直後のことだった。オバマが大統領に選出された２００８年、民兵数は再び増加し始めた。[79] ２００８年以前は約43だったのが、２０１１年には３３４となった。

今日にあって民兵は性質においても従来とは異なる。１９７０年代、暴力的過激派の多くは左翼だった。現在その数は4分の1以下である。[80] オバマ時代には、人種差別による暴力的極右団体が急増した。現在、極右過激派の約65％は白人至上主義的な主張を保持している。[81] これらは、ＦＢＩの言によれば、「多人種や宗教への憎悪を動機とする」ものであり、従来型の民兵よりも豊富な銃や人員を擁している。うち29％は、連邦政府の権威を否定する主権的市民運動である。最も著名な二大民兵組織は、「オース・キーパーズ」と「スリー・パーセンターズ」であるが、ともにオバマ大統領就任後、「連邦政府はアメリカ人の自由を破壊している」との信念に駆られて旗揚げしている。[82]

近年その群れに加わったのは、反移民を掲げる男性のみの「プラウド・ボーイズ」である。

2021年3月現在、オース・キーパーズの関係者10名が、1月6日の議事堂包囲の組織化幇助のかどで逮捕されている。さらに厄介なことに、3団体は同日にいたるまで活発に連絡を取り合い、連携の可能性もあったという。

過激派団体の世界的権威J・J・マクナブは、「従来は、主権市民、納税拒否者、民兵、サバイバリスト、オース・キーパーズ、スリー・パーセンターズなどの団体があったが、現在はそれらが厄介極まりない大家族になってきているようだ」と語る。[83]

右翼によるテロ活動は、かつては誰が大統領になるかで程度は異なっていた。共和党政権時は減少し、民主党政権になると増加した。トランプがそのパターンを破った。初めて、共和党政権時に暴力的右翼団体が隆盛となった。支持者の中の過激な層を鎮圧もしくは排除するのではなく、むしろ力を与えたためだ。支持者たちによれば、2016年の勝利は、戦闘の終わりではなく、始まりだった。トランプが民主党のバイデンとの討論会で述べたように、支持者はずっと背後で拱手傍観を定められていたという。

CIAによる初期的紛争段階と称される内戦の第二章は、単発的な暴力によって特徴づけられる。[84]ティモシー・マクベイによるオクラホマシティでのテロは、見方によれば、ずいぶん前に起こった前哨戦と見てもよいだろう。反政府勢力が目標とするのは、自身の使命を世界に知らしめ、支持を集め、政府による過剰な反応を引き出し、穏健な市民を過激化させて、最終的に暴動の主役に引き込むことである。第2段階とは、それらの暴力の背後に潜む団体の存在を認識した時点を指す。

だが、ＣＩＡによれば、暴動はしばしば「強盗、犯罪者、もしくはテロリストのしわざ」として片付けられてしまう。事実、大半のアメリカ人からすれば、マクベイはまったくの一匹狼にしか見えなかった。しかし、共犯のテリー・ニコルズは、ミシガン州民兵のメンバーとの疑義があった。２０１２年右翼によるテロや陰謀は14件だったが、２０２０年８月には61件を数えるようになり、歴史的高水準を記録した。[85]

過激派の手口

ＣＩＡの報告によれば、最終段階のむき出しの内戦状態に至って、さらに活発化する過激派は、暗殺や待ち伏せ、警察や軍への奇襲など、テロやゲリラ戦法を伴う暴動を仕掛け、継続的な暴力行使を特徴としている。[86]これらの団体は同時に、手製の爆発装置など、さらに高度な武器を操り、標的も個のみでなく、公共インフラ（病院、橋梁、学校など）を攻撃対象とする傾向を帯びてくる。

そこでは、多数の戦闘員が参加し、中には実戦経験を持つ者もいる。「軍、警察、諜報機関への反乱分子の侵入と破壊」もしばしば証拠立てられている。反政府勢力に外国からの支援がある場合、さらにはっきりする。この段階では、過激派は政府が安全を保証しえず、基本的な必需品の供給もままならぬ事実を市民に示すことで、選択を迫ろうとする。自分たちこそが政治権力にふさわしく、支配する義務があると証明しようとする。国家を否定してみせ、極端な方法で支持を得ることで、広範に内戦を扇動するのが狙いである。

今日のアメリカはどうか。

派閥化したアノクラシー状態の中で、公然たる反乱段階は急速に高まっている。受け入れがたいまでに、内戦はすぐそこまで来ているのだ。議事堂包囲によって、極右団体が国と民主主義にもたらす脅威を政府は見て見ぬふりができなくなった。1月6日は、控えめに見ても、オース・キーパーズをはじめとする数団体が、暴力へと向かっている事実を白日のもとに晒した。参集した大半は、「MAGA Civil War January 6. 2021」の黒いプレートやTシャツとともに、示威を行った。

実際のところ、議事堂への攻撃はむき出しの内戦段階における組織攻撃の最初となる危険性が高い。まず公共インフラを狙っている。特定政治家の暗殺計画とそのための活動もあった。少なからざる戦闘員が関与し、中には実戦経験がある者もいた。逮捕・起訴された者の少なくとも14％は軍や法執行機関と何らかの関係があると見られる。(87)

『ポリティコ』紙主任政治特派員ティム・アルバータは、暴動後次のようにツイートしている。(88)

「この72時間、下院議員や法執行機関の友人、銃器店店主、MAGA信奉者から聞いた話は、本当に背筋が凍る。この国は暴力の大波に呑まれるのを覚悟すべきだ。数週間ではない。数年は続くだろう」

議事堂襲撃が再び起こるのか、パターンの一部をなすのか、いまだ何とも言えない。だが、そうなれば、アメリカ人は、自国政府の無防備、安全の欠如を嫌でも実感せざるをえなくなるだろう。誰が責任を取ってくれるのか不安になるだろう。従来の方法では入手できないものを力ずくでかっさらおうと、どさくさに紛れる輩も出てくるだろう。そのときこそ、私たちはむき出しの内戦段階に突入したと悟ることになる。

現在のところはっきりしているのは、過激派が高度に組織化された、危険な存在となりつつある事実である。

彼らがおいそれと消えてなくなってくれることは、おそらく期待できまい。

第7章

内戦

——真実の姿

ある日の惨劇

2028年11月14日火曜日——。

ウィスコンシン州下院議長ジャスティン・ローレンスが議会招集の演壇に立った時だった。口を開く間もなく爆音が轟き、壮麗な天窓は粉々に砕け散り、2階の部屋にはガラス片が雨あられと降り注いだ。噴霧が立ち込め、家具調度類が倒壊する中で、12名の議員の遺体が赤じゅうたん上に横たわっていた。警備員も全身血でぐっしょり、ぴくりともしない。

2000マイル離れたオレゴン州セーラムの議事堂でも同じことが起こった。あるいはデンバー、アトランタ、サンタフェ、ミシガン州ランシングでも。いずれも爆発の報告が駆け巡る。カリフォルニアでは火災が発生し、かたや東海岸ではカテゴリー4級のハリケーンが次々と上陸し、まさに壊滅的とはこのことだった。

爆発事件を知ると、人々は手を止めて一度ニュースにちらりと目をやるが、次の瞬間には手元のスマホでSNSのフィードをひたすらスクロールする。何が起きているのか。自らが目にするものは信頼に足るものか。誰も知らない。

オースティンのテキサス大学講堂で撮影されたと見られる動画では、逃げ惑う学生たちの様子が映っている。ややピントがずれているものの、壇上には血まみれの遺体のようなものが見える。後に、何者かがこの場で銃を乱射し、分子免疫学の講義中だった生物学部長が殺害されたと知らされた。全国で血と狂気の動画が飛び交っている。あらゆるものが同時に爆発しているようだ。

CNNのジェームズ・デミック特派員によれば、7つの州議事堂が標的となったという。CNNは同日次期大統領カマラ・ハリスが自爆兵器禁止の表明演説の中、シークレット・サービスが暗殺計画を阻止したとの報告を受けていた。フォックス・ニュースは別の暗殺計画が存在し、カリフォルニア州の民主党系の知事を狙うも不首尾に終わったと報じた。

翌朝、被害が徐々に明らかになった。ウィスコンシン州の民主党知事と共和党の司法長官は危篤状態。助かるかどうか。トピカ、ソルトレイクシティ、フェニックス、オルバニーでは不発弾が発見された。フィラデルフィア繁華街の上級裁判所も襲撃され、4名の判事が死亡、無期限閉鎖となった。略奪も始まっている。

襲撃の背後にいるのは誰なのか。なぜ標的とされたのか不明。実際のところ、デンバーでの軍用手榴弾やサンタフェの自動車爆弾など、手口や武器などから、複数の集団が関与しているのは確かのようだ。犯行声明は出ていない。その代わりに、Rumble、Gab、MeWe、Telegram、Facebook、TwitterなどのSNSでは、主犯は左翼団体「ブラックス・フォー・アナーキー」(blaKx)であり、国家転覆を目的とした少数民族との協調攻撃との説がまことしやかにささやかれていた。

YouTubeのバイラル動画では、黒人青年が商店の窓ガラスにレンガをたたきつけたり、自動車に火を放ったりしていた。思わず二度見してしまう動画は、ブラック・ライブズ・マターのもので、リーダーが暴動を扇動し、「戦われるべき戦争に備えよ」と呼号している。Qアノンの界隈では、blaKxがメキシコ人、サルバドル人、プエルトリコ人、イスラム教徒と手を組んでいるのいないの、有名大学教授が裏で運動を先導しているのいないの、そんな噂で持ち切りだ。同日午後、YouTubeは、先のブラック・ライブズ・マター動画が悪質なフェイクであったと発表し、すでに370万回再生された後に削除された。

3日後、匿名掲示板「8kun」に「支配を脱せよ」なる14ページに及ぶ宣言文が匿名掲載された。まったくもって教養のかけらもない、徹底した喧嘩腰、殺人を称揚し、その一部を自らの手柄と匂わせる。アメリカの都市では、「腐敗した自己嫌悪のエリートたち」が支配する「極左的政治」が行われており、それに対し、暴力こそが最後の手段であって、「静かなる刃をもって国を暗闇の中に葬る」と主張している。

同宣言文は過去数年においてTelegramで流布された陰謀論の焼き直しに過ぎない。移民とユダヤ人に支配された民主党は、あらゆる銃器を没収し、地方警察を廃して戒厳令を敷き、教会を居抜きで中絶専門クリニックに替え、白人農民から土地を召し上げてそれを黒人家族への賠償に充てようとしているという。やつらがこの国を支配し、混血の生臭い社会主義国家に塗り替えてしまう前に、何としてでも阻止しなければならないとも宣言する。

翌日、FBI当局は「8kun」で使用されたアカウントは、右翼民兵団「カントリーメン」と突き止めた。アメリカを包囲するのは左翼なのか右翼なのか、正確なところは判然としない。だが、カントリーメンが襲撃事件の背後で糸を引いているのは間違いないと当局は見ている。

世の中は騒然

政府機関、学校、礼拝堂などは閉鎖され、あらゆる機能を止めた。誰もが買い物も出勤もできず、ただじっと家に閉じこもっていた。国中の誰もが援助を待っていた。ハリス次期大統領はまずは落ち着くよう呼びかけた。軍の派遣が反政府集団の暴動にとって火に油を注ぐ危険も考慮して、党内の説得に努めるものの、議会は紛糾する。

それから10日間、ロサンゼルス、ボストン、タラハシー、マイアミ、ニューオリンズで、散発的な襲撃があった。学校、教会、大型店舗などへと範囲は拡大している。誰もが政府が崩壊してしまったかのような危機の中にいた。ニュージャージー州メープルウッド在住で子育てしながら働くジェニファー・ローソンさんは、CNNのインタビューに答え、「私や家族のために誰も寄り添ってくれていない。誰を信じればいいのかわかりません」と涙ぐむ。

やたらに民兵の姿が目に付くようになった。自警団を自称しつつ、実のところ黒人やラテン系、アジア系の若者にからんでは嫌がらせをしている。自分たちに引き込めない州兵、判事、政治家、警官への威嚇にさえ手を染めている。地方政府を掌握し、過激派に不都合な法律を施行する連邦政府の力を削ぐのが目的である。自動小銃を手にした黒服の男たちは、中絶クリニックに閉鎖を強要し、民族的マイノリティの経営する店に出入りする客を威嚇している。誰も連中を制止できずにいる。

左翼もまた家族や近隣を守るために、民兵を組織し始めた。地元の行政機関や連邦捜査官は次第に鳴りを潜めるようになり、地元民兵同士のこぜりあいが目に付くようになった。多くのアメリカ人はどちらにつくかの選択を迫られている。

収まらぬ暴動

2029年1月13日、大統領就任式に先立つ1週間前のデトロイトでは、ハリス次期大統領支持派が銃規制強化と連邦軍出動を要求してデモ行進を行った。しかし、議会近辺には、支持派とは様子を異にする連中も参集している。

民兵には英語を話せそうもない者も見られ、ドイツのAfDや極右ロシア帝国運動（RIM）とおぼしき徽章を付ける者もいる。やがて頭上からはドローンの飛来音が耳に入り、抗議者たちの上空を不気味に旋回した。ハリス派のデモ隊が通りを行進すると、民兵が割って入ってくる。間もなくつかみ合いになる。「ポートランドに帰れ！」。誰かの罵声が両耳をつんざく。「ここは真の愛国者の国なんだ！」。投石で近所の店先のガラスが粉々に飛び散る。

車を乗り越える人々がいる。爆竹が破裂する。突然2回、パンパンと乾いた音がすると、群衆は散り散りになる。連邦捜査官の潜入捜査が開始される。頭に血が上った群衆に催涙ガスを噴射し、発砲したとおぼしき民兵にはゴム弾をぶち込む。流血状態の民兵を映し出す動画は瞬く間にネット上に拡散される。怒りに支配された支持者たちは側道に飛び出し、バットでフロントガラスをぶち割って、逃走。

ブラック・ライブズ・マターの旗に火が放たれ、車の窓から投げ込まれる。炎上。民兵の1人で12歳の娘エマ・ジョーンズはやけどで病院に搬送されるが、翌日集中治療室で死亡。中西部全域で、その名は白人至上主義者の怒号に重なり、暴力を煽る「左翼の狂気」を非難する。ハッシュタグ「#Fight4Emma（#エマのために戦え）」はＳＮＳ上に拡散し、一夜にして誰もが知るところとなる。YouTubeではＱアノンのインフルエンサーがフォロワーに警告する。「ついに嵐がやってきたな」

Twitterでは、ジョン・コーニン上院院内総務をはじめ著名共和党員が国民に結束を呼びかける。しかし、それに抗う無数のメッセージはもはや手のつけようがない。「過激派左翼が国を乗っ取ろうとしているぞ」「白人民族主義者は、反対派の民族的マイノリティを皆殺しに」「政府は右翼と結託している」「いや、左翼と結託してるんだろ」「政府は何もしてないじゃん」

銃と弾薬の売上ばかりが急増する。缶詰が飛ぶように売れる。

夜9時以降、抗議と暴動の後、デトロイト住民は街から退避し始めた。街全体が硝煙に包まれる。「娘は夜も眠れません」と30年居住するアンナ・ミラーさんはため息をつく。宗教指導者たちはまずは落ち着くよう呼びかける。しかし、暴力は収まる気配さえない。ミルウォーキー、フィラデルフィア、アトランタへと燎原の火のごとく広がる。ミルウォーキーで抗議活動を行うイライジャ・ルイスさんは語る。「私たちは争いを望んでいるわけではないの。ハリス大統領にがんばってもらえなかったら、ほかに何をすればいいかわからないだけ[1]」

民主主義国で栄えるテロリズム

内戦というと、アメリカ人は1861〜1865年の初めての南北戦争が頭に浮かぶ。馬上の将校やブルーとグレーの歩兵が、だだっ広い戦場で突撃し合うシーンである。あるいはアンティータムの戦いでの北軍野営地でリンカーン大統領がロングコートにシルクハットのいでたちで将校と言葉を交わす写真。さらにはゲティスバーグの戦い最終日に、南軍が壁のごとき北軍兵士に突撃する絵画「ピケットの突撃」がまぶたに浮かぶ。そして何もない平原に残されたいくつもの死体。あるいは泥まみれの堤や大砲。

南北戦争は二度と起こるはずがない。誰もがそう思う。一つには、今日、政府と軍は圧倒的である。1860年当時、軍といってもわずか1万6000の兵士が散在して、ほとんどはミシシッピより西、ネイティブ・アメリカンの脅威への緩衝作用を果たすに過ぎなかった[2]。現在の軍は130万、予備役90万、州兵45万である。兵力を必要に応じて速やかに移動させることも可能である。1860年の当時なら、南部連合が軍にまともに対峙可能と考えたとしても不思議はなかった。今日、民兵がそのように思うなら、いささか頭がおめでたくできていると思われても仕方ない。

地理的問題もある。1861年、南部11州の指導者は、独立国の創設に同意し、事実南部連合は統一されていた。そのようなことが可能になったのは、各州が地理的に一地域にまとまっていたからだ。1861年のリンカーン就任を受け、南部の次の行動について、ほぼ全市民が分離独立を支持した。対して、現在では自称独立運動はちらほら見られる程度であり――アラスカ独立運動やカスカディア分離独立運動（オレゴン州、ワシントン州とブリティッシュ・コロンビア州の併合）など――実現可能性はお世辞にも高いとは言えない。いかに保守的な州であっても、都市部には左寄りの市民が少なからず存在するから、反対者は相当数いると見てよいだろう。

だが、そのようにしか内戦をとらえないなら、いささか視野が狭いと言わざるをえない。なぜなら、今日の内戦はまったく異なる相貌を呈しているためである。21世紀の現在、政府に対する内戦仕掛人たちは、戦場を完全に迂回しようとしている。まともにぶつかって勝ち目がないくらいのことは百も承知だ。代わりに、弱者の戦略、すなわちゲリラやテロを選択する。かくして、国内のテロによるキャンペーンは民主的政府を標的とするようになる。(3)

テロリズムが民主主義国家にあっても有効性を保持しうる理由は、標的たる市民が政治権力を握っているからだ。市民はテロ阻止に無能な政治家に対して反対票を投じることができる。暫定IRA、ハマス、タミルの虎などはいずれも市民を追い詰めるほどに、政府は和平と引き換えに歩み寄りを見せる可能性が高くなると踏んでいた。あるいは有権者を説得し、共通した思想を奉ずる過激な政治家を選出するか。いずれにしても、過激派にとって利がある。また、テロはどこへ行こうと自由自在だ。監視の目が行き届かない民主主義国家ではとりわけ移動はたやすい。国内の団体にはテロリスト指定に対する憲法上の制約は多く、国外のテロリスト集団よりはるかに融通が利く。

アメリカが第二の南北戦争に見舞われたなら、戦闘員は野っぱらでわざわざ角突き合わせる必要もない。軍服に袖を通しさえしないだろう。指揮官の姿さえ見えないかもしれない。彼らは誰からも見られることなくそっと侵入し、ネット掲示板や暗号ネットワークでやりとりするだろう。商店街の廃修理工場、アリゾナ州境の砂漠地帯、南カリフォルニアの公園、ミシガン州の雪深い森などでチームを結成、戦闘訓練にいそしむだろう。

オンライン上で抵抗運動を計画し、あらゆるレベルで政府を弱体化させ、アメリカの一部を支配する方法を練り上げるに違いない。かくして混乱と恐怖を作り出し、アメリカ人にどちらかを選択すべく迫るだろう。

過激派の準拠する正典

多くの場合、過激派はある聖典から信念の霊感を手にしている。アルカイダの場合は、ビンラディンによる30ページの宣言書「二聖モスクの地を占領するアメリカ人に対するジハード宣言」を手にしていた。ナチスにあっては、ポーランド侵攻の14年前の1925年にヒトラーが世に出した『我が闘争』がそれだった。リビアのテロリストは、毛沢東『小紅書（毛沢東語録）』のオマージュとして、カダフィが革命へのヴィジョンを記した『緑の書』を手にしていた。

アメリカではどうか。ＦＢＩが「人種差別的右翼の聖書」と呼ぶ『The Turner Diaries〈ターナー日記〉』がある。(4) 同書はアーリア人革命が政府を転覆させる架空の物語である。ネオナチ団体「ナショナル・アライアンス」設立者ウィリアム・ピアースが１９７８年に記した同書は、人種問題に発する憤激を戦争へと駆り立てる台本であって、過激派活動家が連邦政府を打倒し、その大義によって白人を覚醒させるための手口が微に入り細を穿って記されている（たとえば、テロ攻撃や大量殺傷爆弾についてなど）。そこで取り扱われる主題――メディアを信用するな、ＦＢＩは銃を没収する、暴力回避はしょせん不可能など――は、ジャーナリストのアジャ・ロマノが指摘するように、「反逆者、愛国者、大義の殉教者予備群に痛いくらいに訴える、目がくらむばかりの英雄譚」であり「信奉者たちには、先端的な人々とともに戦っている高揚感が植え付けられるだけでなく、現実的に戦争はもはや回避不能と教えている」。(5)

『ターナー日記』は極右テロの実質的刺激剤として機能してきた。同書のページ片は、オクラホマシティで起こったアルフレッド・Ｐ・マラーの連邦ビル襲撃の後、ティモシー・マクベイのトラックからも発見されている。エルパソ・ウォルマートの銃撃犯と目されるパトリック・クルシウスと、カリフォルニア州ポーウェイのシナゴーグ銃撃犯と目されるジョン・ティモシー・アーネストの両名は、自作マニフェストに引用もしている。

議事堂襲撃事件でも爪痕ははっきり表れていた。(6) ＦＢＩ本部の爆破、議事堂襲撃などに加え、ている。

政治家、弁護士、テレビのニュースキャスター、判事、教師、伝道師など「人種反逆者」を絞首台に吊るす、「ロープの日」制定が謳われているからだ。2021年1月6日の動画では、プラウド・ボーイズのメンバーがジャーナリストに対して、同書を手に取ってみろと促す場面が映されている。

カルト指導者チャールズ・マンソン支持者でネオナチのジェームズ・メイソンによる『Siege〈攻囲〉』もある。1980年代、メイソンはまだ存命で、アメリカ・ナチ党のために一連のニューズ・レターを執筆している。その中で、政府を揺さぶるために、殺人と暴行を提唱していた[7]。メイソンの手になるものは、その後書物にまとめられた。

プロパブリカは、メイソンが体制破壊を企図した内密のゲリラ活動開始を弟子たちに指示したと報じている[8]。自らは「荒れ野」と呼ばれるところに潜伏して、「ヒット・エンド・ラン」なる、俊敏で分権化された白人解放戦線を構想した。彼はアメリカ人が初めて目にするであろうことを示す。かりに何を求めるべきか意見を聞かれたなら、次のように答えるだろうと。「放浪のガンマンによる体制側権力者の殺害だ。暗殺に次ぐ暗殺の嵐が繰り広げられる。ほぼ阻止などできようはずもない、練りに練り上げられた戦略があるからだ[9]」

2017年、『攻囲』は563ページの新装版で発売された。2020年6月には『ターナー日記』がAmazonベストセラー文学部門で46位となった。この2点をAmazonで購入すると、『White Power〈ホワイト・パワー〉』『Hunter〈ハンター〉』などの人種をテーマとした小説、『我が闘争』

『Revolt Against the Modern World〈現代世界への反抗〉』『国際ユダヤ人』が続々とレコメンド欄に上がってくる（Amazonは自費出版書籍の最大手であり、そのため極右文献の流通サイトとしても人気である）[10]。変化が見られるようになったのは2021年1月の議事堂襲撃事件後であり、以後Amazonは『攻囲』『ターナー日記』をサイトから削除している。

白人民族国家の虚妄

ある種の民族浄化は内戦では少なからずつきものになっている。上記聖典も関係して、極右テロの攻勢キャンペーンを疑うに足る理由は十分にある[11]。社会秩序をリセットするために、テロリストは連邦政府と市民を反目させようと画策する。穏健派には新たな事態を受け入れるよう説き伏せ、少数派には恫喝して沈黙を強い、新移民を阻止する。また、特定の人々――少数派、リベラル派、社会主義者みたいな連中――は都市や国から放逐し、地方の中心部に白人民族国家を創設すれば、身の安全は確保されるのだと一般市民に説いて回ったりもするだろう。

近年、ヴァーモント州ストラットンの役場が、年次報告書表紙に次の文言を掲載する決定を行った[12]。

「あなたたちは、あの場所が嫌だからここに来られたのでしょう。なのに、あの場所のようにするために、ここをも変えてしまおうとされています。私たちは人種差別主義者でも、恐怖症でも、反ユダヤ主義でもありません。ただ今のままのこの場所を愛しているだけです。実際に私たちの多くはその場所がどこであれ、あの場所とは違うためにここを選んだのです。あなたたちがここにおられることは歓迎したいと思う。けれども、ここをあの場所と同じようにするのだけはやめていただきたい。それならばいつでも元いた居心地のいい場所にお引き取りいただきたい」

内部移住は、地域の民族的・宗教的構成を変化させ、しばしば地域住民に歓迎されない形で行われる。そして、民族浄化は、強引であろうと巧妙であろうと、それを元の状態に引き戻そうとするためのものである。

自国で民族浄化が起こるなどと、ちらりとでも思う市民はいない。サラエボのダリスさんやベリナさんのことを思い起こしてほしい。

ジェノサイド・ウォッチ代表グレゴリー・スタントンの指摘が大いに役立つ。「ジェノサイドの10段階」と題する文書では、ジェノサイドに至る８つの段階が示され、少数民族の地域からの強制排除はその一つと指摘される。(13)

インド政府は、ヒンドゥー教徒多数派のジャンムー地方を確保するために、１９４７年10月から11月にかけて、イスラム教徒をパキスタンへと強制移住させた。そのために、暴徒や準軍事組織による数十万に及ぶイスラム教徒殺戮へと事態は急展開した。間もなく、同州人口の60％を占めたイスラム教徒は、少数派へと転落した。

先のスタントンの指摘によるフレームワークにははっと胸を突かれるものがいくつもある。それは、大量虐殺などの始まりは、多くの場合ごくありふれた風景の中で、何かが起こる気配さえ感じさせない中で起こる点である。だが、その後バスに詰め込まれ、国境を越えようと試みるなら容赦なく殺害されるなどした。民族浄化初期段階の国にあっては、自国がいかに危険かには、驚くほど思いが及ばない。

初期2段階は、「階層化」「シンボル化」と呼ばれるものである。たとえば、ルワンダにおいて、ベルギーの植民地支配者がそれまでは外観上区別しにくかった「ツチ人」と「フツ人」に身分証を作成したのが典型である（ナチスも同様に鍵十字を好んで用い、ユダヤ人には衣服にダビデの黄色い星の紋章着用を義務付けた）。

アメリカではすでにこの2段階は通過済みである。われわれの置かれた深刻なイデオロギー対立に目を向けてほしい。私たちは人種、土地、信条などで自らを分離してきた。極右はシンボルを何食わぬ顔で用いている。南部連合旗、プラウド・ボーイズのオレンジ帽、シャーロッツヴィルや議事堂で見られた過激派のトレードマークたるハワイアン・シャツを思い起こすべきだ。また、両党議員はデータベース連動の国民IDカード発行を提案している。[14]

非人間化

第3段階では、差別である。支配的な集団が法や慣習を用いて、他者の権利を否定もしくは抑圧する。ミャンマーでは、多数の仏教徒によるロヒンギャからの選挙権、職業、市民権の剥奪が行われた。[15] そこから第4段階、すなわち「非人間化」までは一直線である。セルビア人がボスニア人に対して行ったように、あるいはフツ人がツチ人をゴキブリ呼ばわりしたように、そもそも人間であることを認めない。

アメリカはすでにその段階を経ている。人種差別は長きにわたりアメリカ人の生活の中に存在し続けてきた。ある調査によれば、黒人は白人と比較して、まったく同様の資格を保持していたとしても、就職の応募に際して先方からの連絡を得る確率が半分であることが判明している。[16] また、ある実験によれば、メールに議員が返信や応答を行う確率は黒人風の名よりも、白人風の名のほうが跳ね上がるとの結果も出ている。[17] 黒人家庭は、白人に比べて住宅購入に際してのローンは少なく、より貧困な地域に集住する傾向がある。[18] ジョージア、アラバマ、ウィスコンシン、フロリダ、そしておそらくはテキサスにおける近年の投票制限法の波は、選挙時のマイノリティの投票率低下を狙ってのことであろう。

トランプやその取り巻きの共和党議員や保守系メディア関係者は、われわれを非人間化段階へと追いやり、移民を強姦常習者、家畜、人殺し呼ばわりし、あまつさえ元ホワイトハウス補佐官の黒人オマローサ・マニゴールト・ニューマンを「犬っころ」と公共の場でなじった。[19] 2018年5月、トランプはホワイトハウスでの会合で、非正規移民について次のように述べている。「こいつらがどれくらいひどい連中か信じられないくらいだ。人間じゃない。動物だ[20]」

第5段階「組織化」が次にやってくる。支配集団が軍や民兵を集め、他の集団を根絶やしにする計画段階である。ボスニアでは、ボスニア・セルビア軍最高司令官カラジッチが1980年代に早くもイスラム教徒抹殺計画を練っていた。[21] 彼はクロアチアとボスニアの兵站に保管された武器を用いてセルビア人を訓練し、地元準軍事組織形成のための秘密警察部隊を構想していた。

第6段階「分極化」では、支配集団がプロパガンダをもって大衆を煽り立て、対象集団の悪魔化と分断化を推進する。しばしば集団間の交流は阻止もしくは禁止処置を受け、支配集団内の穏健派がそれに抵抗しようものなら、投獄や処刑も辞さなくなる。ルワンダ大虐殺に至る数カ月、フツ人過激派による憎悪と執念のラジオ放送は一例である。

これが現下のアメリカである。第5段階には確実に突入し、おそらくは第6段階に片足を踏み入れている。オバマ政権下で激増した民兵はさらなる組織化と先鋭化を見ている。[22] イェール大学法学部卒の陸軍退役軍人スチュワート・ローズは、２００９年、オース・キーパーズを旗揚げした。以来、内戦を煽り続けている。当時17歳だったカイル・リッテンハウスがウィスコンシン州ケノーシャ抗議デモで2名を殺害した報を耳にして、「彼こそ英雄、愛国者」と快哉を叫んでいる。オレゴン州ポートランドでトランプ支持者が殺害されたとき、「最初の銃声が鳴り響いたぞ、兄弟たち。戦いは今ここに始まった」とツイートした。

共和党過激派やその支持者たちは、電波やネットを通じて極端なプロパガンダを増幅させる手法に長けてきている。ジョージア州選出の共和党議員マージョリー・テイラー・グリーンは、民主党議員への実力行使を支持し、「自由を奪回する唯一の方法は、血の代償によるほかはない」としている。[23] サウスカロライナ州の共和党下院議員トム・ライスやワイオミング州下院議員リズ・

チェイニーなど、同様の意見に抗するものの、拒否する穏健派などは、党から問責を受ける。トランプ弾劾に1票を投じたミシガン州共和党下院議員ピーター・マイヤーのように生命の危険に晒される者さえいる。[24]

加速主義

昨今アメリカの過激派は、加速主義として知られるものに取り込まれている。加速主義とは、現代社会はもはや救いようがなく、終焉を早めなければならないという終末論的な信念、あるいは新秩序を実現するためにこそ、終焉を前倒しすべきとする考えを意味する。それは、国を反乱の巷とし、民族浄化へといざなうワードでもある。

信奉者たちは、集会や右翼政治家選出などのありきたりの手段では事態を打開できないとし、結果として暴動に走る。テロリズムの専門家J・J・マクナブの説明によるならば、彼らはコロナ禍によるロックダウンから人種的正義を賭けた抗議まで、分極を煽れるものならどんなものでも口実として利用しようとする。[25] そうすることで、暴力の連鎖反応が引き起こされ、政府の弾圧や社会的不正に穏健な市民が気づき、自らの運動に合流するとの期待を抱くからである。

極右過激派は極左との共闘さえありうるとマクナブは見る。「旧来の極左過激派集団には、自分たちが実は同じ船の乗組員であることに気づいた者もいるだろう。彼らはみな権利を剥奪された点では同様の不遇をかこつ者同士だからだ。生活や政府その他どんなことでも手綱を持ち合わせていない。これが彼らの行動パターンの基本にあるものだ[26]」

アトム・ヴァッフェン・ディビジョン（ＡＷＤ）は、プロパブリカとＰＢＳ「フロントライン」が公開した２０１８年のドキュメンタリー映画も手伝って、最初に世に知られた加速主義者集団となった[27]。「アイアン・マーチ」に先立つ2年前、ロシア民族主義者アリサー・ムヒトディノフと関係を持つファシスト系ウェブ・フォーラムで旗揚げされたＡＷＤは、ドイツ語で「核兵器」を意味するネオナチ、反ユダヤ、ファシスト、国家社会主義のグループである。メンバーたちは、暴動が波及していけば、人種戦争に発展し、やがて白人の理想郷を再建できると夢見る。

専門家による推定では、メンバーは50から１００名、全員が若年層の白人男性である。ジェームズ・メイソンの著作は入会者必読となっており、メッセージ・ボードには『ターナー日記』への言及が無数に見られる。小規模ではあるものの、最も破壊的な極右集団の一つと目されており[28]、事実複数の殺人や襲撃事件に一枚嚙んでいた（２０１７年フロリダで元ＡＷＤメンバーのデヴォン・アーサーズがルームメイト2名殺害で逮捕されたとき、遺体に『ターナー日記』の廟を残した）。

ＡＷＤは現在テキサス州の「ヘイト・キャンプ」で訓練を行っている。２０１９年と２０２０年、ＦＢＩは全米でメンバー逮捕に踏み切り、ジェームズ・メイソンはグループ解散を宣言した（ただし、メイソンは崇拝対象であって、メンバーではない）。だが、２０２０年夏、新たなＡＷＤ細胞出現の報道がニュースサイト上で拡散された。２０２０年8月、同団体は「国家社会主義同盟（ＮＳＯ）」に改称し、新指導体制を築いた[29]。

ＡＷＤメンバーは、シャーロッツヴィルの「極右連合」集会参加者にまぎれ、松明行進しつつ、「お前らに俺たちの代役が務まるはずないだろう」と怒号を発した。(30) 集会直後、Twitterでは「＃ReadSiege（『攻囲』を読め）」のハッシュタグが燎原の火さながらに広がった。中には、シャーロッツヴィルとその後の逮捕者、脱落者、悪評に幻滅を覚え、やはりメイソンに立ち返るべきとする声もあった。ＡＷＤ元メンバーの１人は、調査報道ジャーナリストのＡ・Ｃ・トンプソン（プロパブリカのドキュメンタリー制作者）に対し、「自分たちの努力が報われないと感じたメンバーが、暴力に訴えるきっかけとなった」と語った。シャーロッツヴィルは、暴動シフトの導火線になった。「大規模集会だけでは意味がない。(31) 逮捕、失職、ＦＢＩ監視だけだ。なすべきは、地下に潜って、『指導者なき抵抗』とされる細胞型テロに打って出るべきだ(32)」

指導者なき抵抗とは、１９５０年代元ＣＩＡユリウス・アモスが、ＣＩＡの支援する東欧の抵抗組織防護手法を分析したことに端を発する。ベトナム戦争兵士にして、帰国後クー・クラックス・クランに加入したルイス・ビームがこのコンセプトに目をつけた。１９８３年、ビームは白人民族主義が、力において圧倒的なアメリカ政府への闘争にうってつけの手法としてこの概念を論文にして発表した。

彼は、分散戦術によってのみ運動は存続可能と考えた。Ｊ・Ｍ・バーガーの語るように、ビームはビラや新聞を通じた情報共有と、緩やかな連携を伴う小規模で独立したグループ、さらには単独行動者の集団を念頭に置いていた。(33) なぜなら、ＦＢＩにとって、無数の砂のごとく散らばっていれば、潜入捜査は不可能と考えたためである。彼は述べている。「1000ものあるかなきかの細胞は……諜報活動を試みる政府にとって悪夢にほかならない」

ブーガルー・ボア

ネット普及の以前には、印刷ビラなどで、ばらばらの集団がやりとりすることで、仲間を増やしていくなど夢のまた夢だった。しかし、SNSの登場で事態は一変。突如、4chan、Twitter、Facebook、YouTube、Telegramなどをフル活用して手を取り合うことが可能となったばかりか、数千もの新規会員をごっそりかき集めることさえできてしまうようになった。ネット活用で一歩先んじているのは、アルカイダとISISである。アルカイダなどは、「インスパイア」なるオンラインマガジンを発行し、テロ攻撃の手順を段階的に公開していった。ともに「指導者なき抵抗」に準拠している。[34] アルカイダによる分散戦略は、「指導者なき聖戦」とも呼ばれるようになった。

アメリカの場合、抵抗運動の好個の例としては、ブーガルー・ボアがある。[35] 銃支持派、急進右派、反政府などさまざまな種類の極右団体が緩やかな連携を行い、4chanにはじまり、後にはInstagram、Reddit、Facebookで一つに合流した。ブーガルー運動にあって、指導者による組織、地域支部、マニフェスト、さらには統一的思想さえも、少なくとも現在のところは見当たらない。その最終目標は、フォローされるFacebookやTelegramによって異なる。

それでもアメリカを内戦の巷に陥れようとする点では一致している。多くは若年層の白人男性である。この国は革命を目前にしており、その必要において一致した見解を共有している。1984年公開の映画『ブレイクダンス2――ブーガルビートでT．K．O！』にちなみ、「南北戦争2――エレクトリック・ブーガルー」と呼ぶ[36]（この映画は続編について長らくネット上のジョークの出典となっている。メンバーが軍服とともに着用するハワイアン・シャツは、「ブーガルー」に発音の似た「ビッグ・ルアウ」〔ハワイ語で「大宴会」の意：訳者注〕にかぶせたことからそう呼ばれるようになった）。運動への参画者は、「ブーガルー・レディ」あるいは「ブーガルーに乾杯」と叫ぶ[37]。ホイットマー知事誘拐計画の1人アダム・フォックスは、ブーガルーについて、「政府が憲法修正第二条の権利を奪おうとした場合に起こる戦い」と語る[38]。ホイットマー計画で起訴されたもう1人ウルヴァリン・ウォッチメンのメンバー、ジョゼフ・モリソンはSNS上で自らを「ブーガルー・バニヤン」と称した[39]。

ブーガルー・ボアが何をしたいのか、どんな計画を立てているのかは定かでない。たんに世情をかき回したいだけの者もいる。あるいは過剰な銃規制に抗するために一戦交えてやろうかという者もいる。移民を生かしてはおけないと考える者もいる。だが、はっきりしていることがある。それは、彼らが群れをなして押し寄せてくる危険である。ブーガルー運動によって、2020年1月、ヴァージニア州リッチモンドで開催された銃推進集会でハワイアン・シャツを身にまとい、突撃銃を手にした白人男性の一群が現れたことは、大半のアメリカ人にとって寝耳に水だった[40]。彼らの存在はいやがおうでも人目を引いた。偶然にしては異様な数だったからだ。

ブーガルー運動は、コロナ大流行に乗じて、市民から自由を奪う政府の横暴に反発し瞬く間に拡大した。ハワイアン・シャツを身にまとう男たちが、全米各地での反ロックダウン・デモに大挙して姿を現すようになった。2020年春、ある監視団体は、125ものブーガルー関係のFacebook団体ページを確認している。[41] 半数以上は、マスク義務化と外出禁止が定着する2020年2月から4月にかけて旗揚げされていた。夏までには、信奉者は1万を超えた。

Facebookでは、ブーガルーのメンバーが、軍事作戦書と自家製爆弾製造法書類をシェアしている。[42] あるグループなどは、必要に応じて武器・弾薬を強奪可能なように、政府による供給線の詳細を記載した文書や、暗殺対象の政府高官リストまで作成していた。[43] バイブルとしているのは「イータロニアン」なる133ページの冊子である。戦争にいたる段階とプロパガンダによる共感と支持を獲得する方法が網羅されている。

ブーガルー・ボアは、集会での暴動、法執行責任者の暗殺、政府への巨大な陰謀を画策してきた[44]（ホイットマー誘拐計画で糸を引いていたウルヴァリン・ウォッチメンにもブーガルーの支持者が含まれている。ラスベガスでのデモによる暴動扇動のかどで逮捕された3人の男もやはりメンバーだった）。

2020年5月、Facebookは武力行動への呼びかけとともに、「ブーガルー」やそれに類する語彙を使用禁止とした。[45] その後レコメンドのアルゴリズムを変更し、関連の数百ものアカウントとグループを抹消し、事実上プラットフォーム上でブーガルー関連のコンテンツは禁止された。

しかし、メンバーたちは、Gab、Telegramなど暗号化された他のSNSに参集している。彼らの力を抑制するのは、今後相当に困難なのは確かだろう。

国内にひしめく極右集団

再び内戦が勃発すれば、彼らは自ら参戦するだろう。現在のアメリカでは、現状を糺すために大規模内戦を避けて通れないとする極右集団などうようよしている。プラウド・ボーイズ、スリー・パーセンターズ、オース・キーパーズなどは現時点で最大規模であるが、名称はさまざまなれど、言わんとするところは似たり寄ったりだ。いずれも連邦政府転覆を考えている。また、法による自由制限を回避したいと願っている。数を増すメンバーたちは、白人キリスト教徒による統治を待ち望んでいる。そして、1人の例外もなく、暴力こそが理想実現のたった一つの道と信じている。

自国由来の過激派集団は急速に深化・拡散している。内部は不透明、予見困難である。だが、他の民主主義国家でテロリストがどのように武力行使したかを概観しておくことは、アメリカでの内戦の帰趨を見るうえで役立つはずである。内戦勃発に伴う無数の要因を調査した巨大なデータ群はいくつもそろっているし、組織的テロにおける多様な視点からの研究も存在している。どのような人物が関与する傾向を持つか、いつ起こるか、それらが反政府の目標達成にどの程度効力を持ちうるか、数百もの研究成果が存在している。それらはおしなべてテロ全般を対象としており、自国由来は十分とは言えないながら、共通の手口を見出すのに意味を持つはずである。

高度な民主主義国家に対し、反政府テロがしばしば用いる手口はいくつか存在する。一つは、消耗戦である。人や公共施設（連邦政府、市場、学校、裁判所、交通、電力などの設備）への執念深いまでの攻撃である。この種の一連の行動は、市民が音を上げ、政府が要求に屈するまで、徹底的に嫌がらせを繰り返す。ハマスは何年にもわたり同様の手口を繰り返した。エルサレム、ナブルス、ベエルシェバのバスに爆弾を仕掛け、テルアビブのカフェに自爆テロを差し向け、ハイファ繁華街では自動車にブービートラップを仕込み、医院、ショッピングモール、セキュリティチェック・ポイントを爆破する。

9・11でアルカイダが行った攻撃もまた、消耗戦の一種である。アフリカ2国の米国大使館、米海軍駆逐艦コールなど、他のアメリカの施設を標的とする一連の攻撃後の犯行だった。そして、その作戦は目的を達した。サウジアラビアからの米軍撤退を決断させたためである。

極右集団にとりあわなければ、同じ手口に出る危険はきわめて高い。古典的な消耗戦においては、歴史や文化的価値をもつ建造物や公共施設、人など、国民への経済的・心理的ダメージを与えるあらゆるものが攻撃対象となるだろう。教会や地下鉄はいうに及ばず、連邦準備制度理事会ビル、州議事堂、ワシントンDCモニュメントなども含まれる。また、移民、都市や有力な州居住者、リベラルな候補者を支持する市民なども標的となることは免れない。暴力を厭わぬ過激派は、自らの切望に歩み寄りが見られるまで、あるいは選挙で自身の大義を実現する政治家が選出されるまで、それらの場所や人を標的とし続けるだろう。

蘇る匕首《あいくち》神話

もう一つの手口が、脅迫である。政府打倒がかなわないなら、暴力を背景に市民を煽り、強引に言うことを聞かせる挙動に出るだろう。連邦政府の行政機関、官僚、議員、司法関係者を脅迫し、規則適用を妨げるために、ピンポイントの暴力を用いるだろう。共和党議員ピーター・マイヤーへの殺人予告は、そのようなものの一つである。過激派は銃規制賛成のリベラル政治家、中絶賛成の判事、移民の市民的自由を保護する警官などを暗殺していく。同時に、その主張をよしとしない穏健派共和党員も十分に標的となるだろう。

そこでは、民兵が社会変革組織のための自警的機能を担っている。メキシコの麻薬カルテルでは、賄賂を用いて麻薬取引の見逃し依頼を行ったものの、それを退けた裁判官や警官を逆恨みしてこの手口が採用された。シウダー・フアレスやティファナの街頭に首のない死体が放置される事態になると、政府捜査官は法の執行に恐れをなすようになる。かくして、麻薬カルテルとそのリーダーは何の障害もなく動き回れるようになる。

このような手口は、すでにアメリカでも見られた。クー・クラックス・クランにあっては、連邦政府による公民権拡大に対し、暴力と殺人という手段を用いて黒人票を抑え、州議会を支配し、南部での白人至上主義を貫徹するために、脅迫が好んで用いられた(46)。中絶反対テロにおいても、家族計画連盟のクリニックや、実際に手術を辞さない医師に対しても、脅迫は手堅い手法として採用されてきた。政府が中絶を適法化し続けるなら、過激派は、女性が手術を受け、医師が手術が行うことを実力をもって阻止するようになる。

同様の発想は、エルパソ銃乱射事件の被告パトリック・クルシウスを突き動かしていた。彼はマニフェストの中で、この虐殺はヒスパニック系住民が国外に脱出する「動機付け」になることを意図していたと述べている。[47]

銃や民兵が合法のアメリカでは、政治家も市民も恐れるに足るだけの十分な理由が存在する。連邦政府の権限は強力とは言えず、また州政府、地方政府との二重管轄も見られる。真の責任者が誰なのか、とりわけ地方では判然としていないならなおさらであろう。

わが国の特徴の一つをなすのが、連邦政府の分権制である。だが、同様の特徴は、地元の行政機関の是認を得たとしても、当該地域を支配する不正要因に対して時になすすべがない場合もある。州レベルでは22州が民兵を合法と認めている。コロナ禍においては、ロックダウン中にもかかわらず、継続営業を主張する中小事業者の保護者として民兵が位置付けられた場面さえあった。[48]

ウィスコンシン州ケノーシャでは、前市議会議員ケビン・マシューソンは、ブラック・ライブズ・マターの抗議行動を契機として、地元警備のために武装市民に呼びかけたところ、何百もの男たちがなだれを打ったように集まってきた。カイル・リッテンハウスはデモ参加者2名を殺害し、1人を負傷させたかどで訴追された後、その弁護人は、民兵への参加は必要だったのだと主張した。「彼がケノーシャに行かざるをえなかったのは、政府も自治体も、法や秩序の基本責任を放棄しており、地元を守る権利・義務を自身で何とかせざるをえなかったからだ[49]」

競り勝ち

もう一つのテロの手口は、「競り勝ち」として知られる。この手口は、ある過激派集団が、勢力を強めるために、他集団と競争する際に用いられる。

たとえば、ハマスが自爆テロを採用したのは、競合の政党であるファタハをしのいで、パレスチナ大義の貢献を顕示するためである。ややあってシリア内戦に参戦したＩＳＩＳは、競合のシャバト・アルヌスラ戦線との差別化を図るために、残忍な誘拐殺人へと作戦を切り替えた。極端な主義主張や手法を用いることで、かえって反政府勢力が、穏健な集団よりも戦いを有利に運べる場合は少なくない[50]。そのほうが、やる気満々の戦闘部隊や強固な支持者を強く惹きつけるからだ。過激派集団にあっては、名誉、殉教、死後の栄光など、ふんだんの見返りによって、恐ろしいまでの精神力を行使する傾向がある。過激な主義主張は、大義への意欲の薄いメンバーを排除し、機能不全や仲間割れ、裏切りのリスク軽減をもたらす。

アメリカではいまだ「競り勝ち」は見られないが、右翼集団の増殖に伴い、帰趨を想像するのは比較的たやすい。

ＩＳＩＳがイラクとシリアで何をしたかを見れば、行きつく先ははっきりしている。すなわち、ネットを用いた情報戦略に巨額の資金を投下し、それによって軍事力を顕示し、残虐行為と地域住民への公的奉仕を抱き合わせで広く拡散させた。特定の街に入るや、瞬く間に反対派指導者を標的に据えた[51]。

同様のことがアメリカで起こったとしたら、アトム・ヴァッフェンのような過激派などは、他集団よりも卓越していると証明せんがために、極端な残忍行為にエスカレートしていくのは火を見るより明らかだ。

最後のテロ戦略は、「スポイル」である。テロリストがこの戦術を使うのは、穏健なグループ、たとえば移民について政府の譲歩と引き換えに、暴力行使を棚上げするグループが、新民族国家確立といった大目標に妥協し、その努力が水泡に帰すのを恐れるときである。この手口が有効性を発揮するのは、穏健な反政府武装勢力と政府との関係に改善が見られ、合意目前という瞬間である。和平協定が締結されれば、多くの市民は継続的暴力を支持しなくなるのをテロリストは知り抜いている。1979年にイラン過激派がテヘランで52名のアメリカ人を誘拐した。事件が起こったのは、両国の関係が悪化していたためではなく、むしろ和解の兆しが見られたためであった[52]。その3日前、比較的穏健なイランのメフディー・バーザルガーンと米国国家安全保障顧問ズビグネフ・ブレジンスキーの握手する写真が出回った。過激派は両国の和解が自陣にとって不都合なのを知っており、阻止のためになしうるすべてを行った。アラブ・イスラエル和平交渉、北アイルランドでのプロテスタント・カトリック協議も、かくして土台を切り崩された。

アメリカでは、プラウド・ボーイズ、スリー・パーセンターズ、オース・キーパーズは遠からず手を結ぶと見られる（反政府集団は、ごく一時であろうとも、しばし勢力糾合に走るものである）。新たな統一集団は、将来における銃規制廃止や移民大幅削減を保証するか、もしくは支持者の大多数が歓迎しうる条件の提示について、連邦政府との和平協定締結をも辞さないだろう。しかし、その定義から言っても、最も過激な反政府・白人至上主義集団はそこから締め出されてしまう。なぜなら最終目標たる白人民族国家樹立達成にはいかなる妥協もありえないからだ。唯一のようがは、協定を破棄することだ。さらに理想的なのは、内戦を引き起こすことである。

そのためには、海外からの支援がぜひともなくてはならない。暫定ＩＲＡが存続しているのは、アメリカ在住のアイルランド系から巨額の資金援助を得ているためである。ニカラグアの反政府勢力コントラは、アメリカによる資金協力があったからこそ戦闘を継続できた。ウクライナのドンバス地域の反政府勢力は、隣国ロシアからの物的・人的支援に依存している。[53] ヒズボラが成功したのは、シリア、イラン、レバノンの支援によるところが大きい。アメリカにおいても、テロ集団はその敵（中国、ロシア、イラン）や、他の白人優位諸国（カナダ、ウクライナ、イギリス）に同情を寄せる白人至上主義集団の援助を得られる可能性は否定できない。しかもネットの発達によって、きわめて容易に実現可能であろう。

中国とロシアは、極右団体への資金や武器供与をほぼ問題なく遂行しうる。ウクライナは軍事訓練を提供するだろう。カナダの農村部は、政府追跡を遮断する避難場所となりうる。カリフォルニアに拠点を置く白人至上主義集団ライズ・アバブ・ムーブメント（ＲＡＭ）は、アゾフ連隊との共同軍事訓練のために、ウクライナに渡航している。ティム・ヒュームが『ヴァイス』で報じるように、アゾフは欧州ネオナチとの提携でパンフレットを配布し、プロパガンダ動画を制作し、スカンジナビア極右会議のトップを務めてきた。ウクライナ戦争を、極右集団の戦闘訓練場所として売り込み、実際に部隊を訓練している。

情報分析家のモリー・サルトスコグがヒュームに語ったところによると、「暴力をも辞さない白人至上主義者の世界的ネットワークが形成され、多様なプラットフォームをフル活用して自由に情報の交換を行う。やがて故国に戻ってプロパガンダを拡散し、軍事訓練を行い、次の内戦に着手する」(54)。

移行は常に静寂の中で

民族浄化は、静かに進行することが多い。しかし、「大虐殺への10段階」に準拠するならば、第7段階で一挙に誰の目にも明らかな変化が見られる。「予備的段階」と呼ばれるところでは、支配集団が軍を編成する。指導者は「殺さなければ、殺される」と連呼し、恐怖心から大衆を洗脳する。

このような教化の後に、第8段階、第9段階の「迫害」と「殲滅」、そして最終段階の「否認」へと一気に爆発していくことになる。トルコは1世紀たった現在もアルメニア人虐殺を否認し続けている。すなわち、第7段階は、自衛のための手段として大量虐殺の論理が前面に出てくる点で見逃すことができない。

一般に民族浄化と憎悪は切っても切れないと考えられている。もちろん間違いではないのだが、民族浄化を炎上させる真の燃料は「恐怖」にほかならない。自らが脅威にさらされている、追い詰められているという切迫感である。[55]暴力的仕掛人たちはそこに付け込んでくる。やられる前にやらねばという生存本能を利用する。

ニュルンベルク裁判の間、ヘルマン・ゲーリングは、若きアメリカ人心理学者グスタフ・ギルバートからの聞き取りを受け、「通常の人間なら、戦争に巻き込まれたくないと思うのではないでしょうか」と問われ、次のように返した。「もちろん国民は戦争なんて望んではいない。畑を耕す貧しい農夫にとって、戦争から得られる最もよきものは、無事に畑に戻ってくることだけだ。なぜ命を賭けてまで戦争に行くのか。……大衆を戦争に引きずり込むのは、常に容易なことだ。……攻撃を受けていると知らしめることだ。平和主義者には愛国心というものがない、それが国をさらなる危険にさらすのだと責め立てればいい[56]」

このような実存的恐怖は、国内でも軍拡競争を促すことになる。ある集団が煽られた不安から、少しでも気を楽にしたくて民兵を組織し武器を購入する。するとそれに対立する別の集団も不安を感じて、同じ挙に出る。ともに自分たちは防衛策に汲々としていると思うだけなのだが、その実不安は雪だるま式になり、やがて本物の戦争のリスクは不可避的に高まっていく。

ボスニアの一般セルビア人が戦争など望んだはずがないのは言うまでもない。ルワンダのフツ人も同様である。しかし、指導者たちは権力保持のために、戦う一般市民を必要としている。どうすればよいか。簡単だ。「やがて恐ろしい攻撃が始まる」と支持者たちに訴え、行動へと仕向けていけばよい。ルワンダの大量虐殺首謀者たちは、新聞や国営ラジオを駆使して、誤情報を拡散させた。「ツチ人は土地に何の権利もない新参者だ、やつらのせいでわれわれは塗炭の貧困を強いられている、われわれには守る権利がある」

ヒューマン・ライツ・ウォッチの報告書は次のように結論付けている。「1990年から1994年の大虐殺までに、ツチ人への攻勢に最も有効だったのは、とりわけ最後の考え方、すなわち、フツ人は危険にさらされ、何はさておき自衛せねばならないというものだった」(57)

武装がはじまると、このような安全保障のジレンマに陥るリスクは格段に高くなる。2020年、アメリカの銃販売数は過去最高を記録した。1月から10月までに1700万丁が販売された(58)。主たる購入者は保守派であり、民主党が選挙で得票を伸ばすほどに銃購入の傾向は高まった（2016年、銃規制法を強く主張したヒラリー・クリントンの立候補で1660万丁が販売）。

スモール・アームズ・アナリティクスのチーフ・エコノミストによれば、単年度での販売数で見ると米国史上最高とのことである。カリフォルニア大学デービス校の研究者によれば、データからも新規購入者の動機は無法状態と不安定な政治への恐怖に駆り立てられたものという。憲法修正第二条支持者のカリーム・シャヤによれば、「共通するのは不安だ。誰も守ってくれないなら、いざというとき自分の身は自分で何とかしなければという思いからである」(59)。

アメリカが安全保障のジレンマにとらわれるか否かは、左派（リベラル、マイノリティ、都市部住民）が武装を決意するか否かによっている。すでにそのような方向に進んでいるとの証左も存在する。ファシズム、ナショナリズム、人種差別に反対の立場をとるアンティファなる左翼活動家による緩やかな連携がここ数年、活発化の度合いを増している。たとえば、2017年春、アンティファは、カリフォルニアで、極右集団にハンマーやパイプ、手製爆発物を投げ込んでいる。2年後にはワシントンの移民税関捜査局施設でプロパンタンクをあわや爆発させる一歩手前で、メンバーが警察に射殺されている。

ごく少数の重武装市民で十分

左翼間でも広範な動きが見られるようになっている。2019年、左翼集団によるテロ事件はわずかに8％ほどだった。それが、2020年には20％にまで増大している。[60]「自己と地域の防衛のために有効な武装関連情報を労働者階級に提供する」。社会主義ライフル協会、[61]黒人コミュニティの自衛と銃器訓練支援の黒人民族主義民兵組織「ノット・ファッキング・アラウンド・コアリション（NFAC）」などの武装組織は、ブリオナ・テイラー銃殺事件を受けたケンタッキー州ルイヴィルや、全米最大の南部連合記念物に抗議するジョージア州ストーンマウンテンなどでも目撃されている。[62]

「われらがコミュニティの組織的防衛」を謳うレッドネック・リボルトは、2009年に旗揚げされ、2016年夏に改組されている。[63]同メンバーは、少数派を保護するための抗議活動や、銃の展示、フリー・マーケット、州の祝典、NASCARレースなどに姿を見せ、白人至上主義団体への勧誘を阻止しようとしている。

だが、いかに左翼の武装が進んでも、最終的に武力衝突の決定要因は彼らでない可能性が高い。なぜなら、少数民族たる彼らのメンバーの多くは、歴史的に弾圧される側に身を置いてきたからである。同じ民兵でも、黒人は白人と比較して受け入れられては来なかった。また、左翼運動は無政府主義者、環境保護主義や、動物愛護主義のアクティビストから反グローバリスト、反資本主義、銃の権利擁護者などにいたる実に様々なサブ集団の緩やかな連携であるために、団結はなかなかに難しい。しかし、見逃してならないのは、左翼集団は変転を極める世界の中で、失うものは比較的少ないし、暴力によって実現できるものもさほど多くはない点にある。民主党支持のマイノリティ連合や、そこに共闘してくる過激派にとって、時間が味方であることは周知の事実である。制度が故意に捻じ曲げられない限りは、彼らは未来における多数派にほかならない。

それでもなお、左翼過激派が跳梁跋扈しているとの風説は、右翼過激派への恐怖心をこれ以上なく煽り立てるはずだ。最終的には暴力を正当化するところまで行きつく。そのことは、自身の運動への支持をさらに取り付けるうえでの根拠ともなる。トランプが国家安全保障チームとともに、国内の主たるテロの脅威をアンティファのせいにして、極右集団を素通りして、左翼集団撲滅に政治的リソースを用いたとき、すでに一つの手本は示されていた。左翼は暴力愛好的なテロリストだらけというのは、恐怖扇動に抜群の効果を発揮する。共通の敵を作り出して、自衛感情を刺激する。

民族浄化へと暴力が突き進むにあたって、人口の大半が手を貸す必要などない。ごく少数の重武装した市民が、法執行機関や軍の支援を得るだけで、第9段階の「殲滅」に移行するのに十分であるケースが少なくない。事実、ダートマス大学のベンジャミン・バレンティノは、集団的虐殺にあたり組織化・動員される人々がごく少数に過ぎなかった事実を見出している。(64)人々が受動的である限り、暴動は脅迫によってやすやすと実現可能なのである。

一例を挙げるならば、ボスニアのヴィシェグラード暴動がある。ミラン・ルキッチなる1人の男とその兄弟従妹を含むわずか15名の武装集団によって遂行された。市民の大半は現場に足さえ運んでいない。

失墜する信頼

むろんアメリカが大量虐殺の危機に瀕していると言いたいわけではない。だが、急速な民兵の増大や、暴力仕掛人たちが自衛の要から市民を巧みに燃え上がらせるのに成功するならば、第7段階までは指呼の間と考えてよいだろう。さらに民兵が思い切った挙に出て、不安が激しくかき立てられる事態ともなれば、右翼テロは目的達成へまっしぐらに突き進むだろう。断続的になされるテロ・キャンペーンは、多くの場合市民の思想信条を右傾化させ、掟破りな候補者支持へと向かう。結果、さらに保守的な政治家が政権を獲得する可能性は高くなる。

第二次インティファーダの際にイスラエルで起こったことはそれである。テロはイスラエル国民を右傾化させ、極右による治安維持政策への支持が高まった。同様のことはアメリカにおいても9・11以降見られる。[65] ある大規模調査の結果によれば、外国テロリストによる犯行であっても、結果として市民は積極的に軍に参画するようになり、無所属から共和党に所属する傾向が強まったとされる。[66]

実際、アメリカでもさらに権威主義的政府への支持が高まるとの証拠も存在している。民主主義否定論者数は、1995年の9％から、現在のところ14％まで高まっている。[67] 他方で、イェール大学の政治学者2名による近年の共同研究では、共和党・民主党にかかわりなく、自らの支持する候補者が投票所閉鎖などの反民主主義的挙動に出たとき、投票自体を拒否すると回答したのはわずか3・5％に過ぎない。[68] かくまでに政府への信頼は急落している。1964年から2019年にかけて、「権力者は正しい行動をとる」に信頼を寄せる割合は、77％だったものが、17％へとほぼ失墜している。[69]

相互の信頼もまた低下の一途にある。[70] 政治的決断に際し、選挙民を信頼しない割合は1997年の35％から、現在では59％に増加している。さらに問題なのは、「軍による統治」を容認する割合は、1995年にわずか7％だったのが、現在では18％にまで跳ね上がってしまっている。[71] われわれが幸運とすべきは、初の専制的大統領とされる人物が、ありがたくも潤沢な賢慮と政治資金に恵まれなかった点にある。他の野心的で頭脳明敏なトム・コットンやジョシュ・ホーリーなどの共和党員は、その点に付け込み機をとらえて巧みに利用していくだろう。2人は、共和党の有権者への迎合を周知して、8800万もの熱烈なトランプ追従者に取り入ってくるだろう。

あるいは新たな政治家が出現し、新ルールを盾に動いてくるだろう。

そうした指導者たちはどこまでいくつもりなのだろうか。われわれはどこまで譲歩すればよいのだろうか。

第8章

内戦を阻むために今なすべきこと

南アフリカに希望あり

私が学生だった1980年代半ば、講義の中である教授が、内戦が最も起こりそうな国ですぐに頭に浮かぶのはどこかと問うた。

頭を抱えてしまった者など教室に1人もいなかった。南アフリカ以外になかったからだ。[1]アパルトヘイト（人種隔離政策）によって、白人、黒人、混血それぞれが人種別に隔離され、多くの黒人層が反発し、少数の白人が武力で対抗したために、社会的緊張は一挙に沸騰した。1976年には、政府が黒人群衆に発砲し、少なくとも176名が犠牲になった。国際的にも憤激を買う大事件となった。しかし、アパルトヘイトを掲げる政権は改革に乗り出すのとは反対に、1985年には非常事態宣言を発令し、無差別逮捕、警察権力による殺害・拷問も辞さないなど、黒人市民への総力戦をもって報いた。

南アフリカには、内戦に付随する危険因子がごっそりあった。1988年当時、数十年にわたってアノクラシー状態ともなっていた。ポリティ・インデックスで見るとわずかに＋4に過ぎなかった。人種的に政治権力から排除される少数者の民族政府も存在する一方、白人こそが同国の正統な継承者と強弁していた。多数決が採用されでもしたら、白人層が政治的地位を追われるのははっきりしていた。すぐ北側に位置するローデシアも同様、凄惨な内戦の泥沼に引きずり込まれていた。

だが、まさにそのとき、急転直下の出来事が起こる。1986年、圧政を見かねて、最重要貿易相手国たるアメリカ、EC（欧州共同体）、日本が経済制裁を発動したのだ。深刻な不況に苦しんでいた同国で、1989年、頑迷で知られるピーター・ウィレム・ボータに代わって、フレデリック・ウィレム・デクラークが大統領に就任し、未来を決する大英断を下した。

デクラークは、与党国民党員でありながら、現実を見ていた。経済が崩壊してしまうなら、白人の富だって水の泡となる。南アフリカの4人に3人は黒人である。白人支配にこだわり続けたのでは、その後ひとたび内戦が勃発したらとうていもたない。かくして、アフリカ民族会議（ANC）をはじめとする黒人解放党への29年にわたる禁圧はあっさり解かれた。報道の自由は回復、ANC指導者ネルソン・マンデラを含む政治犯を釈放し、代わりにアフリカ民族会議と黒人解放党の連合体を旗揚げした。

当時の南アフリカは、今日のアメリカよりはるかに内戦すれすれだった。アパルトヘイトは、アメリカの1965年までの事態などと比べものにならないくらい抑圧的だった。南アフリカでは、黒人と白人の婚姻、白人居住区での黒人の事業立ち上げ、「白人専用」と表示された海浜、病院、公園の黒人による利用などはおしなべて違法だった。また、そのアノクラシーの歴史は、現代アメリカよりはるかに深刻であり、数十年もの間続いていた。

アメリカはまだアノクラシーの中間地帯に足を踏み入れたところである。南アフリカには、土着の民が2集団存在した。黒人白人ともに、土着地への歴史的利害関係を主張していた。他方でアメリカでは、ごく少数の迫害された先住民を別にすれば、たった一つの集団のみが、同様の主張を行っている。1980年代後半、南アフリカがくぐり抜けた血痕生々しい内戦の脅威は、今日のアメリカのそれをはるかにしのぐぎりぎりの水域に達していた。それでもなお、同国は内戦の回避に成功したのだった。

南アフリカで思い起こさせられるのは、経済、政治、反対派における指導者の力量である。指導者は、危殆に瀕して、妥協もしうるし、立ち向かうこともできる。ボータが選択したのは戦いだった。他方で、デクラークとマンデラはともに行動する道を選択した。マンデラ他の黒人指導者もまた、白人による政治経済上の権力保持条件を断固拒否することもできたはずだった。デクラークのほうも、黒人への完全な市民権付与や政府の過半数支配を拒否することもできた。

ボータには、デクラークのような行動をとるつもりはなかった。シリアのアサド大統領も同様。莫大なコストを回避しえないと知りつつも、多数派のスンニ派との妥協を拒否した。アルスターのプロテスタントは、アイルランドのカトリックとくみしなかったし、マリキはイラクのスンニ派と妥協しなかった。本来暴力的抵抗に否定的でなかったマンデラは、民族の武力闘争に気炎を上げることだってできた。民族主義仕掛人の常として、国民の怨嗟を利用し、内戦を通して南アフリカの完全支配を目指してもよかったはずである。しかし、そうしなかったのだ。彼は宥和と統一、平和を説いた。南アフリカを衝突と流血から守ったのは、そんな指導者たちだった。

デクラークとマンデラのノーベル平和賞

デクラークとマンデラの両名がノーベル平和賞を受賞したのは1993年のことだった。中には、デクラークがノーベル賞とは何ごとかとの声もあった。彼は数十年にわたる黒人抑圧の側であって、命が惜しくて妥協しただけ、南アフリカを救ったのはマンデラにほかならないだろうと。だが、それは一面の真理にほかならない。27年もの間独房生活を強いられた指導者なら、まずは復讐が脳裏に浮かびそうなものだ。圧倒的な人口的優勢にあるならなおさらである。しかし、デクラークの行動こそが、それに劣らず死命を決した。南アフリカの新大統領が1990年に交渉を拒否し、政治改革を拒んだなら、マンデラの存在とは無関係に、最終的に黒人は暴動に突入せざるをえなかったはずである。

同様の事態は、2011年シリアのアサドが、自国民への爆撃を開始した際に遭遇したことでもある。1960年代後半から70年代初頭の北アイルランドで、イギリス政府が送り込んだのは、調停委員ではなく、軍であった。デクラークが下したものとは別次元の決断だった。

暴力は、不正、不平等、不安などから生じる。そこから生じる憤怒や恐怖は、現状の体制ではどうにもならない。しかし、体制は変革しうる。南アフリカの白人が、自民族支配強化のためにわざわざこしらえた体制を自らの手で変革するとは、誰の脳裏にも浮かばないことだ。だが、支配のための維持費用があまりに莫大なものとなり、度重なる経済制裁からの脱却を後押しする財界の声もあり、彼らは体制を解体するほうを選んだ。南アフリカにできたことが、アメリカにできないはずはない。

過去半世紀にわたり専門家によって収集されたファクトやデータすべてから、アメリカにこれから起こることを正確に伝えられたらと願う。しかし、いかに質の高いデータをもってしても、未来を知ることはできない。私たちにできるのは、他の市民と手を携えて、未来を平和へと舵を切る努力のみである。政治学者は数十年の歳月をかけて、内戦やテロの背景でうごめく諸力を研究対象としてきた。それらに伴う知見は、内戦の予期のみでなく、阻止のために用いることもできるはずである。

なぜ民主主義が衰退していくか、私たちは知っている。なぜ派閥が生まれるのか、どのような条件で派閥が力を得るかも知っている。暴動をけしかける過激派の早期警報や戦術だって織り込み済みだ。プラウド・ボーイズのようなグループには台本があるのだ。ならば、われわれ市民が未来を切り開く選択を手にしていないはずがない。われわれにだって台本というものがあるのだ。

あらゆる内戦は「続きもの」

内戦は頻発する現象ではない。[2] 武力衝突の条件を満たす諸国についても、実際に事を構えるのは年間4％未満である。だが、ひとたび起こってしまったら繰り返されるのが常である。[3] 1945～1996年に勃発した武力衝突の3分の1以上は、その後2回目の衝突が起こっている。2003年以降、リビアとシリアを除けば、あらゆる内戦は「続きもの」にほかならない。それら運動（あるいはその現代版）の指揮を執る者は、地下に潜るか亡命するかし、不安の再燃や、政府弱体化を待ちわびることになる。かくして新たな運動に着手していく。

かつての指導者や兵が世を去り歳月を経ようとも、古層の断裂はそのままであり、神話や物語は生き続けている。とりわけ衰退した民族集団が2度目の内戦の主体となるのは、かつて不満の原因となった事態が未解決、もしくは悪化している場合が少なくないためである。次代の兵士は、喪失感と共に生き、自民族がさらなる格下げを甘受するのを指をくわえて見てきた。そんな彼らが本来自分たちのものであるはずのものを奪還しよう、そう心に決める。クロアチア人とセルビア人は過去にいくたびも戦火を交えてきた。イラクでのスンニ派とシーア派もである。

モロ人とフィリピン政府間の武力衝突も、多くの集団が消滅するかと思えば手を替え品を替え生まれてくるの繰り返しだった。エチオピア、ミャンマー、インドも同じことをさんざん繰り返してきた。専門家はこの事態を「紛争の罠」と呼ぶ。実際に戦う人々には申し訳ないが、外部からウォッチする立場からは都合がよい。(4) 中国やアメリカのように、1回のみの内戦経験で済んでいる国からすれば、優良な他山の石だからだ。

2014年、筆者は世界銀行の委託で、まさにこの「紛争の罠」を研究する機会を得た。1945〜2009年のあらゆる内戦調査の中で、判明したことがある。2度目の内戦を回避しえた国の多くは、統治能力の質的強化への志向性を共有していたことである。(5) 民主主義を倍にまで推し進め、その体制をもスケール・アップしていた。

モザンビークは1992年に内戦を終結させ、一党支配から多党制選挙に移行してから、まさにその動きを見せている。リベリアは2003年に紛争を終結させてから、大統領権限を政治的に制限し、司法の独立性を向上させた。透明性の高い参加型政治環境を創出し、行政府権限制限に成功した国ほど、暴動の再発率は低下している。

三つの特徴

統治能力の質的向上とは、経済状況の改善よりはるかに意味を持つ。世界銀行委託による別の大規模調査では、ジェームズ・フィーロンが経済問題を担当した。ある富裕な国が、その専門家が予測するよりお粗末な政府しか持ちえなかった場合、「内戦勃発リスクは著しく高い」事実が見出された[6]。すなわち、アメリカのような富裕国は、1人当たり所得に変化が見られなかったとしても、政府が無能化し、さらに腐敗が進むと、武力衝突に至る危険は高くなる[7]。

同研究がなされるまで、私たちはアノクラシーが内戦リスクを高めるところまでは把握していたが、理由を正確につかむには至っていなかった。

アノクラシー国家が弱い理由とは何なのだろうか。別の観点からすれば、民主主義のどの機能がより重要性を持つのか、あるいは重要性を持たないのか。フィーロンの調査では、「あらゆる良きものは共通の傾向性を持つ」との発見があったが、中でも次の三つの特質が際立っている[8]。

①「法の支配」（法的手続きの平等かつ公平な適用）、②「言論の自由と説明責任」（市民が政府の選択に参加しうる程度の表現、結社、報道の自由）、③「政府の能力」（公共サービスの質、公務員の質と独立性）、である。これら三つの特質は、国民に対して政府がどのような貢献をなしているか、政治制度がどの程度強靭で合法的、かつ説明責任を果たしているかを示している。統治能力が改善されれば、その後の武力衝突リスクは低下していく傾向がある。

アメリカにおける統治能力の質は、ポリティ・インデックスによれば2016年、V–Demでは2015年を境に低下している。その中でもはっきりした指標の一つは、アカウンタビリティ（説明責任）である。民主主義におけるアカウンタビリティの中心に自由選挙がある。他の多くの国々と異なり、アメリカには独立した中央集権的選挙管理制度が存在しない。ハーバード大学「選挙保全プロジェクト」創設者であり、選挙を専門とする政治学者ピッパ・ノリスによれば、移行期の新たな民主主義国家のほぼすべてが、選挙保全のために独立した中央選挙管理制度を創設しているという。(9) 選挙過程への信頼を構築するためである。

ウルグアイ、コスタリカ、韓国は、民主化に移行した際、すべて制度創設を行っている。オーストラリア、カナダ、インド、ナイジェリアなどの連邦制民主主義国の大国も、同様の方法による選挙管理体制が見られる。カナダにおいては、同国の選挙管理委員会が運営しており、有権者は居住地にかかわりなく同手続きに従うことになる。(10)

同制度においては、投票用紙のデザイン、印刷、投票集計を、党派的政治の糸を引く余地もなく、正確かつ安全に遂行する手順が標準化されている。[11] 法的紛争が生じた場合も、裁判所による政治との噛みしろなしに、処理可能である。選挙保全プロジェクトでは、２０１９年報告で、各国の選挙法と選挙過程を調査し、２０１２〜２０１８年のアメリカの選挙の質は、「他の歴史ある民主主義国、豊かな社会と比して低位にある」と指摘されている。[12] 同スコアはメキシコ、パナマ、さらには、コスタリカ、ウルグアイ、チリより相当に低位にあった。かくして、アメリカは有権者において不正疑惑は拡散されやすく、結果に対する疑念も持たれやすい。

また選挙権自体が政治課題化している。共和党は少数派が不利になる条件を重ねて突き付けている。投票権法の強化は、有権者の抑圧を軽減し、制度への信頼回復に大きく寄与するだろう。もう一つ重要な改革は、自動有権者登録（ＡＶＲ）である。自動車局の実務を知る者なら誰でも、拒否しない限りは自動的に有権者登録される制度があるのも知っている。カリフォルニア、オレゴン、ワシントンなど、すでにＡＶＲを導入している州では、投票率の大きな向上が見られる。[13] 政治参加を後押しし、民主主義向上のためにわれわれのなしうる容易な策である。

この策は極右の伸長にとって防波堤ともなるだろう——彼らの描く白人キリスト教国家は、少数派の権利を奪うことによっているわけだから。だが、全体としての体制強化は、穏健なアメリカ人の支持を獲得し、指導者の正統性への信頼を高める方向に働くはずである。

アメリカはまた、世界的な民主主義後退の中で、その若返りを示すささやかな動きからも未来へのヒントを得られるかもしれない。カナダとスカンジナビア諸国がそのための手本ともなっている。2015年、カナダでは、中道左派の自由党が過半数を獲得して以降、選挙権の再構築に注力している。[14] 2018年の選挙近代化法では、有権者識別要件を撤廃し、政党や独立系選挙運動への寄付を制限し、在外カナダ人のすべて（5年以上の国外居住の実態を持ち、帰国の意志を持たない者）にも投票権を拡大した。また、有権者のプライバシー保護の強化とともに、選挙管理委員会への管理権限付与と海外からの寄付行為を禁止した。さらには、Google、FacebookなどのSNSに対し、「デジタル政治広告登録書」を義務付け、誰が選挙に影響力を行使しようとしているか、市民にとってガラス張りにした。[15] 2020年、カナダは、フリーダム・ハウスによる報告書で、自由と民主主義の最高評価を獲得している。

ゲリマンダーに対処する

アメリカにあっては、いわゆるゲリマンダー（自党有利なように作為的に選挙区を変更すること）によって、極端な主張をひっさげた候補者が前面に出てくる傾向がある。予備選挙に通るには、当該選挙区に居住するいくぶん過激な有権者に訴える必要からである。そのような有権者は、選挙結果に熱く執着する性向も併せ持つために、投票率をも向上させる。

制度を全国レベルで改革しうるのは、連邦議員のみである。彼らこそがわが国のデクラーク大統領たりうる。そうすることで、両党の過激な有権者の力は希釈され、党派を超えた視野が開けてくる。

あるいは、アメリカ政府もまた、政治的ゲリマンダーの一種である選挙人制度を見直すことで、超党的性格を高め、紛争回避に寄与することが可能である。現下の選挙制度では、小州に対し不均整なまでの上院権力を与えており、都市部と農村部の格差を拡大させる方向に作用している。2000年以降、2名の大統領が一般投票で敗北しつつも、大統領選挙人を制している。一般投票で決する制度に変更するならば、その事態は回避可能であり、また人種の壁を越えて支持を訴求しなければ勝利は事実上おぼつかなくなるだろう。

破壊的な民族派閥を弱体化させるのに方法らしきものはあるのだろうか。白人や農村票を優遇する制度を改め、国民1人ひとりの票を平等にカウントするにまさるものはない。とはいうものの、そのような改革の兆しは見えない。憲法改正で選挙人団を廃止するには、過半数の賛成を要する。そうなると共和党が不利となるために、事実上実現は困難である。

しかし議会は民主主義への信頼低下のもう一つの要因として、政府が有権者より特定の利害関係者の肩を持つとする観念、すなわち利権優先思想の解決に前向きな一歩を踏み出すことができるだろう。2010年、連邦最高裁による「市民連合vs.連邦選挙委員会」判決により、国より特定個人の利益に寄り添う特定候補者への政治的権力行使を企図した献金を事実上無制限に行えるようになった。怪しげな選挙に数十億ドルもの寄付を行う例外的少数の個人は、一般市民と比較しても、極端なまでに特定思想に染まっている傾向が高い。それを防止するには、カナダ他のように、連邦政府は候補者や公職者による資金調達の抜け道をふさぎ、選挙資金規正を復活させるべきであろう。

　このような選挙に付随する問題は、政府の正統性を毀損し、民主主義を弱体化させ、統治可能性を低下させる。同時に、アノクラシー領域の泥沼に引き込んでしまう。今日、誰もが自国政府には不信を抱いている。民主主義が必ずしも国民の利益を保証してくれないと考えるのも怪しむに足りない。

　解決策は、民主主義の放棄ではない。改革である。アメリカは、政府を改革し、透明性を高め、かつ説明責任を果たし、全市民を公平に取り扱う必要がある。ごく一部の市民や企業利益のために制度をいじるのではなく、反対に市民の声が響くようにして、しっかりと説明責任を高め、公共サービスの改善と腐敗根絶をはかるべきである。

民主主義教育再び

　あらゆる国民が投票に参画し、その投票がかけがえのないものであるとの基本認識を誰もが再確認しなければならない。結果として、なされた投票は、ワシントンで策定される政策に確実に力を持つことになるだろう。

　政府は一部ロビイストや超富裕層あるいは、寂れつつある地方有権者の専有物ではない。政府は私たちのものである。その事実がはっきりと眼前に現れたとき、アメリカは政府への信頼を取り戻すことになるだろう。

わが国の国民は、民主主義における権力の担い手が誰なのか、あるいはそれをどのように取り扱うべきかについての教育をも必要としている。コミュニティ・オーガナイザーのエリック・リウは次のように述べる。

「圧倒的多数の人々が、権力とは何か、いかなる形式を備えているか、誰がそれを保持し、誰が保持していないのか、どのように行使されているのかについて、絶望的なまでに何も知らずにいる[16]」

今後も政治における権力の及ぼす作用について無知を決め込むなら、やがて邪悪な存在が忍び寄り、権力をかすめ取っていくだろう。アネンバーグ公共政策センターによる２０１６年調査によれば、アメリカ人の４人に１人が、政府部門の名称を三つ挙げることさえできなかったという[17]。

そのような事態にあるからこそ、ここ数十年にわたり低下の一途をたどる市民教育の復活が急務である。市民教育とは、若者に向けて民主主義の仕組みと健全な維持に資する価値観、習慣、規範を教える。共和・民主両党の元教育省長官６名によるグループは、近年、「わが国民主主義教育のためのロードマップ」なるプロジェクトにより、公民教育改革を訴えている[18]。

それによれば、生徒１人当たりのＳＴＥＭ教育（科学、技術、工学、数学の修得によって国際競争力を持つ人材を生み出そうとする教育：訳者注）への支出は、歴史・公民と比して、１０００倍にも達しているという[19]。

「市民としての反対意見と内省による愛国心の醸成」をはかることは、民主主義が脆弱かつ不安定化しつつある昨今、喫緊の課題でもある。21世紀の公民課程は、エリート権力に抗しうる強力な選挙民を創生するのみならず、制度そのものへの信頼向上にも資するはずである。先のリウによれば、「われわれの民主主義とは、それがたゆまず働いているとの信頼のもとにしか、有効に機能しえない[20]」。

テロの拡散を阻止する

暴力は日常空間にその姿をはっきり現すまで、誰も自身が内戦の中に突き進んでいるなどとちらりとでも思うことはほぼない。バグダッドのヌールさん、サラエボのベリナ・コヴァチさんとダリス・コヴァチさん夫妻、ウクライナのミハイル・ミナコフさんとアントン・メルニクさんなどは、手遅れになるまで、内戦が足元に忍び寄る事実には気づきもしなかったと証言している[21]。何かが変わったと肌身に感じた時には、すでに民兵が街頭に繰り出し、過激派指導者たちは雄叫びを上げていた。

もちろんそのような指導者たちは、一般市民が民兵に意識を向けぬよう仕向けている。少なくとも初期では、一般生活を破壊しないように、そろりそろりと働きかけ、反発を巧みに回避しながら、大目標を実現していこうとする。これはほぼ歴史的パターンと言ってよい。

1951年に訪独した米ジャーナリストのミルトン・メイヤーは、一般市民にヒトラー政権掌握時の日常生活をインタビューしている。あるパン職人の男性は、しばしば耳にする文言を繰り返した。「考える余裕もなかった。それくらいにあまりに多くのことが起こっていたんだ」[22]もう1人の言語学者は、日々のナチス伸長を目にすることもなかったと語る。「畑でとうもろこしが伸びていくのを見守る農夫のようなものだ。ある日気づいたら、身長をゆうに超えていた」

われわれの心理的偏向が、しばしば内側で進行する脅威の認識を妨げてもいる。凶悪行為が生起した時、自分の国や社会ではなく、外国人に批判の矛先を向けるほどたやすいことはない。たとえば、警察は、なじみの地域社会（多くは白人社会）の危険を、なじみとは言えない人々による危険より軽視する傾向がある。外国人テロリストこそが元凶であって、国内テロは偶然の例外と見る傾向がある。実際のところ、カナダや他の国とは異なり、アメリカがテロ組織と指定するのは、国内ではなく、国外のみである。[23]

国内のテロを裁く法律は存在していない。議事堂で実際に起こった暴動に足を向けた人々も、同様の理由で逮捕されることはなかった。多くは、最も危険な脅威が国家内部から湧いて出てくるなど考えたくもないからだ。

おそらく政治的理由もあって、左右両派の政治家も国内テロを論じたがらない。過激派から何らかの利益を得ている場合もあるだろうし、あるいは過激派を敵に回す代償を慮ってのこともあるだろう。このような集団的死角が、意図するとしないとにかかわりなく、われわれの足元をぐらつかせている。私たちにとって、アルカイダのような外敵に対抗する以上に、国内武装集団の武装解除のほうが、その悪質かつ危険性を考慮に入れるならば、国としてはるかにまともである。

内戦を回避するには、自国の武装集団を発見し無力化するために、海外と同等のリソースを投入しなければならない。

すでに私たちは後れを取っている。内戦勃発時のありふれた脅威と言える、治安機関への極右勢力潜入特定にも手間取っている。[24] 国土安全保障省が2009年に公表した報告書によれば、右翼過激派は増加の一途にあるという。[25] ダリル・ジョンソンによる同報告書作成チームは、2007年に過激派のウェブサイトや掲示板を調査し、爆弾製造マニュアル、武器訓練、数百もの民兵募集動画（YouTube）を見出し、戦慄を禁じえなかったという。ジョンソン報告は9・11以降、200名以上もの軍経験者が白人至上主義組織に参加していると指摘する2008年FBI評価に基づき、退役軍人が募集に応じやすいとの見解をも示している。[26] だが、同報告書は議会共和党や退役軍人団体の反発を招くことになり、撤回の圧力までかけられている始末だ。

しかし、ジョンソンがつかんでいた事実は現に存在した。軍と警察の連携は広域に及ぶ。白人至上主義への共感が支配的とは言えないにせよ、それでも重なる領域は存在している。2006年作成のFBI報告書「法執行機関に侵入する白人至上主義者」では、いかに白人民族主義が警察に影響力を行使しているかが詳細に記されている。同報告書は次のように指摘する。

「法執行機関に人員を確保することは、自身への関心や行動を予期しようと試みる白人至上主義集団にとっては、歴史的に見ても、あるいは未来においても、格好の情報資産となる」[27]

続いて2015年報告書では、右翼や反政府勢力などの「国内テロリスト」が、法執行機関にめ

ぐらせたネットワークを活用して情報にアクセスし、捕捉を回避している可能性が記述されている。(28)

実際のところ、元戦闘員の採用は、運動を強化している。(29)ジョージ・ワシントン大学の内戦問題の研究者ジャネット・ルイスは、ウガンダで生成発展したほぼすべての反政府勢力が、元兵士や警察官を有効に自らの大義に引き込めたことを要因の一つに挙げている。元軍人や元警察官は、しかるべき訓練や修練を積んでおり、即戦力としてうってつけの人材となる。2009年の国土安全保障省報告でも、「右翼過激派は、帰還兵の技能や知識を利用するために、彼らを勧誘し、過激化へと誘導するだろう」と締めくくられている。(30)

オバマ元大統領が国内テロの脅威に対し、海外からか政府機関内部からかにかかわりなく対応に遅れたとするなら、トランプ前大統領はそれを黙殺したと言える。そればかりか、9・11以降、イスラム過激派のテロに政治的リソースを傾注するとの方針を堅持し続けた。国内テロについてつつかれると、真の危険は左翼過激派だと怒声をもって返した。

FBI長官のクリストファー・レイは、右翼集団の脅威に語気を強めたが、トランプは公然とそれにかみついている。議事堂攻撃への法執行機関の混乱からもまた、過激派の真の脅威とその行きつくところの認識不足が白日のもとに晒された。事件後、レイは上院司法委員会で、白人至上主義者の逮捕数が過去3年でほぼ3倍となった事実を示した。同時に、国内テロは全米に拡大しつつあるとの警告もなされた。(31)

広がるテロの阻止、それこそが何をも差し置いて取り組むべき課題である。オクラホマシティの爆破事件の後、民兵の減少が見られたが、それも民主・共和両党が支持した積極的テロ対策によるところが少なくなかった。またかくも大がかりな事件によって、ＦＢＩは真の自己変革を迫られた。１年足らずで、合同テロ・タスクフォース（ＪＴＴＦｓ）の員数は2倍になった。同タスクフォースは、多方面かつ多階層における法執行機関の専門知識を結集したチームであり、地元、連邦、州の警察官を対象とした危険物取り扱いの訓練プログラムが多数実施された[32]。１９９６年、「反テロリズム及び効果的死刑法」が成立し、ＦＢＩはさらに数百名の捜査官を採用している。翌年に新設された合同テロ・タスクフォース（ＪＴＴＦｓ）等の組織は、ＫＫＫや他の白人至上主義集団によるテロ行為防止の要衝となった[33]。

オクラホマシティ爆破事件後、ＦＢＩは１４００名以上の捜査官を動員し、3トンにも及ぶ資料を精査して、デジタル写真などもなかったあの時代に爆破犯ティモシー・マクベイを割り出している[34]。捜査担当者は副司法長官メリック・Ｂ・ガーランドである。彼はバイデン政権の司法長官としても議事堂襲撃事件捜査を指揮することになった[35]。ガーランドは今後10年、国内テロの政府対応にあたることになるだろう。

過激派に譲歩してはならない

政府による対応はどのようなものだろうか。テロリストの目当ては何か、どこを狙ってくるのかがわかれば、世界各地での経験値をもとに有効な対抗策を準備できるはずだ。過激派側が民主主義をぐらつかせるために戦術を駆使するのと同様に、彼らの力を脆弱化し、無力化するための折り紙付きの方法が存在する。

法の支配を強化し、全国民に平等に投票権を付与し、その上で政府サービスの質を向上させることである。ジョージ・W・ブッシュ政権の元対反乱特別顧問・国務省テロ対策首席戦略官のデビッド・キルカレンによれば、政府がなしうる最上の策は、「不満を和らげ、過激派が付け込む事態を作り出す統治上の問題を解決すること」にあるという(36)。だが、現在の方針を変更するつもりがないなら、危険はすぐそこに迫っている。

アメリカの場合、連邦政府は、白人、黒人、褐色等肌の色には一切関係なく、最弱者へも責任をもって手を差し伸べるべきだ。半世紀にわたる社会サービス低下を元に戻し、人種や宗教を超えたセーフティネットや人的資本に投資し、質の高い早期教育、国民皆保険、最低賃金引き上げを優先させなければならない。現在、多くの労働者階級と中産階級は「破産目前」のぎりぎりの生活状況にある。そのことが過激派にとって格好の引き込み材料となっている。なすべき政治改革と経済的保障にしかるべき投資を行うならば、新世代の極右過激派の勢力拡大を阻止することは可能であろう。

かくして、武力蜂起の危険に直面した時、多くの政府は衝突回避になすべき改革を実行することで、実際に危険を回避できる。

臨時IRAは、平等待遇を求め、イギリスに対して積極的な消耗戦を挑んだ。英国政府が最終的にいうことを聞くまで、しぶとくテロを起こし続けた。むろん政府は過激派を甘やかすべきではないが――白人民族国家創設など、この国にとってまったくおぞましい――、連邦法から除外すべきでもない。しかし、市民が抱える幅広い不満に適切に対処し、数十年来の衰退から生活水準を向上させうるならば、社会的流動性を高めることは可能であろう。

新経済思想研究所所長のロバート・A・ジョンソンは、次のように語る。

「もしアメリカが、公立学校、公園、娯楽、芸術、医療にさらに費用と労力を注ぐならば、社会から多くの苦痛を除去しうるであろう。私たちが多くを解体してしまったのが原因だからだ[37]」

自らが現実になしうることを積極的に示すだけで、政府は大なる利益を得ることが可能である。穏健派が過激化するのを阻止するのみでなく、サービスの提供力を競争によって脆弱化させることもできる。

ハマスへの人気は、イスラエル政府から見放されたパレスチナ人によるものであって、政府による民間人攻撃によるものではない。ある程度までは、住民支持のいかんは、どの主体が最高のサービスと安全を供与しえたかに尽きてしまうところがある。

今日、連邦議会議員にとって、既存の移民法を改正して市民権取得へのルートを示し、不法移民政策をとる一方、白人、黒人、褐色等のすべての肌の色の人々が、住宅、高等教育、有効な依存症治療を手にする適切な支援を行うことは常に可能である。いうまでもなく政府は憎悪に対して一切妥協の必要はないし、国内テロは処罰するべきである。しかし一般国民が忍ぶ苦痛や不満を適切に処することで、過激派支持を脆弱化させうる。

外堀を埋める

他方で、反政府勢力による要求が民主主義にとって明らかに危機的であり、報復以外の選択肢が存在しない場合もある。奴隷制をめぐる南部連合との交渉を拒否したのは、リンカーン大統領による正しい決断だった。

このような場合、反乱軍を逮捕、起訴し、資産差し押さえなどの処置に出ることも、その活動継続を困難にするうえで政府のなすべきことである。また、「首切り」と呼ばれる、テロ首謀者の投獄で集団崩壊を促す方法も追求すべきだ。

法的手段に出なければならない場合もある。シャーロッツヴィルでの「右翼連合」集会後、ジョージタウン大学法科大学院のチームが、無許可民兵の結社を禁ずる古い州法を盾に、右翼デモ隊を提訴したことがある。[38] 参加集団の大半は、2名以上の武装状態での外出を禁じられた。

クー・クラックス・クラン（ＫＫＫ）に対しても、訴訟は有効であった。[39] １９８０年、３名がチャタヌーガ黒人居住区で銃乱射事件を起こしている。線路上で十字架を燃やし、バードショットを装塡したショットガンで、２区画先の黒人４名を負傷させた。大破したガラス片でもう１人も負傷した。女性たちは訴訟を起こし、53万５０００ドルの賠償金を手にした。

さらに重要なこととして、裁判官がKKKに対して差し止め命令を発し、チャタヌーガでの暴力行為の禁止を命じたことがある。このことは、すなわち同地域のメンバーが何らかの形でこの命令に違反した場合、刑事責任を問われることを意味する。

別の事件では、1981年に黒人の少年マイケル・ドナルドがアラバマ州モービルで店に入ろうとしたところ、白人警官射殺事件で黒人男性が無罪になった腹いせに、KKKのメンバー2人によって拉致された。[40] 少年は、めった打ちにされ、喉をかき切られ、首を吊られた。19歳の若さだった。南部貧困法律センターは、母親のビューラ・メイ・ドナルドの代理として、最大級のKKK団体「ユナイテッド・クラン・オブ・アメリカ」を1870年公民権法を根拠に告発した。ビューラには息子殺害の損害賠償として700万ドルが支払われた。結果としてグループは破産、ビューラは同本部の所有者となった。

政府はまた過激派による脅迫に対処することもできる。脅迫が人を動かすのは、地元住民が、政府が暴力から守ってくれるなどと頭から信じていないからである。それに対抗する最善の策は、政府の正統性への信頼を回復するのみでなく、法の執行と正義を徹底することである。それによって、政府は国民の安全を保証し、加害者を特定し厳正に処罰する実力がある事実を示せる。穏健派が過激化する原因の一つでもある、同じ市民に保護を求めようとの意向を押し戻すこともできる。

ネバダやオレゴンなどの地方居住の市民に対して、主導権は極右の保安官にでなく連邦政府にあると周知すれば、民兵の傘に入ろうとは思わなくなるだろう。

一方で、裏目に出るリスクもある。特に西部では、自らの土地や自由を連邦政府が侵害する危機を招く場合もあるからだ。その場合、地元出身の連邦捜査官に肩入れさせる、もしくは地元住民の信頼を得ている治安部隊を強化するなどの策も考えられる。過剰な政府介入に警戒感を抱く地域にあっても、信頼構築に寄与するであろう。

過激派に競り勝つにはどうすればよいか。居住者は、安全と利益をもたらしてくれる組織に惹きつけられる。「家族の安全が保証され、いい仕事が得られると信じられれば、支持してやるよ」と。このように、不満を希薄化し、あらゆる市民にとって利益をもたらすこと、体制の外側に立つのではなく、内側のほうがはるかに実り多いと信じられれば、過激派へ流れていく人々は少なくなっていく。

アメリカには莫大な国富と政治力があり、いかなる反政府的勢力にも打ち勝ちうる。政府が自らの味方なのだと感じられれば、反政府勢力など意味を失う。基本サービスをしっかりと提供することで、不信のサイクルから脱することは可能であろう。(41)

反政府側が政府に一切の歩み寄りを示さなかったらどうするか。過激派は殺害予告その他の暴力的手段によって、取引を妨害したり、改革を阻止したりなどを試みるだろう。だが、そんなことはそもそも不可能であることを穏健派の議員や市民は信じられなければならない。ここで言う取引とは、わが国の場合、銃規制や移民法の形態をとる。議会の構成員はそれらを公然と支持するうえで、十全の身の安全を保証されなければならない。

北アイルランドの和平協定「ベルファスト合意」が奏功したのは、住民投票実施を義務付け、結果としてカトリックとプロテスタント双方の圧倒的支持を獲得しえたためでもある。政府は、改革を支持する国民を称揚し、改革を阻止しようと脅迫したり暴力に訴える者を特定し処罰することで、過激派が法案を人質に取るのを阻止することができる。

二極化より派閥を警戒せよ

われわれは、党派が明確に実在する時代を生きている。その中で二極化が諸悪の根源とする発言をしばしば耳にする。リベラル派はさらにリベラルに、保守派はさらに保守的になり、両者に対話の糸口はほぼ存在しない。二極化がこの国を分断しているのだと、少なからぬ識者が主張する。

しかし、政治における二極化は、内戦の危険をそのまま高めるものではない。むしろ警戒すべきは派閥である。民族、宗教、土地によって集団が形成され、特定政党が他を収奪し政敵を切り捨て、自身と一部の支持者のみのために政策を実施するようになる。その中で、SNSほど派閥を増幅し、加速させるものはない。

1月6日以後、筆者はひっきりなしに問われたものである。「どうすればよいか」「強い警察が必要なのか」「国内テロ法は改正されるべきか」「FBIは極右武装集団にもっと潜入する必要があるのか」

筆者の答えは常に同じだった。ＳＮＳからその轟音を除去しなさい。そうすれば、嫌がらせ、陰謀論者、ボット、トロール、誤情報、ヘイト仕掛人、民主主義の敵の音量は下がっていくでしょうと。そうなると、集団的な憤怒は、トランプが日に20回もの頻度で用いていた全国民との生の接点を失ったときのように、瞬時に低下するはずだ（ジャーナリストのマシュー・イグレシアスがツイートしているように、「トランプを脱プラットフォーム化させるのは、拍子抜けするくらいうまくいっているみたいだな」[42]）。憎悪や偽情報の拡散を抑え込めば、内戦リスクは大幅に低下する。

派閥が大騒ぎする中心点には、たいていは陰謀論がある。人を何らかの行動に駆り立てたいなら、標的となる他者を差し出すにまさるものはない。舞台裏でこっそり交わされる、自分らをひどい目に遭わせようという陰謀話に思い切り語気を強めるのだ。敵はわれわれを不幸に陥れるべく国を操っているのだとも信じ込ませる。これなどはまさに、南北戦争に先立つ数年間、南部奴隷所有者たちが行ったことである。彼らは、奴隷廃止論者を目して、生活を覆滅しかねない危機と見なした。ネット上のプラットフォームによって、陰謀論はさらに悪質かつ強力となった。「インフォウォーズ」のアレックス・ジョーンズのごとき現代の陰謀論者は、移民とユダヤ人こそが諸悪の根源としている。ヴォルテールがかつて述べたのと同様である。「不条理を信じさせることに成功する者は、極まりなき残虐行為に人を駆り立てるのに成功する」[43]

このような偏執状態は、常にアメリカ人の生活の一部だった。しかし、トランプ時代には、新たな陰謀論が根を張っていった。Qアノンなどは、「小児性愛者の著名民主党議員による秘密結社がトランプを倒そうと画策している」と主張する過激派集団である。2020年12月世論調査では、アメリカ人の17%、ほぼ5人に1人が、「小児性愛団体運営の悪魔を崇拝するエリート集団がこの国の政治を牛耳ろうとしている」との見解を受け入れている事実が判明した。[44] さらに破壊的なのは、Qアノン信奉者が、数百万ものトランプ支持者とつるんで、2020年選挙は盗まれた、民主党は権力維持のために不正に手を染めている、といった噴飯ものの嘘を拡散している。2021年1月6日の暴動後数週間、Facebook、YouTube、TwitterはQアノンへの処置を行い、関連するアカウントやページの削除を行った。[45]

SNS規制

だが、そこまでの必要もないかもしれない。

アメリカはSNS発祥の国だ。拡散情報の大半を手中に収める五大IT企業の本拠地はアメリカに所在する。政府は、公共事業、製薬企業、食品加工工場などのあらゆる産業に規制を課すことで公共の利益増進をはかっている。民主主義と社会との調和のためなら、SNSもむろん規制リストに連なるべきだろう。影響は全世界に及ぶはずである。

事実、シャーロッツヴィルなどでの事件でSNSは、世界中の極右運動の促進剤となっている。議事堂乱入事件は、アメリカの運動に見えながら、その実、世界的な極右ネットワークと手に手を取り合った結果にほかならない。ホワイトハウスから議事堂までトランプ支持者たちが練り歩く中、ベルリンの極右プロパガンディストの一群が、その行進者たちに声援を送っていた。同じ頃、東京では、極右集団が旭日旗のもとに結集していた。SNSを規制することで、グローバルで自由民主主義が息を吹き返す可能性は高い。

それによって海外からの干渉は抑制され、派閥による騒乱を最小限に抑え込める。海外政府は長期にわたり内戦の結果に対して影響力を行使しようとしてきた。アメリカもまた、毛沢東の共産党を打倒するために、蔣介石陣営に数十億ドルもの援助の手を差し伸べた。ヨーロッパ諸国は、アメリカ南北戦争に際して、南部連合に物資で応援した。ニカラグア、エルサルバドル、グアテマラ、ペルー、アンゴラ、カンボジア、ベトナム、ラオスなどの国々の内戦に介入して、アメリカはソ連と代理戦争を繰り広げてもきた。

しかし、現在いかなる国、集団、個人であっても、ネットを使いこなすことで敵国に決定的な動揺を与えることができる。敵国は、友好集団への支援や、双方をともに扇動することを通して、内戦の炎を燃え上がらせるのに深層で糸を引いている。KGB出身のウラジミール・プーチンは、長期にわたって偽情報のもたらす凄まじいまでの効力を知り尽くしている。同様の事例は枚挙にいとまがない。

紛争実証研究プロジェクトがプリンストン大学チームと共同で明らかにしたところによれば、ロシアは、中国、イラン、サウジアラビアとともに、2013～2018年で53回、他国政府を対象とした、密かなソーシャル・メディアのキャンペーンを実施したという。[46] プリンストン大学チームの調査では、大半（65％）は、公人、多くは政治家を誹謗中傷の対象とし、対立候補を当選させる目的からであったという（たとえば、BuzzFeedによれば、２０１２〜２０１７年の間で、メルケル首相について最も閲覧されたネット記事の10本中７本はまったくのでっち上げだったという[47]）。

このような偽情報による攻撃の主な標的はアメリカであるが、イギリス、ドイツ、オーストラリアなどもおしなべて狙われている。ほぼすべては、標的が民主主義国家だったということになる。

ＳＮＳは、どこかにいる外部者が、いともたやすく不信と分断を拡散させることで、派閥主義の生育に最適な環境を創造してきた。２０１６年、ブラック・ライブズ・マター（ボルティモア拠点）の主催者運営の「ブラックティビスト」なるFacebookアカウントで、警察の手になる残虐行為動画や、集会予定などがシェアされていた。[48]「若くて、恵まれて、しかも黒い（Young, Gifted, and Black）」とプリントされたTシャツをまとったブラックティビスト・グッズも販売されていた。同ページには36万もの「いいね！」がついており、その数は本体のブラック・ライブズ・マターの公式ページを上回っていた。ＣＮＮは後に、このブラックティビストなる連中は、ブラック・ライブズ・マター潜入を試みたクレムリン工作の４７０以上のアカウントの一つと報じた。専門筋によれば、その大目標は、アメリカで人種、地域、宗教の緊張を高める点にあったようである。

このような脅威は、ある意味では海外勢の傭兵投入に劣らず深刻である。もちろんアメリカは技術、軍事いずれをとっても大国ではある。だが、ネットやSNSの圧倒的攻撃力によって民主主義は劣勢に立たされている。それまでであれば、他国過激派を支援しようと思うなら、航空機からのビラ撒布、書物や新聞、専門家を派遣した軍事指導、武器・弾薬の越境密輸の必要さえあった。だが、現在はSNS上でストーリーを流しっぱなしにして、派閥主義が芽吹くのをじっと見守るだけである。

アメリカは模範的民主主義国であり、自由の象徴であるはずだ。にもかかわらず、政治の世界に金と過激派の侵入を許してしまった。私たちにできることは、民主主義と社会を強くしていくことである。かつてわれわれはニューディール政策で同様の経験をしている。政府が人々に仕事を与え、貧困からの救済と、経済制度への信頼と希望を回復させた。公民権運動の時代になると、アフリカ系アメリカ人の平等な権利と自由が叫ばれ、政府はその要求に応えて、公正と正義で満たした。

国家的誇りの回復

もう一度できるはずである。公共の場での論議を回復させ、そのことを通して、われわれは自己分裂的かつ暴力的な派閥主義から降りて、長期的で健全な希望のルートに復することができる。すでに地方においては、各州の市民グループがチームを結成して、市民的価値の復元に着手しているところもある。[49]

市民大学はその一つである。市民大学は中国系移民のエリック・リウさんと、かつての奴隷所有者として南部連合のために武器を取った家系のジェナ・ケインさんによって創立された。ともにアメリカ市民社会、区画、近隣、町を一度に再創生させるために人生を賭けている。ケインさんは言う。

「私たちは、下品な個人社会の神話に終止符を打ちたいのです。事実、歴史を通じて、誰かが困っているとき、互いに手を差し伸べ合うために集まってきたのでしょう。私たちアメリカ人の真の姿はそれなのですから(50)」

市民大学運営の要として、市民土曜礼拝がある(51)。記者のジェン・ボイントンは、2019年にテネシー州アテネで開催された市民土曜礼拝を取材した。荒んだ市街の公園で開催されたイベントに顔を見せたのは70名足らずだった。ボイントンが目にしたのは、教会礼拝の市民版だった。地元市民が集って憲法を拝し、民主主義への信仰を養う。祈禱の代わりに、忠誠の誓いで幕を開ける。讃美歌の代わりに、アメリカ詩人の作品が朗誦される。聖句詠唱の代わりに独立宣言が読み上げられる。

最初の市民土曜礼拝は2016年シアトルで開催され、リウさんとケインさん（そのとき2人は夫妻になっていた）は、1人でも多くの参集を願い、祈った。果たして多くの人々がやってきてくれた。主催者の書店には200名以上が詰めかけた。5カ月の後、その数は800名にも上った。「人が求めるのは、血の通った居場所なんです」とリウさんは笑う。

現在、市民土曜礼拝は、インディアナポリス、フェニックス、カンザスシティからノースカロライナ州サザンパインズまで、国中から民主党・共和党双方の参加を得て、30以上の市町で開催されている。「この国のほとんどの方は1月6日みたいなものじゃなくて、私たちのような健康的なコミュニティの一員でありたいと望んでいるのです」とリウさんは話してくれた。[52]

マサチューセッツ州アマーストに拠点を置くこぢんまりした非営利団体に「エンブレイス・レイス」がある。混血の子どもを持つ親2名が2016年に旗揚げしたもので、人種的要因が受け入れられる世界での子育て支援を目的とする。「ブライト・ハート」もテネシー州拠点の超党派団体であり、市民参加支援に取り組んでいる。同団体代表のケイト・タッカーさんは語る。「テネシー州が共和党優位なのかどうかはわかりませんが、投票制限州であることは確かです」

「リビングルーム・カンバセーションズ」「ブレイヴァー・エンジェルズ」は左右一対となって、「他者」を再び人間にする活動を展開している。[53]

民主主義が力を失っているとの認識から、それを守るための活動が全国で生まれているのだ。教会、任意団体、草の根団体など、地域に根を下ろしてこそ、私たちは再び力を合わせ、市民の権利や共同体の力を学び直すことができる。私たちが共有する歴史や理念が、勇気を与え、導き、真に「人民の人民による人民のための」国家の誇りを回復させてくれるはずである。

アメリカを去らねばならないのか

2020年の夏、大統領選挙を目前にして、夫のゾリと私の脳裏に浮かびさえしなかった恐るべき疑問符が投げかけられていることを知った。

「ついにこの国を去らなければならない時が来たのだろうか」

私の母はスイスの小村から渡米し移住した。母の暮らしていたところでは、1991年まで女性投票権がなかった。しがない酪農による生活は厳しく、大学進学など夢のまた夢だった。母は1958年にニューヨークに居住してから、野球、ビジネス、そして肩ひじ張らないアメリカ人の気風の良さに魅了されてしまった。もう二度と戻らないと思った。

父は第二次世界大戦中にバイエルンの小さな町からニューヨークに移住し、ささやかながら事業で成功した。「アメリカだからできたんだ」と父は語っていた。

夫のゾリにも移民の物語がある。夫はカナダからアメリカの大学に進学している。夫の父は1956年にハンガリーからカナダに亡命した人である。ソ連侵攻の後、学生デモが厳しく取り締まられたあたりである。ゾリも私もたくさんのパスポートを保持している。スイス、カナダ、ハンガリー、ドイツ。それでも私たちの故郷はアメリカだ。カリフォルニア州サンディエゴのわが家で何より心楽しむ祝日は感謝祭（サンクスギビング）である。友人、家族、両親など、私たちが感謝してやまぬあらゆるものがその1日に詰まっている。この国は、私たちに夢を追う贈り物を与えてくれた。自分らしくあるための贈り物、恐怖に脅えることなく自由の実感を持ち、繁栄していく贈り物である。

私たちはこれからもずっとアメリカで暮らしていくことを望んでいる。しかし、選挙後の11月、夫と私は「プランB」を真剣に議論しなければならなくなった。結果バイデンが勝利したが、トランプと多数の共和党員は、選挙結果を覆すあらゆる手立てをめぐらせていた。1月6日、議事堂が襲撃されたとき、私はこの国が根本的変化に揺すぶられていると感じた。戦闘地域から離れる日をあまりに待ちわびた人がどうなるか。私自身の研究からも明らかだった。ダリスさんがサラエボ包囲網を生き延びられたのは幸運だったと思う。だが、隣人たちの多くはそうはならなかった。

クリスマス休暇にあたり、夫は家族のパスポートを更新した。娘リナのことを考えてハンガリー国籍の取得も頭をよぎった。最終的には、いざというとき1日で移動可能なカナダに決定した。スイスは、予備的候補とした。

紛争が勃発しやすい国に旅行するときは、緊急時の計画を手にしておくのが常である。「ジンバブエでクーデターが起きたら、どうするか」といった具合に。

しかし、今は違う。急遽愛してやまぬ母国からの脱出ルートを策定しているのだ。頭でわかっていても、うまく呑み込めなかった。

白人が少数派に

アメリカ建国の父たちは、望むならどのような政治体制でも構築できたに違いない。ジョージ・ワシントンを国王にして貴族制を確立したり、あるいは広大で肥沃な農地を分けて、自身を領主とすることだって。でも、彼らはそうしなかった。民主主義をつくるとの断固たる決意があったためだ。もちろん民主主義は古代ギリシア人による理念の中や、ヒューム、ロック、ルソーなどの政治哲学的著作の中に存在してはいた。それでも現実のものにはなっていなかった。かくも広範な領土で、かくも多数の人々が自らを統治する民主主義を試みた国は存在しなかった。『フェデラリスト・ペーパー』の筆者であるマディソン、ハミルトン、ジョン・ジェイ――。州権力と連邦権力、多数派による専制の防止、破壊的党派の脅威など、新国家がやがて直面するに違いないあらゆる局面が検討された。彼らは、この新しい国が、どれほど多事争論、取り扱いが厄介で、かつ対立が日常となるかを十分に予期していた。それでもなお、より良き、より自由な世界を信じて、一歩一歩着実に前進した。

むろん数百万もの人々が信じるもう一方の視点からすれば、それは悪夢にほかならなかっただろう。この国は財産を保有する白人のための国家だ。建国者自らが奴隷所有者であって、奴隷が権利や自由を手にしうるなど考えもしなかった。実際、彼らは奴隷を完全な人間とは見なしていなかった。あるいは、土地を所有しない白人労働者が公職に就くなどとんでもないことだった。

寛容ではあったのかもしれないが、あくまでも当時の基準でのことだ。

たとえ彼らが「あらゆる男性と女性は平等につくられている」との考えを再確認しうるだけの先見性に恵まれていたとしても、アメリカがやがて直面する無数の変化を予測するなどおよそ不可能であったろう。工業化の波、巨大都市化、自動車の氾濫。未来における国富や軍事力、グローバル化に洗われつつ生起する変化など知りようもなかった。インターネットはどうか。気候変動は。火星旅行。想像だにしえなかったことだ。

現在、アメリカは真の意味で、多民族的民主主義の創造という課題に直面している。世界規模の移民が人口統計上の数字とアイデンティティを形成し続ける中、存続発展する国家を創成するという途方もない課題である。1700年代後半から世界は劇的な変化を遂げた。民主主義とは、もはや白人農場所有者の専売特許ではない。女性、農村部、褐色人種、混血あるいはその間にいるあらゆる層が包含されるようになった。

私たちはすべての人々を必要としている。移民を阻止する国は、人口減少の中で緩慢に滅亡していくだろう。われわれの民主主義は小集団の権利を守るとともに、国家としてのアイデンティティを一つのもとに据える必要がある。多民族民主主義へのシフトが平和裏に、しかも発展を阻害することなく遂行していく様を世界に示していくことである。

アメリカは、白人が市民の多数派的地位を喪失する最初の民主主義国家となる。それは2045年と予測されているが、他国も続くことになるだろう。2050年あたりには、カナダとニュージーランドで白人は少数派となる。2066年にはイギリス、2100年にはすべての英語圏国で同様の変化が起こる。これらの国々の極右政党は、白人支配終焉に際して不吉な警告を発しており、その変革に伴う経済・社会・道徳的費用は莫大として、憎悪の火に油を注いでいる。

だが、それはただの神話だ。権力というものをゼロサムでしか理解できない人々による手の込んだ新手のおとぎ話である。すでにいくつもの都市で誤謬は証明されている。バーミンガムやメンフィスなど、人口の大半を黒人が占める都市では、黒人の市長が誕生し、しかも白人有権者の支持を得ている。黒人による政治権力の掌握は報復とともに、白人の経済的衰退を招くとの懸念は杞憂と知った。生活にさしたる変化は見られず、他方で黒人の生活水準は向上した。多民族政党による政権運営は、幸福な生活にとって脅威とはなりえないと知られるようになった[54]。新たに到達した平和への均衡点だった。

カリフォルニア州もまた成功事例の一つである[55]。1998年に白人が少数派になって以来（2004年にテキサス州が続いた）、カリフォルニア州は200%もの経済成長を遂げている[56]。失業率は3%も低下した[57]。1人当たりGDPは52・5%増加した。私がカリフォルニアに移住したのは1996年のことだった。メキシコ国境から北へ40マイルの町に居住し、白人比率わずか21%の大学で教鞭を執っている。日々私は心躍るヴィジョンを目にしている。学生は熱意に溢れ、移民は勤勉だ。

ただし同州の移行にあたっては、燃えるごとき反発を避けえなかった。[58] 1994年、未登録の移民が医療や教育など公共サービスの受益を禁ずる「わが州を救え」なる提案一八七条項を可決したのである。移民阻止、非正規滞在の処罰を目的とする大規模法案を承認した現代初の州法となった。共和党のピート・ウィルソン知事は、移民による越境を大々的にアピールする広告を展開するなど、一八七条キャンペーンを推進して、再選に成功した。ウィルソンこそがカリフォルニアの民族主義仕掛人だったのだ。白人の心に巣食う恐怖心を利用し、刑事的厳罰政策に踏み切ったのが勝利をもたらした。少数派人口が増加するほどに、白人至上主義への脅威は増していき、白人からの反発は雪だるま式となる。

多から1へ

だが、マイノリティが増加していくと事態は変わっていく。マイノリティのほうが政治力を持つようになると、白人のみならず、黒人や移民にも利益のある政策が採用されるようになるからだ。州内の授業料、不法滞在者への運転免許支給などバラエティ豊かなものとなっていく。教育費の大幅増加や、刑務所数の大幅減少も手伝って、あらゆる住民福祉の満足度が向上した。30年足らずの間に、同州は反移民の看板を捨て去り、移民とインクルージョンの先進政策州へと変貌している。

ただし、カリフォルニア州にいまだ課題は少なくない。[59] ホームレス数は全国の4分の1を占め、所得格差も4番目である。近年アジア系高齢者が襲撃される事件が多発している。ユートピアからはほど遠い。それでも、広く人種を受容するカリフォルニア州の来し方を見るならば、そこには未来への可能性がある。

真の多民族的民主主義実現のためには、国家はいくつもの深刻な危機を乗り越えなければならない。民主主義を強め、アノクラシー・ゾーンを脱し、SNSを適切に規制することで、派閥主義を抑制しなければならない。そうして初めて、第二の南北戦争を回避する曙光が見えてくるだろう。

あるいはもう一つの脅威たる気候変動にも有効な手が打てるかもしれない。地球温暖化は、自然災害の深刻度を増しており、沿岸部諸都市を危険に晒すとともに、熱波、山火事、ハリケーン、干ばつを引き起こしている。南半球から、白人国家が多くを占める北半球への移住も確実な増加を見るであろう。有効な政策を打ち出すのに手をこまねくなら、社会基盤は突き崩されることになるだろう。

私の教室にやってくる学生は課題を十分に理解している。結果、彼らはインスピレーションを受けとめて、何か行動を起こそうという気になる。彼らは、アメリカン・ドリームの新世代である。気が滅入ってくると、私は彼らのことを思い出す。世界を変えようと決意した第一世代の学生たちに満たされた教室。それほどまでに颯爽たる場はちょっと考えられない。

夫のゾリと私は2020年12月にパスポートを更新した。もちろんアメリカを離れようとは思わない。私はよそへ脱出するには、あまりにこの国への深い敬愛の念を捨てきれずにいる。アメリカが世界の牽引役なら、カリフォルニアは全アメリカの牽引役である。私たちはこの場にとどまって転換の助力をなしたいと願う。アメリカは歴史の終局点に立たされているわけではないと信じる。むしろ刮目すべき新時代の始点に立っているのである。

アメリカの国璽“E Pluribus Unum”（多から1へ）を実行に移すうえで、千載一遇の好機に、今私たちは立っている。

原注

序　章

(1)　"GR Vac Shop Owner Picking Up the Pieces After Business and Home Raided," Fox 17, October 9, 2020; Aaron C. Davis et al., "Alleged Michigan Plotters Attended Multiple Anti-Lockdown Protests, Photos and Videos Show," *The Washington Post*, November 1, 2020; "Accused Leader of Plot to Kidnap Michigan Governor Was Struggling Financially, Living in Basement Storage Space," *The Washington Post*, October 9, 2020.

(2)　"Governor Whitmer Signs 'Stay Home, Stay Safe' Executive Order," Office of Governor Gretchen Whitmer, March 23, 2020; "Stay-Home Order Violators Face $500 Fines; Jail Possible," *The Detroit News*, March 23, 2020.

(3)　Matt Zapotosky, Devlin Barrett, and Abigail Hauslohner, "FBI Charges Six Who It Says Plotted to Kidnap Michigan Gov. Gretchen Whitmer, as Seven More Who Wanted to Ignite Civil War Face State Charges," *The Washington Post*, October 8, 2020.

(4)　Davis et al., "Alleged Michigan Plotters Attended Multiple Anti-lockdown Protests, Photos and Videos Show," *The Washington Post*, November 1, 2020.

(5)　"Michigan Kidnapping Plot, Like So Many Other Extremist Crimes, Foreshadowed on Social Media," *The Washington Post*, October 8, 2020.

(6)　Zapotosky, Barrett, and Hauslohner, "FBI Charges Six Who It Says Plotted to Kidnap Michigan Gov. Gretchen Whitmer"; Gus Burns, Roberto Acosta, and John Tunison, "The Ties That Bind the Men Behind the Plot to Kidnap Gov. Whitmer," *MLive*, October 20, 2020.

(7)　"Northern Michigan Town Grapples with Plot to Kidnap Gov. Whitmer from Local Vacation Home," *MLive*, October 9, 2020; Nicholas BogelBurroughs, Shaila Dewan, and Kathleen Gray, "F.B.I. Says Michigan Anti-Government Group Plotted to Kidnap Gov. Gretchen Whitmer," *The New York Times*, October 8, 2020.

(8)　BogelBurroughs, Dewan, and Gray, "F.B.I. Says Michigan AntiGovernment Group Plotted to Kidnap Gov. Gretchen Whitmer"; Burns, Acosta, and Tunison, "Ties That Bind the Men Behind the Plot to Kidnap Gov. Whitmer."

(9)　"Michigan Charges 8th Man in Alleged Domestic Terrorism Plot to Kidnap Gov. Whitmer," NPR, October 15, 2020.

(10) "What We Know About the Alleged Plot to Kidnap Michigan's Governor," *The New York Times*, October 9, 2020.

(11) "Trump Criticizes Whitmer After FBI Foiled Plot to Kidnap Michigan Governor," *MLive*, October 8, 2020.

(12) Bogel-Burroughs, Dewan, and Gray, "F.B.I. Says Michigan Anti-Government Group Plotted to Kidnap Gov. Gretchen Whitmer."

(13) Jack A. Goldstone et al., "A Global Model for Forecasting Political Instability," *American Journal of Political Science* 54 (January 2010): 190–208.

(14) The original name of the group was the State Failure Task Force.

(15) "Antigovernment Movement," Southern Poverty Law Center, https://www.splcenter.org/fighting-hate/extremist-files/ideology/antigovernment.

(16) "Defected Soldiers Formed Free Syrian Army," NPR, July 20, 2012; Emile Hokayem, *Syria's Uprising and the Fracturing of the Levant* (Abingdon, Oxfordshire: Routledge, 2017).

(17) "U.S. Law Enforcement Failed to See the Threat of White Nationalism. Now They Don't Know How to Stop It," *The New York Times*, November 3, 2018.

(18) Janet I. Lewis, *How Insurgency Begins: Rebel Group Formation in Uganda and Beyond* (Cambridge: Cambridge University Press, 2020), 31–36.

(19) 同上。

(20) 著者によるベリナ・コヴァチ（仮名）へのインタビュー、2020年7月16日。

第1章

(1) 著者によるヌール（仮名）へのインタビュー、2020年7月1日。

(2) "15 Years After U.S. Invasion, Some Iraqis are Nostalgic For Saddam Hussein Era," NPR, April 30, 2018.

(3) "Fateful Choice on Iraq Army Bypassed Debate," *The New York Times*, March 17, 2008; "Report Cites Americans for Purging Baath Party Members," *The New York Times*, July 6, 2020.

(4) "Debate Lingering on Decision to Dissolve the Iraqi Military," *The New York Times*, October 21, 2004; James P. Pfiffner, "U.S. Blunders in Iraq: De-Baathification and Disbanding the Army," *Intelligence and National Security* 25 (February 2010): 76–85; Thomas E. Ricks, *Fiasco: The American Military Adventure in Iraq* (New York: Penguin, 2006).

(5) Daniel Byman, "An Autopsy of the Iraq Debacle: Policy Failure or Bridge Too Far?,"

Security Studies 17 (December 2008): 599–643.

(6)　同上。

(7)　"The Struggle for Iraq: The Occupation; Troops Hold Fire for Negotiations at 3 Iraqi Cities," *The New York Times*, April 12, 2004.

(8)　著者によるヌールへのインタビュー、2020年7月1日。

(9)　"Author Describes Rescue of Baghdad's Zoo Animals," NPR, March 7, 2007.

(10)　"Human Rights Declaration Adopted by U.N. Assembly," *The New York Times*, December 11, 1948; UN General Assembly, Resolution 217 A (III), Universal Declaration of Human Rights, A/RES/3/217A (December 10, 1948).

(11)　"Despite Global Concerns About Democracy, More Than Half of Countries Are Democratic," Pew Research Center, May 14, 2019, citing the Polity5 Project, Center for Systemic Peace.

(12)　"Remarks by the President at the 20th Anniversary of the National Endowment for Democracy," United States Chamber of Commerce, November 6, 2003.

(13)　"Globally, Broad Support for Representative and Direct Democracy," Pew Research Center, October 16, 2017.

(14)　Samuel P. Huntington, "How Countries Democratize," *Political Science Quarterly* 106 (Winter 1991–92): 579–616.

(15)　"Armed Conflict by Region 1946–2019," Uppsala Conflict Data Program, 20.1 Data (UCDP 20.1 data); "Global Trends in Governance, 1800–2018," Polity5 Project, Center for Systemic Peace.

(16)　A. C. Lopez and D.D.P. Johnson, "The Determinants of War in International Relations," *Journal of Economic Behavior and Organization*, 2017.

(17)　UCDP 20.1 data.

(18)　この文言は著者による次の文献からの引用。Sean Illing, "Is America's Political Violence Problem Getting Worse? I Asked 7 Experts," *Vox*, October 30, 2018.

(19)　Havard Hegre et al., "Toward a Democratic Civil Peace? Democracy, Political Change, and Civil War, 1816–1992," *American Political Science Review*, March 2001; Kristian Skrede Gledtisch, *All International Politics Is Local: The Diffusion of Conflict, Integration, and Democratization* (Ann Arbor: University of Michigan Press, 2002); Zachary M. Jones and Yonatan Lupu, "Is There More Violence in the Middle?" *American Journal of Political Science*, 2018.

(20)　Monty G. Marshall and Ted Robert Gurr, *Peace and Conflict 2003: A Global Survey of Armed Conflicts, Self-Determination Movements, and Democracy* (College Park, Md.:

Center for International Development and Conflict Management, University of Maryland, 2003).

(21) なお、スペイン第一共和国では、1873年に民主的な選挙が行われた。

(22) Boese, Vanessa A. 2019. "How (not) to Measure Democracy," *International Area Studies Review.* 22 (2): 95–127; Vaccaro, Andrea. 2021, "Comparing Measures of Democracy: Statistical Properties, Convergence, and Interchangeability," *European Political Science.*

(23) Fareed Zakaria, *The Future of Freedom: Illiberal Democracy at Home and Abroad* (New York: W.W. Norton, 2003).（『民主主義の未来――リベラリズムか独裁か拝金主義か』ファリード・ザカリア著、中谷和男訳、阪急コミュニケーションズ、2004年）

(24) Daniel C. Esty et al., "State Failure Task Force Report: Phase II Findings," *Environmental Change and Security Project Report* 5, Summer 1999.

(25) 同上。

(26) 著者によるヌールへのインタビュー、2020年7月1日。

(27) Lewis, *How Insurgency Begins*, Chapter 6.

(28) "Gamsakhurdia Wins Presidential Election," UPI, May 27, 1991; "Tbilisi Battle Ends as President Flees," *The Washington Post*, January 7, 1992; "In Crushing Blow to Georgia, City Falls to Secessionists," *The New York Times*, September 28, 1993.

(29) "The Fall of Suharto: The Overview; Suharto, Besieged, Steps Down After 32-Year Rule in Indonesia," *The New York Times*, May 21, 1998.

(30) "New Leader Vows Early Elections for Indonesians," *The New York Times*, May 26, 1998; "Indonesia Changed, But Who Deserves the Credit?" *The New York Times*, June 13, 1999.

(31) 一揆に関するより詳細な歴史は、特に以下を参照されたい。Richard Chauvel, *Nationalists, Soldiers and Separatists: The Ambonese Islands from Colonialism to Revolt, 1880–1950* (Leiden, Netherlands: KITLV Press, 1990).

(32) アチェの活動家カウツァー（Kautsar bin Muhammad Yus）の言葉からの引用である。Slobodan Lekic, "The Legacy of East Timor: Other Indonesian Provinces Feel Stirrings of Separatism," *Montreal Gazette*, November 7, 1999.

(33) Patrick M. Regan and Sam R. Bell, "Changing Lanes or Stuck in the Middle: Why Are Anocracies More Prone to Civil Wars?" *Political Research Quarterly* 63, no. 4 (December 2010): 747–759.

(34) "Abiy Ahmed: Ethiopia's Prime Minister," BBC, October 11, 2019; "In Ethiopian

Leader's New Cabinet, Half the Ministers Are Women," *The Washington Post*, October 16, 2018.

(35) 著者へのインタビュー、2019年2月1日。

(36) "Ethiopia: Thousands Protest After Deadly Ethnic Violence," Al Jazeera, September 17, 2018.

(37) "Why Is Ethiopia at War With Itself?," *The New York Times*, July 2, 2021.

(38) Roderic Ai Camp, "Democratizing Mexican Politics, 1982–2012," in *Oxford Research Encyclopedia of Latin American History*, ed. William H. Beezley (New York: Oxford University Press, 2015).

(39) "Polity5 Annual TimeSeries, 1946–2018," Center for Systemic Peace.

(40) "Democracy in Poland Is in Mortal Danger," *The Atlantic*, October 9, 2019.

(41) Zach Beauchamp, "It Happened There: How Democracy Died in Hungary," *Vox*, September 13, 2018.

(42) Beauchamp, "It Happened There."

(43) "Autocratization Turns Viral: Democracy Report 2021," V-Dem Institute, March 2021.

(44) Steven Levitsky and Daniel Ziblatt, *How Democracies Die* (New York: Crown, 2018). (『民主主義の死に方――二極化する政治が招く独裁への道』スティーブン・レビツキー、ダニエル・ジブラット著、濱野大道訳、池上彰解説、新潮社、2018年)

(45) Boese, Vanessa A. 2019: "How (not) to Measure Democracy," *International Area Studies Review*, 22 (2): 95–127; Vaccaro, Andrea. 2021: "Comparing Measures of Democracy: Statistical Properties, Convergence, and Interchangeability," European Political Science.

(46) "Polity5 Annual Time-Series, 1946–2018," Center for Systemic Peace.

(47) "Ukraine Protests After Yanukovych EU Deal Rejection," BBC, November 30, 2013; "Pro-European Businessman Claims Victory in Ukraine Presidential Vote," *The New York Times*, May 25, 2014.

(48) 著者によるアントン・メルニク(仮名)へのインタビュー、2020年6月30日。

(49) "Russians Find Few Barriers to Joining Ukraine Battle," *The New York Times*, June 9, 2014.

(50) "Why Ukraine's Government, Which Just Collapsed, Is Such a Mess," *Vox*, July 25, 2014.

(51) 著者によるミハイル・ミナコフへのインタビュー、2020年7月1日。

(52) "Pro-Russia Protesters Seize Ukraine Buildings, Kiev Blames Putin," Reuters, April 6, 2014; "Ukraine: President Calls Emergency Meeting Over Protests," BBC, April 7,

2014.
(53) "Autocratization Turns Viral: Democracy Report 2021," V-Dem Institute, March 2021.
(54) "How Venezuela Went from a Rich Democracy to a Dictatorship on the Brink of Collapse," *Vox,* September 19, 2017.
(55) Christian Davenport, "State Repression and Political Order," *Annual Review of Political Science,* June 15, 2007.
(56) 著者によるヌールへのインタビュー、2020年7月1日。

第2章

(1) "Thousands Join Ceremonies for Tito's Return to Belgrade," *The Washington Post,* May 6, 1980; "Leaders Gathering for Tito's Funeral," *The New York Times,* May 7, 1980.
(2) 同文は次の文献からの引用。Robert D. Kaplan, *Balkan Ghosts: A Journey Through History* (New York: St. Martin's Press, 1993), 52.(『バルカンの亡霊たち』ロバートD.カプラン著、宮島直機・門田美鈴共訳、NTT出版、1996年)
(3) Alex N. Dragnich, *Serbs and Croats: The Struggle in Yugoslavia* (New York: Harcourt Brace, 1992), 102.
(4) Vesna Pesic, "Serbian Nationalism and the Origins of the Yugoslav Crisis," United States Institute of Peace, April 1996.
(5) Misha Glenny, *The Balkans: Nationalism, War, and the Great Powers, 1804–2012* (Toronto: House of Anansi Press, 2012); Anton Logoreci, "Riots and Trials in Kosovo," *Index on Censorship* 11 (1982): 23–40; "Yugoslavia Destroyed Its Own Economy," *The Wall Street Journal,* April 28, 1999.
(6) Monica Duffy Toft, *The Geography of Ethnic Violence: Identity, Interests, and the Indivisibility of Territory* (Princeton, N.J.: Princeton University Press, 2003).
(7) "1 Million Serbs Cheer Their Nationalist Leader in Kosovo," Associated Press, June 28, 1989; Paul R. Bartrop, *Modern Genocide: A Documentary and Reference Guide* (Santa Barbara, Calif.: ABCCLIO, 2019), 64.
(8) "On Language: Ethnic Cleansing," *The New York Times,* March 14, 1993.
(9) James D. Fearon and David D. Laitin, "Sons of the Soil, Migrants, and Civil War," *World Development* 39, no. 2 (February 2011): 199–211.
(10) Donald L. Horowitz, *Ethnic Groups in Conflict* (Berkeley: University of California Press, 234).
(11) Paul Collier and Anke Hoeffler, "Greed and Grievance in Civil War," *Oxford Economic*

Papers 56 (October 2004): 563–595; James D. Fearon and David D. Laitin, "Ethnicity, Insurgency, and Civil War," *American Political Science Review* 97, no. 1 (February 2003): 75–90.

(12) 著者によるモンティ・マーシャルへのインタビュー、2020年9月22日。

(13) Andreas Wimmer, *Waves of War: Nationalism, State Formation, and Ethnic Exclusion in the Modern World* (Cambridge: Cambridge University Press, 2013), 5.

(14) "Political Instability Task Force: New Findings," Wilson Center, February 5, 2004.

(15) Joshua R. Gubler and Joel Sawat Selway, "Horizontal Inequality, Crosscutting Cleavages, and Civil War," *Journal of Conflict Resolution* 56 (April 2012): 206–232.

(16) Tanja Ellingsen, "Colorful Community or Ethnic Witches' Brew? Multiethnicity and Domestic Conflict During and After the Cold War," *Journal of Conflict Resolution* 44, no. 2: 228–249; Collier and Hoeffler, "Greed and Grievance in Civil War"; Joan Esteban and Gerald Schneider, "Polarization and Conflict: Theoretical and Empirical Issues," *Journal of Peace Research*, March 2008.

(17) "Croatian Cityscape: Stray Dogs, Rows of Wounded, Piles of Dead," *The New York Times*, November 21, 1991.

(18) Zlatko Dizdarević, *Sarajevo: A War Journal* (New York: Fromm International, 1993), 112.

(19) Stefano DellaVigna et al., "Cross-Border Media and Nationalism: Evidence from Serbian Radio in Croatia," *American Economic Journal: Applied Economics* 6 (July 2014): 103–132.

(20) "Murder of the City," *The New York Review*, May 27, 1993; "A War on Civilians: The Struggle for Land in Bosnia Is Waged Mainly by Serbs With Help from Belgrade," *The New York Times*, July 18, 1992.

(21) V. P. Gagnon Jr., "Ethnic Nationalism and International Conflict: The Case of Serbia," *International Security* 19, no. 3 (Winter 1994–95), 130–166; V. P. Gagnon, Jr., *The Myth of Ethnic War: Serbia and Croatia in the 1990s* (Ithaca, N.Y.: Cornell University Press, 2006).

(22) George W. Downs and David M. Rocke, "Conflict, Agency, and Gambling for Resurrection: The Principal-Agent Problem Goes to War," *American Journal of Political Science*. May 1994; Rui De Figueiredo and Barry Weingast, "The Rationality of Fear: Political Opportunism and Ethnic Conflict," in *Civil Wars, Insecurity, and Intervention*, ed. Barbara F. Walter and Jack Snyder (New York: Columbia University Press) 1999, 261–302.

(23) "Cockroaches" was a term used in the Hutu revolution in 1959 to refer to Tutsi rebels "scurrying" at night across borders. ジェームズ・フィーロンによる示唆に謝意を表したい。"Trial of Ex-Quebec Resident on Genocide Charges Stirs Ethnic Tensions in Rwanda," *National Post*, November 17, 2013.

(24) "Sudan President Seeks to 'Liberate' South Sudan," BBC, April 19, 2012.

(25) "Media Controls Leave Serbians in the Dark," *The Washington Post*, October 18, 1998.

(26) Misha Glenny, *The Fall of Yugoslavia: The Third Balkan War* (London: Penguin Books), 1996, 66.

(27) 同上 161.

(28) "And Now, Dovidjenja, Sarajevo," *The New York Times*, February 21, 1984.

(29) 著者によるベリナ・コヴァチへのインタビュー、2020年7月16日。

(30) 著者によるダリス・コヴァチ（仮名）へのインタビュー、2020年7月16日。

(31) 同上。

(32) "For Sarajevo Serbs, Grief Upon Grief," *The New York Times*, April 26, 1995.

(33) Kemal Kurspahić, *Prime Time Crime: Balkan Media in War and Peace* (Washington, D.C.: Institute of Peace Press, 2003), 102–103.

(34) 著者によるベリナ・コヴァチへのインタビュー、2020年7月16日。

(35) Roger D. Petersen, *Understanding Ethnic Violence: Fear, Hatred, and Resentment in Twentieth-Century Eastern Europe* (Cambridge: Cambridge University Press, 2002), 238.

(36) "Serbs, Croats Met Secretly to Split Bosnia," *Los Angeles Times*, May 9, 1992.

(37) Tom Gallagher, *The Balkans After the Cold War: From Tyranny to Tragedy* (London: Routledge), 2003.

(38) "The Warlord of Visegrad," *The Guardian*, August 10, 2005.

(39) "Serb Forces Overwhelm Key Town," *The Washington Post*, April 15, 1992; "War Is Over—Now Serbs and Bosniaks Fight to Win Control of a Brutal History," *The Guardian*, March 23, 2014.

(40) 著者によるベリナ・コヴァチへのインタビュー、2020年7月16日。

(41) "Firebrand Hindu Cleric Ascends India's Political Ladder," *The New York Times*, July 12, 2017.

(42) "India Is Changing Some Cities' Names, and Muslims Fear Their Heritage Is Being Erased," NPR, April 23, 2019; "India's New Textbooks Are Promoting the Prime Minister's Favorite Policies, Critics Allege," *The Washington Post*, July 1, 2018.

(43) "India Revokes Kashmir's Special Status, Raising Fears of Unrest," *The New York Times,* August 5, 2019; "India Says the Path to Citizenship Will Get Easier, But Muslims See a Hindu Plot," *The Wall Street Journal,* December 11, 2019.

(44) "India Has to Create More Jobs. Modi May Need Some Help from State Governments," CNBC, June 6, 2019.

(45) "Jair Bolsonaro: Brazil's Firebrand Leader Dubbed the Trump of the Tropics," BBC, December 31, 2018; "How Jair Bolsonaro Entranced Brazil's Minorities—While Also Insulting Them," *The Washington Post,* October 24, 2018.

(46) 著者によるベリナ・コヴァチへのインタビュー、2020年7月16日。

(47) 著者によるダリス・コヴァチへのインタビュー、2020年7月16日。

(48) "Serbia Arrests Seven Over 1995 Srebrenica Massacre," BBC, March 18, 1995.

(49) 著者によるダリス・コヴァチへのインタビュー、2020年7月16日。

(50) "A Bloody Failure in the Balkans," *The Washington Post,* February 8, 1993; "Yugoslavia Transformed: National Intelligence Estimate," Director of Central Intelligence, National Foreign Intelligence Board, October 18, 1990.

第3章

(1) マタラムの生涯については諸説あり、中には矛盾もあって、完全に信頼に足るものとは言えない。

(2) Thomas M. McKenna, *Muslim Rulers and Rebels: Everyday Politics and Armed Separatism in the Southern Philippines* (Berkeley: University of California Press), 1998.

(3) 同上。

(4) Thomas M. McKenna, "The Origins of the Muslim Separatist Movement in the Philippines," Asia Society, https://asiasociety.org/origins-muslim-separatist-movement-philippines.

(5) McKenna, *Muslim Rulers and Rebels,* 146.

(6) Anabelle Ragsag, *Ethnic Boundary-Making at the Margins of Conflict in the Philippines: Everyday Identity Politics in Mindanao* (Singapore: Springer, 2020).

(7) McKenna, *Muslim Rulers and Rebels,* 146.

(8) 同上 147–150.

(9) John J. Herz, "Idealist Internationalism and the Security Dilemma," *World Politics* 2, no. 2 (January 1950): 157–180; Robert Jervis, "Cooperation Under the Security Dilemma," *World Politics* 30, no. 2 (January 1978): 167–214; Barry R. Posen, "The

Security Dilemma and Ethnic Conflict," *Survival* 35, no. 1 (Spring 1993), 27–41.

(10) "Mass Arrests and Curfew Announced in Philippines," *The New York Times*, September 24, 1972.

(11) McKenna, *Muslim Rulers and Rebels*, 157; Ruben G. Domingo, "The Muslim Secessionist Movement in the Philippines: Issues and Prospects" (thesis, Naval Postgraduate School, June 1995).

(12) "Philippines-Mindanao (1971—First Conflict Deaths)," Project Ploughshares, https://ploughshares.ca/pl_armedconflict/philippines-mindanao-1971-first-combat-deaths/#:~:text=Total%3A%20At%20least%20100 %2C63%20people,by%20the%20 40%2Dyear%20conflict.

(13) 優れた研究としては以下を参照。Lars-Erik Cederman, Andreas Wimmer, and Brian Min, "Why Do Ethnic Groups Rebel? New Data and Analysis," *World Politics* 62 (2010): 87–119; Halvard Buhaug, Lars-Erik Cederman, and Jan K. Rød, "Disaggregating Ethno-Nationalist Civil Wars: A Dyadic Test of Exclusion Theory," *International Organization* 62 (2008): 531–551.

(14) Petersen, *Understanding Ethnic Violence*, 2002.

(15) Fearon and Laitin, "Sons of the Soil, Migrants, and Civil War," 199–211.

(16) Daniel Kahneman and Amos Tversky, "Prospect Theory: An Analysis of Decision Under Risk," *Econometrica* 47 (1979): 263–291.

(17) "Georgia/Abkhazia: Violations of the Laws of War and Russia's Role in the Conflict," *Human Rights Watch* 7, no. 7 (March 1995), https://www.hrw.org/reports/1995/Georgia2 .htm#P117_4464; Jared Ferrie, "Can They Ever Go Home? The Forgotten Victims of Georgia's Civil War," *New Humanitarian*, May 27, 2019, https://www.thenewhumanitarian.org/news-feature/2019/05/27/Abkhazia-georgia-civil-war-forgotten-victims.

(18) 「土着の民」の概念は、MITの政治学者マイロン・ウェイナーによるもので、その後デビッド・レイティンが発展させた。 Myron Weiner, *Sons of the Soil: Migration and Ethnic Conflict in India* (Princeton, N.J.: Princeton University Press), 1978; Fearon and Laitin, "Sons of the Soil, Migrants, and Civil War."

(19) David D. Laitin, "Immigrant Communities and Civil War," *International Migration Review* 43 (2009): 35–59.

(20) R. G. Crocombe, *Asia in the Pacific Islands: Replacing the West* (Suva, Fiji: IPS Publications), 2007.

(21) David D. Laitin, "Language Games," *Comparative Politics* 20, no. 3 (April 1988): 289–

302.

(22) Horowitz, *Ethnic Groups in Conflict*, 194.

(23) "The Economic Basis of Assam's Linguistic Politics and AntiImmigrant Movements," *The Wire*, September 27, 2018.

(24) "Ethnic and Religious Conflicts in India," *Cultural Survival Quarterly*, September 1983.

(25) Myron Weiner, "The Political Demography of Assam's Anti-Immigrant Movement," *Population and Development Review* 9 (June 1983): 279–292.

(26) 同上。

(27) 同上。

(28) 同上。

(29) Sandhya Goswami, *Assam Politics in Post-Congress Era: 1985 and Beyond* (New Delhi: SAGE Publications), 2020.

(30) 同上。

(31) Sanjib Baruah, "Immigration, Ethnic Conflict, and Political Turmoil—Assam, 1979–1985," *Asian Survey* 26 (November 1986): 1184–1206.

(32) Baruah, "Immigration, Ethnic Conflict, and Political Turmoil."

(33) Manash Firaq Bhattacharjee, "We Foreigners: What It Means to Be Bengali in India's Assam," Al Jazeera, February 26, 2020.

(34) "Nellie Massacre—How Xenophobia, Politics Caused Assam's Genocide," *Quint*, February 18, 2020; Makiko Kimura, *The Nellie Massacre of 1983: Agency of Rioters* (New Delhi: SAGE Publications), 2013.

(35) Weiner, "Political Demography of Assam's Anti-Immigrant Movement."

(36) James D. Fearon, "Governance and Civil War Onset," World Development Report 2011 Background Paper, August 31, 2010.

(37) Tim Judah, *In Wartime: Stories from Ukraine* (New York: Crown), 2016.

(38) Lars-Erik Cederman, Kristian Skrede Gleditsch, and Halvard Buhaug, *Inequality, Grievances, and Civil War* (Cambridge: Cambridge University Press, 2013); Ted Robert Gurr, "Why Minorities Rebel: A Global Analysis of Communal Mobilization and Conflict Since 1945," *International Political Science Review*, 1993; F. Stewart, "Social Exclusion and Conflict: Analysis and Policy Implications" (report prepared for the UK Department for International Development, London, 2004).

(39) Federico V. Magdalena, "Population Growth and Changing Ecosystems in Mindanao," *Philippine Quarterly of Culture and Society* 25 (1997): 5–30.

(40) Kanta Kumari Rigaud et al., "Groundswell: Preparing for Internal Climate Migration," World Bank, 2018.

(41) Colin P. Kelley et al., "Climate Change in the Fertile Crescent and Implications of the Recent Syrian Drought," *Proceedings of the National Academy of Sciences* 112 (March 17, 2015): 3241–3246.

(42) Carl-Friedrich Schleussner et al., "Armed-Conflict Risks Enhanced by Climate-Related Disasters in Ethnically Fractionalized Countries," *Proceedings of the National Academy of Sciences* 113 (August 16, 2016), 9216–9221.

第4章

(1) James Waller, *A Troubled Sleep: Risk and Resilience in Contemporary Northern Ireland* (New York: Oxford University Press, 2021).

(2) Peter Taylor, *The Provos: The IRA and Sinn Fein* (London: Bloomsbury, 2014), 44.

(3) 同上 50.

(4) Eamonn Mallie and Patrick Bishop, *The Provisional IRA* (London: Corgi, 1987).

(5) Gerry Adams, *Before the Dawn: An Autobiography* (Dublin: Brandon, 1996), 51.

(6) この結論は、定性的事例研究および反政府勢力の政治指導者との対話に基づいたものである。

(7) Richard English, *Armed Struggle: The History of the IRA* (New York: Oxford University Press, 2003), 121.

(8) Sam Dagher, *Assad or We Burn the Country: How One Family's Lust for Power Destroyed Syria* (New York: Little, Brown, 2019), 158.

(9) Wendy Pearlman, *We Crossed a Bridge and It Trembled: Voices from Syria* (New York: Custom House, 2017), 145.(『シリア　震える橋を渡って――人々は語る』ウェンディ・パールマン著、安田菜津紀・佐藤慧訳、岩波書店、2019年)

(10) "Assad Blames Conspirators for Syrian Protests," *The Guardian*, March 30, 2011.

(11) Pearlman, *We Crossed a Bridge*, 100.(『シリア　震える橋を渡って』パールマン)

(12) David W. Lesch, "Anatomy of an Uprising: Bashar al-Assad's Fateful Choices That Launched the Civil War," in *The Arab Spring: The Hope and Reality of the Uprisings*, ed. Mark L. Haas and David W. Lesch (Boulder, Colo.: Westview Press, 2017).

(13) Mary Elizabeth King, *A Quiet Revolution: The First Palestinian Intifada and Nonviolent Resistance* (New York: Nation Books, 2007), 2–4, 205.

(14) Paul Collier et al., "Post-Conflict Risks," *Journal of Peace Research* 45 (July 2008): 461–478; LarsErik Cederman et al., "Elections and Ethnic Civil War," *Comparative*

Political Studies 46 (March 2013): 387–417.

(15) 同上。

(16) ブレンダン・ヒューズへのインタビュー。 "Behind the Mask: The IRA and Sinn Fein," *Frontline*, October 21, 1997.

(17) Thomas S. Szayna et al., "Conflict Trends and Conflict Drivers: An Empirical Assessment of Historical Conflict Patterns and Future Conflict" (Santa Monica, Calif.: RAND Corporation, 2017); Erica Chenoweth, *Civil Resistance: What Everyone Needs to Know* (New York: Oxford University Press, 2021).

(18) Global Protest Tracker, Carnegie Endowment for International Peace, 2020.

(19) Chenoweth, *Civil Resistance*.

(20) "From Chile to Lebanon, Protests Flare Over Wallet Issues," *The New York Times*, October 23, 2019.

(21) Cederman et al., "Elections and Ethnic Civil War."

(22) Adam Przeworski, *Democracy and the Market: Political and Economic Reforms in Eastern Europe and Latin America* (Cambridge: Cambridge University Press), 1991.

(23) Marta Reynal-Querol, "Political Systems, Stability and Civil Wars," *Defence and Peace Economic* 13 (February 2002): 465–483.

(24) Cederman et al., "Elections and Ethnic Civil War."

(25) Maury Klein, *Days of Defiance: Sumter, Secession, and the Coming of the Civil War* (New York: Alfred A. Knopf, 1997).

(26) Fearon, "Governance and Civil War Onset"; Jason Lyall and Isaiah Wilson, "Rage Against the Machines: Explaining Outcomes in Counterinsurgency Wars," *International Organization* 63 (2009): 67–106; Luke N. Condra and Jacob N. Shapiro, "Who Takes the Blame? The Strategic Effects of Collateral Damage," *American Journal of Political Science* 56 (January 2012): 167–187; Mark Irving Lichbach, "Deterrence or Escalation? The Puzzle of Aggregate Studies of Repression and Dissent," *Journal of Conflict Resolution* 31 (June 1987): 266–297.

(27) Pearlman, *We Crossed a Bridge*, 66. (『シリア　震える橋を渡って』パールマン)

(28) "Israel Says That Hamas Uses Civilian Shields, Reviving Debate," *The New York Times*, July 23, 2014.

(29) Carlos Marighella, "Minimanual of the Urban Guerilla," *Survival: Global Politics and Strategy* 13 (1971): 95–100; David B. Carter, "Provocation and the Strategy of Terrorist and Guerrilla Attacks," *International Organization* 70 (January 2016): 133–173.

(30) English, *Armed Struggle*, 122.

(31) Paddy Woodworth, "Why Do They Kill? The Basque Conflict in Spain," *World Policy Journal* 18 (2001): 1–12.

(32) Barbara F. Walter, *Reputation and Civil War: Why Separatist Conflicts Are So Violent* (Cambridge: Cambridge University Press, 2009).

(33) Chenoweth, *Civil Resistance*.

(34) Stefan Lindemann and Andreas Wimmer, "Repression and Refuge: Why Only Some Politically Excluded Ethnic Groups Rebel," *Journal of Peace Research* 55 (May 2018): 305–319; Stathis N. Kalyvas, *The Logic of Violence in Civil War* (New York: Cambridge University Press, 2006).

(35) 著者によるジョナサン・パウエルへのインタビュー、2011年7月。

第5章

(1) Matthew Bowser, "Origins of an Atrocity: Tracing the Roots of Islamophobia in Myanmar," *AHA Today*, June 25, 2018.

(2) 同上。

(3) Afroza Anwary, "Atrocities Against the Rohingya Community of Myanmar," *Indian Journal of Asian Affairs* 31 (2018): 93.

(4) Christina Fink, "Dangerous Speech, Anti-Muslim Violence, and Facebook in Myanmar," *Journal of International Affairs* 71 (2018): 43–52.

(5) Steve Stecklow, "Why Facebook Is Losing the War on Hate Speech in Myanmar," Reuters, August 15, 2018.

(6) Paul Mozur, "A Genocide Incited on Facebook, with Posts from Myanmar's Military," *The New York Times*, October 15, 2018.

(7) Peter Shadbolt, "Rights Group Accuses Myanmar of 'Ethnic Cleansing,'" CNN, April 22, 2013.

(8) "Facebook Bans Rohingya Group's Posts as Minority Faces 'Ethnic Cleansing,'" *The Guardian*, September 20, 2017.

(9) "Myanmar's Killing Fields," *Frontline*, May 8, 2018; "Myanmar Rohingya: What You Need to Know About the Crisis," BBC, January 23, 2020; Mohshin Habib et al., *Forced Migration of Rohingya: An Untold Experience* (Ottawa: Ontario International Development Agency, 2018); "Rohingya Crisis: Villages Destroyed for Government Facilities," BBC, September 10, 2019.

(10) 内戦における一つの戦術として「強姦」の果たす役割を分析した優れた文献が存在

する。次を参照されたい。Dara Kay Cohen, *Rape During Civil War* (Ithaca: Cornell University Press, 2016).

(11) Information Committee post, Facebook, September 5, 2017; "Rohingya Crisis: Aung San Suu Kyi Breaks Silence on Myanmar Violence," NBC News, September 6, 2017.

(12) この議論はV-Demのリベラルな選挙民主主義の指標に基づくものであり、2011年に過去最高、2012年には参加型民主主義指標として最高値を記録している。民主主義の純減が改善分を上回るのみでなく、リベラルな民主主義指数において、継続的な観点からも、上昇した国より低下した国の方が多い。Michael Coppedge et al., "V-Dem Codebook v10," Varieties of Democracy (V-Dem) Project.

(13) "Autocratization Surges—Resistance Grows, Democracy Report 2020," V-Dem Institute, March 2020.

(14) "Individuals Using the Internet (% of Population)," World Bank, 2016.

(15) "Ethiopia Violence: Facebook to Blame, Says Runner Gebrselassie," BBC, November 2, 2019.

(16) "Hate Speech on Facebook Is Pushing Ethiopia Dangerously Close to a Genocide," *Vice*, September 14, 2020.

(17) "Autocratization Turns Viral, Democracy Report 2021," V-Dem Institute, March 2021.

(18) "State of the News Media 2013: Pew Research Center's Project for Excellence in Journalism," *Journalist's Resource*, March 18, 2013; "News Use Across Social Media Platforms 2016," Pew Research Center, May 26, 2016.

(19) "Social Media in 2020: A Year of Misinformation and Disinformation," *The Wall Street Journal*, December 11, 2020.

(20) この議論については、トリスタン・ハリスによるCenter for Humane TechnologyのHPを閲覧されたい。

(21) William J. Brady, et al., "Emotion Shapes the Diffusion of Moralized Content in Social Networks," *Proceedings of the National Academy of Sciences* 114 (July 2017): 7313–7318.

(22) "Critical Posts Get More Likes, Comments, and Shares Than Other Posts," Pew Research Center, February 21, 2017.

(23) "The Making of a YouTube Radical," *The New York Times*, June 8, 2019.

(24) "What's New About Conspiracy Theories?," *The New Yorker*, April 15, 2019; Eli Pariser, *The Filter Bubble: How the New Personalized Web Is Changing What We Read and How We Think* (New York: Penguin, 2012); Eytan Bakshy et al., "Political Science: Exposure to Ideologically Diverse News and Opinion on Facebook," *Science*

348 (June 5, 2015): 1130–1132.

(25) Peter Pomerantsev, *This Is Not Propaganda: Adventures in the War Against Reality* (New York: PublicAffairs, 2019), 125.

(26) Manoel Horta Ribeiro et al., "Auditing Radicalization Pathways on YouTube," Proceedings of the 2020 Conference on Fairness, Accountability, and Transparency (January 2020), 131–141.

(27) "He Incited Massacre, But Insulting Aung San Suu Kyi Was the Last Straw," *The New York Times*, May 29, 2019.

(28) "Facebook Admits It Was Used to Incite Violence in Myanmar," *The New York Times*, November 6, 2018.

(29) Jen Kirby, "Mark Zuckerberg on Facebook Role in Ethnic Cleansing in Myanmar: 'It's a Real Issue,'" *Vox*, April 2, 2018; Matthew Smith, "Facebook Wanted to Be a Force for Good in Myanmar. Now It Is Rejecting a Request to Help with a Genocide Investigation," *Time*, August 18, 2020; Anthony Kuhn, "Activists in Myanmar Say Facebook Needs to Do More to Quell Hate Speech, NPR, June 14, 2018.

(30) Stecklow, "Why Facebook Is Losing the War on Hate Speech in Myanmar."

(31) 同上。"Myanmar's Coup and Violence, Explained," *The New York Times*, April 24, 2021.

(32) "Facebook Takes a Side, Barring Myanmar Military After Coup," *The New York Times*, March 3, 2021.

(33) "Myanmar President Htin Kyaw Resigns," BBC, March 21, 2018.

(34) "Why a Protest Leader in Myanmar Is Reluctantly Giving Up Nonviolence and Preparing for Combat," *Mother Jones*, March 31, 2021.

(35) "What Happens When the Government Uses Facebook as a Weapon?," *Bloomberg Businessweek*, December 7, 2017.

(36) 同上。

(37) "Official Count: Duterte Is New President, Robredo Is Vice President," CNN, May 17, 2016.

(38) "'I Held Back Tears': Young Filipinos Vote in Divisive Midterm Election," *Vice*, May 13, 2019.

(39) Sean Williams, "Rodrigo Duterte's Army of Online Trolls," *The New Republic*, January 4, 2017.

(40) Sanja Kelly et al., "Freedom on the Net 2017: Manipulating Social Media to Undermine Democracy," Freedom House, 2017.

(41) 同上。

(42) Fadi Quran, "The Bully's Pulpit," podcast, Center for Humane Technology, June 22, 2020, https://www.humanetech.com/podcast/20-the-bullys-pulpit.

(43) "Jair Bolsonaro, Brazil's President, Is a Master of Social Media," *Economist*, March 14, 2019.

(44) "Ministra Das Mulheres Confessa Que É Gay," YouTube, February 28, 2013.

(45) "In Brazil, a President Under Fire Lashes Out at Investigators," *The New York Times*, May 29, 2020.

(46) Ricardo F. Mendonça and Renato Duarte Caetano, "Populism as Parody: The Visual Self-Presentation of Jair Bolsonaro on Instagram," *International Journal of Press/Politics* 26 (January 2021): 210–235.

(47) 2020年9月、Facebookは、これらのアカウントのうち155が、中国を拠点とする購入アカウントのネットワークの一部と判明し、停止した。加えて、警察や政府関係者が作った偽アカウントも取り下げられた。中国を支持するフィリピン大統領は、自国での人気を高めるために中国のインターネット詐欺を利用した。アカウント削除に激怒したドゥテルテは、Facebookを厳しく批判したものの、支持基盤として同社に依存し続けている。関連記事 "Facebook Removes Chinese Accounts Active in Philippines and U.S. Politics," Reuters, September 22, 2020.

(48) Williams, "Rodrigo Duterte's Army of Online Trolls."

(49) "The Global Machine Behind the Rise of Far-Right Nationalism," *The New York Times*, August 10, 2019.

(50) Amy Watson, "Sweden: Usage of Digital News Sources, 2020," *Statista*, April 28, 2021.

(51) "Swedish Far-Right Wins First Seats in Parliament," BBC, September 20, 2010.

(52) Danielle Lee Tomson, "The Rise of Sweden Democrats: Islam, Populism and the End of Swedish Exceptionalism," Brookings Institution, March 26, 2020.

(53) Angry Foreigner, YouTube channel, https://www.youtube.com/channel/UC8kf0zcrJkz7muZg2C_J-XQ, accessed April 26, 2021.

(54) Lennart Matikainen, YouTube channel, https://www.youtube.com/channel/UCMkVJrQM6 YRUymwGamEJNNA, accessed April 26, 2021.

(55) "PM Modi Crosses 60 Million Followers on Twitter," *Times of India*, July 19, 2020.

(56) "Indian News Channel Fined in UK for Hate Speech About Pakistan," *The Guardian*, December 23, 2020.

(57) "The Billionaire Yogi Behind Modi's Rise," *The New York Times*, July 26, 2018.

(58) "How YouTube Radicalized Brazil," *The New York Times,* August 11, 2019.

(59) "How Far-Right Extremists Rebrand to Evade Facebook's Ban," *National Observer,* May 10, 2019.

(60) "Marine Le Pen's Internet Army," *Politico,* February 3, 2017.

(61) "Marine Le Pen Defeated But France's Far Right Is Far from Finished," *The Guardian,* May 7, 2017; "Marine Le Pen's Financial Scandal Continues," *The Atlantic,* June 30, 2017; "Far-Right Wins French Vote in EU Election, But Macron Limits Damage," Reuters, May 26, 2019.

(62) "Why the Right Wing Has a Massive Advantage on Facebook," *Politico,* September 26, 2020.

(63) "Undercover with a Border Militia," *Mother Jones,* November/December 2016.

(64) Vera Mironova, *From Freedom Fighters to Jihadists: Human Resources of Non-State Armed Groups* (New York: Oxford University Press, 2019).

(65) "Facebook Groups Act as Weapons Bazaars for Militias," *The New York Times,* April 6, 2016.

(66) "The Strategy of Violent White Supremacy Is Evolving," *The Atlantic,* August 7, 2019.

(67) "The Year in Hate and Extremism 2020: Hate Groups Became More Difficult to Track Amid COVID and Migration to Online Networks," Southern Poverty Law Center, February 1, 2021.

(68) "Inside the Surreal World of the Islamic State's Propaganda Machine," *The Washington Post,* November 20, 2015.

(69) Mironova, *From Freedom Fighters to Jihadists,* 8.

(70) "To Russia with Likes (Part 2)," *Your Undivided Attention* podcast, episode 6, August 1, 2019.

第6章

(1) "How a Presidential Rally Turned into a Capitol Rampage," *The New York Times,* January 12, 2021; "Trump's Full Speech at D.C. Rally on January 6," *The Wall Street Journal,* February 7, 2021.

(2) "77 Days: Trump's Campaign to Subvert the Election," *The New York Times,* January 31, 2021.

(3) "'Be There. Will Be Wild!': Trump All But Circled the Date," *The New York Times,* January 6, 2021.

(4) "President Trump Remarks at Georgia U.S. Senate Campaign Event," C-SPAN, January 4, 2021.

(5) "Former President Donald Trump's January 6 Speech," CNN, February 8, 2021.

(6) Katherine Stewart, "The Roots of Josh Hawley's Rage," *The New York Times*, January 11, 2021.

(7) "Arrested Capitol Rioters Had Guns and Bombs, Everyday Careers and Olympic Medals," Reuters, January 14, 2021.

(8) "Trump Urges Crowd to 'Knock the Crap Out of' Anyone with Tomatoes," *Politico*, February 1, 2016.

(9) "Trump on Protester: 'I'd Like to Punch Him in the Face,'" *Politico*, February 23, 2016.

(10) "Trump Says Maybe '2nd Amendment People' Can Stop Clinton's Supreme Court Picks," ABC News, August 9, 2016.

(11) "Man Charged After White Nationalist Rally in Charlottesville Ends in Deadly Violence," *The New York Times*, August 12, 2017.

(12) "Trump Tweets 'Liberate' Michigan, Two Other States with Dem Governors," *The Detroit News*, April 17, 2020; "Trump Tweets Support for Michigan Protesters, Some of Whom Were Armed, as 2020 Stress Mounts," CNN, May 1, 2020.

(13) "Former President Donald Trump's January 6 Speech," CNN, February 8, 2021.

(14) "Inside the Remarkable Rift Between Donald Trump and Mike Pence," *The Washington Post*, January 11, 2021.

(15) Courtney Subramanian, "A Minute-by-Minute Timeline of Trump's Day as the Capitol Siege Unfolded on Jan. 6," *USA Today*, February 11, 2021.

(16) 同上。

(17) "Deleted Tweets from Donald J. Trump, R-Fla.," ProPublica, January 8, 2021.

(18) "Polity5 Annual Time-Series, 1946–2018," Center for Systemic Peace.

(19) 体制規模についてはV-Demと異なっており、民主主義のスコアには参政権が考慮に入れられていない。

(20) Arthur M. Schlesinger, Jr., *The Imperial Presidency* (New York: Houghton Mifflin, 1973); "America Is Living James Madison's Nightmare," *The Atlantic*, October 2018.

(21) "Clash Between Trump and House Democrats Poses Threat to Constitutional Order," *The New York Times*, May 7, 2019.

(22) "Trump Accelerates the Unrest," *Axios*, April 17, 2020.

(23) "Forceful Removal of Protesters From Outside White House Spurs Debate," *The Wall*

Street Journal, June 2, 2020.

(24) "Trump's Full June 1 Address at the Rose Garden," *The Washington Post*, June 1, 2020.

(25) "Polity5 Annual TimeSeries, 1946–2018," Center for Systemic Peace; "Mapped: The World's Oldest Democracies," World Economic Forum, August 8, 2019.

(26) "Elections Results Under Attack: Here Are the Facts," *The Washington Post*, March 11, 2021; "Fact Check: Courts Have Dismissed Multiple Lawsuits of Alleged Electoral Fraud Presented by Trump Campaign," *Reuters*, February 15, 2021; "By the Numbers: President Donald Trump's Failed Efforts to Overturn the Election," *USA Today*, January 6, 2021.

(27) "Arizona Governor Becomes Latest Trump Target After Certifying Biden's Win," NBC News, December 2, 2020; "Trump Pressured Georgia Secretary of State to 'Find' Votes," *The Wall Street Journal*, January 4, 2021.

(28) "Trump Fires Mark Esper, Defense Secretary Who Opposed Use of Troops on U.S. Streets," *The New York Times*, November 9, 2020.

(29) "Opinion: All 10 Living Former Defense Secretaries: Involving the Military in Election Disputes Would Cross into Dangerous Territory," *The Washington Post*, January 3, 2021.

(30) "Conspiracy Charges Filed Over Capitol Riot," *The Wall Street Journal*, January 19, 2021.

(31) Goldstone et al., "A Global Model for Forecasting Political Instability."

(32) 著者によるモンティ・マーシャルへのインタビュー、2020年9月22日。

(33) Anna Lührmann and Matthew Wilson, "One-Third of the World's Population Lives in a Declining Democracy. That Includes the United States," *The Washington Post*, July 4, 2018.

(34) Fearon, "Governance and Civil War Onset"; Barbara F. Walter, "Why Bad Governance Leads to Repeat Civil War," *Journal of Conflict Resolution* 59 (October 2015): 1242–1272.

(35) "The Federalist Number 10," November 22, 1787, Founders Online, National Archives.

(36) 人種は宗教に、とりわけ特定の右翼的宗教と結託していることが多い。福音主義キリスト教徒は、共和党の最強の支持基盤である。2020年、白人の福音派は10人に8人がトランプに投票した。他方、無神論者、不可知論者、ユダヤ人、イスラム教徒は圧倒的に民主党支持である。バイデンは無神論者・不可知論者の72%、ユダヤ人

有権者の68%、イスラム教徒の64%から支持を得ている。Elana Schor and David Crary, "AP VoteCast: Trump Wins White Evangelicals, Catholics Split," Associated Press, November 6, 2020.

(37) Zoltan L. Hajnal, *Dangerously Divided: How Race and Class Shape Winning and Losing in American Politics* (Cambridge: Cambridge University Press, 2020).

(38) 同上。

(39) "South Reverses Voting Patterns; Goldwater Makes Inroads, But More Electoral Votes Go to the President," *The New York Times*, November 4, 1964.

(40) "What Republicans Must Do to Regain the Negro Vote," *Ebony*, April 1962.

(41) "In Changing U.S. Electorate, Race and Education Remain Stark Dividing Lines," Pew Research Center, June 2, 2020.

(42) "Alex Jones," Southern Poverty Law Center, https://www.splcenter.org/fighting-hate/extremist-files/individual/alex-jones, accessed April 27, 2021.

(43) "Trump Retweets Video of Apparent Supporter Saying 'White Power,'" NPR, June 28, 2020.

(44) Gordana Uzelak, "Franjo Tudjman's Nationalist Ideology," *East European Quarterly* 31 (1997): 449–472.

(45) "Religion and Right-Wing Politics: How Evangelicals Reshaped Elections," *The New York Times*, October 28, 2018; "Ronald Reagan's Long-Hidden Racist Conversation with Richard Nixon," *The Atlantic*, July 30, 2019.

(46) Tim Carman, "New Limits on Food and Water at Georgia's Polls Could Hinder Black and Low-Income Voters, Advocates Say," *The Washington Post*, April 9, 2021.

(47) 著者とモンティ・マーシャルとの往復書簡、2020年12月14日。2016年のポリティ・チェンジ・ファイルも参照。

(48) "Why Reconstruction Matters," *The New York Times*, March 28, 2015.

(49) "'The Civil War Lies on Us Like a Sleeping Dragon': America's Deadly Divide—and Why It Has Returned," *The Guardian*, August 20, 2017.

(50) Pippa Norris, "Measuring Populism Worldwide," *Party Politics* 26 (November 2020): 697–717.

(51) "Trump Wins CPAC Straw Poll, but Only 68 Percent Want Him to Run Again," *New York Times*, February 28, 2021; "Trump Wins CPAC Straw Poll on the 2024 Presidential Primary, with 55 Percent Support," *Vox*, March 1, 2021.

(52) "Cruz Says Supreme Court 'Better Forum' for Election Disputes Amid Electoral College Objection Push," Fox News, January 3, 2021.

(53) "The 147 Republicans Who Voted to Overturn Election Results," *The New York Times*, January 7, 2021.

(54) 白人が地位を失った結果、反動が高まった事実への有効な解説に以下のものがある。Matt A. Barreto and Christopher S. Parker, *Change They Can't Believe In: The Tea Party and Reactionary Politics in Contemporary America* (Princeton, N.J.: Princeton University Press, 2013).

(55) "Census: Minority Babies Are Now Majority in United States," *The Washington Post*, May 17, 2012.

(56) "Census: Minority Babies Are Now Majority in United States," *The Washington Post*, May 17, 2012.

(57) "All About the Hamiltons," *The New Yorker*, February 2, 2015.

(58) William Emmons et al., "Why Is the White Working Class in Decline?," On the Economy blog, Federal Reserve Bank of St. Louis, May 20, 2019.

(59) "Full Text: 2017 Donald Trump Inauguration Speech Transcript," *Politico*, January 20, 2017.

(60) "Down the Breitbart Hole," *The New York Times*, August 16, 2017; "Who Is Mike Cernovich? A Guide," *The New York Times*, April 5, 2017.

(61) Andrew Guess et al., "Less Than You Think: Prevalence and Predictors of Fake News Dissemination on Facebook," *Science Advances* 5 (January 9, 2019).

(62) Samantha Bradshaw and Philip N. Howard, "The Global Disinformation Order: 2019 Global Inventory of Organised Social Media Manipulation" (working paper, Project on Computational Propaganda, 2019).

(63) "Stranger Than Fiction," Your Undivided Attention podcast, episode 14, March 30, 2020.

(64) Diana C. Mutz, "Status Threat, Not Economic Hardship, Explains the 2016 Presidential Vote, *Proceedings of the National Academy of Sciences* 115 (May 2018): E4330–4339.

(65) Justin Gest, *The New Minority: White Working Class Politics in an Age of Immigration and Inequality* (Oxford: Oxford University Press, 2016).（『新たなマイノリティの誕生――声を奪われた白人労働者たち』ジャスティン・ゲスト著、吉田徹・西山隆行・石神圭子・河村真実訳、弘文堂、2019年）

(66) Rachel Wetts and Robb Willer, "Privilege on the Precipice: Perceived Racial Status Threats Lead White Americans to Oppose Welfare Programs," *Social Forces* 97 (December 2018): 793–822.

(67) "Racial Prejudice, Not Populism or Authoritarianism, Predicts Support for Trump Over Clinton," *The Washington Post,* May 26, 2016.

(68) "Trump Is the First Modern Republican to Win the Nomination Based on Racial Prejudice," *The Washington Post,* August 1, 2016.

(69) Ilyana Kuziemko and Ebonya Washington, "Why Did the Democrats Lose the South? Bringing New Data to an Old Debate," *American Economic Review* 108 (2018): 2830–2867; Rory McVeigh et al., "Political Polarization as a Social Movement Outcome: 1960s Klan Activism and Its Enduring Impact on Political Realignment in Southern Counties, 1960 to 2000," *American Sociological Review* 79 (December 2014): 1144–1171.

(70) Donald R. Kinder and Lynn M. Sanders, *Divided by Color: Racial Politics and Democratic Ideals* (Chicago: University of Chicago Press, 1996).

(71) Zoltan Hajnal, Vince Hutchings, and Taeku Lee, *Racial and Ethnic Politics in the United States* (Cambridge: Cambridge University Press, forthcoming). Source of underlying data is the "Times Series Study," American National Election Study, 2016.

(72) Francis Fukuyama, *Identity: The Demand for Dignity and the Politics of Resentment* (New York: Farrar, Straus and Giroux, 2018); Petersen, *Understanding Ethnic Violence,* 2002.

(73) "About Half of Republicans Don't Think Joe Biden Should Be Sworn in as President," *Vox,* January 11, 2021.

(74) "Most Voters Say the Events at the U.S. Capitol Are a Threat to Democracy," YouGov, January 6, 2021.

(75) "53% of Republicans View Trump as True U.S. President," Reuters, May 24, 2021.

(76) "Feelings of Political Violence Rise," Statista, January 7, 2021; "Americans Increasingly Believe Violence Is Justified if the Other Side Wins," *Politico,* October 1, 2020.

(77) Nathan P. Kalmoe and Lilliana Mason, "Lethal Mass Partisanship: Prevalence, Correlates, and Electoral Contingencies" (paper presented at the American Political Science Association Conference, 2018).

(78) "Guide to the Analysis of Insurgency," Central Intelligence Agency, 2012.

(79) "Active 'Patriot' Groups in the United States in 2011," Southern Poverty Law Center, March 8, 2012; "The Second Wave: Return of the Militias," Southern Poverty Law Center, August 1, 2009.

(80) Seth G. Jones, Catrina Doxsee, Grace Hwang, and Jared Thompson, "The Military,

Police, and the Rise of Terrorism in the United States," *CSIS: CSIS Briefs*, April 2021.
(81) "Profiles of Individual Radicalization in the United States (PIRUS)" (research brief, National Consortium for the Study of Terrorism and the Responses to Terrorism, May 2020).
(82) "Oath Keepers," Southern Poverty Law Center, https://www.splcenter.org/fighting-hate/extremist-files/group/oath-keepers, accessed April 28, 2021.
(83) "One-on-One with JJ MacNab," Intelligence Unclassified podcast, episode 22, State of New Jersey Office of Homeland Security and Preparedness, June 6, 2016.
(84) CIA, "Guide to the Analysis of Insurgency."
(85) "The War Comes Home: The Evolution of Domestic Terrorism in the United States," Center for Strategic and International Studies (CSIS), October 22, 2020; "The Rise of Far-Right Extremism in the United States," CSIS, November 7, 2018.
(86) CIA, "Guide to the Analysis of Insurgency."
(87) "The Capitol Siege: The Arrested and Their Stories," NPR, April 23, 2021.
(88) Tim Alberta (@TimAlberta), Twitter, January 10, 2021.

第7章

(1) どのようにアメリカでの内戦が始まるかについては、専門家の間でも意見が分かれる。起こらないという見解もあれば、もっと早く起こるとの見解もある。冒頭の記述は、紛争の初期段階がどのようなものかを小説タッチで描写してみたものである。むろん科学的予測ではなく、何百万通りものシナリオが考えられる。
(2) Clayton R. Newell, *The Regular Army Before the Civil War, 1845–1860* (Washington, D.C.: Center of Military History, United States Army, 2014).
(3) Robert A. Pape, *Dying to Win: The Strategic Logic of Suicide Terrorism,* (New York: Random House, 2005).
(4) "*The Turner Diaries,* Other Racist Novels, Inspire Extremist Violence," Southern Poverty Law Center, October 14, 2004.
(5) Aja Romano, "How a Dystopian Neo-Nazi Novel Helped Fuel Decades of White Supremacist Terrorism," *Vox,* January 28. 2021.
(6) "How 'The Turner Diaries' Incites White Supremacists," *The New York Times,* January 12, 2021; "'The Turner Diaries' Didn't Just Inspire the Capitol Attack. It Warns Us What Might Be Next," *Los Angeles Times,* January 8, 2021.
(7) "Influential Neo-Nazi Eats at Soup Kitchens, Lives in Government Housing," NBC News, November 26, 2019; "Atomwaffen and the SIEGE Parallax: How One Neo-

Nazi's Life's Work Is Fueling a Younger Generation," Southern Poverty Law Center, February 22, 2018.

(8) "Inside Atomwaffen as It Celebrates a Member for Allegedly Killing a Gay Jewish College Student," ProPublica, February 23, 2018.

(9) "Accelerationism: The Obscure Idea Inspiring White Supremacist Killers Around the World," *Vox*, November 18, 2019.

(10) "The Hate Store: Amazon's Self-Publishing Arm Is a Haven for White Supremacists," ProPublica, April 7, 2020.

(11) "As Global Democracy Retreats, Ethnic Cleansing Is on the Rise," Freedom House, February 25, 2019.

(12) "Stratton Town Report Cover Draws Attention for All the Wrong Reasons," VTDigger, February 24, 2021; Ellen Barry (@EllenBarryNYT), "Holy Moly, Stratton, Vermont's annual report," Twitter, February 23, 2021.

(13) Gregory Stanton, "The Ten Steps of Genocide," Genocide Watch, 1996.

(14) "Dems Spark Alarm with Call for National ID Card," *The Hill*, April 30, 2010.

(15) "The Ten Steps of Genocide," Genocide Watch.

(16) Marianne Bertrand and Sendhil Mullainathan, "Are Emily and Greg More Employable than Lakisha and Jamal?" *American Economic Review* 94 (2004): 991–1013.

(17) Daniel M. Butler and David E. Broockman, "Do Politicians Racially Discriminate Against Constituents? A Field Experiment on State Legislators," *American Journal of Political Science* 55 (2011): 463–477.

(18) "A Troubling Tale of a Black Man Trying to Refinance His Mortgage," CNBC, August 19, 2020; Peter Christensen and Christopher Timmins, "Sorting or Steering: Experimental Evidence on the Economic Effects of Housing Discrimination" (NBER working paper, 2020).

(19) "Trump Used Words Like 'Invasion' and 'Killer' to Discuss Immigrants at Rallies 500 Times," *USA Today*, August 8, 2019; "Trump Calls Omarosa Manigault Newman 'That Dog' in His Latest Insult," *The New York Times*, August 14, 2019.

(20) "Trump Ramps Up Rhetoric on Undocumented Immigrants: 'These Aren't People. These Are Animals,'" *USA Today*, May 16, 2018.

(21) "What Are the 10 Stages of Genocide?," Al Jazeera, July 10, 2020.

(22) "A Pro-Trump Militant Group Has Recruited Thousands of Police, Soldiers, and Veterans," *The Atlantic*, November 2020.

(23) "A Guide to Rep. Marjorie Taylor Greene's Conspiracy Theories and Toxic Rhetoric,"

Media Matters, February 2, 2021.
(24) "South Carolina GOP Censures SC-07 Representative Tom Rice After 'Disappointing' Vote to Impeach Trump," Fox News, January 30, 2021; "Wyoming GOP Censures Liz Cheney for Voting to Impeach Trump," NPR, February 6, 2021; "GOP Rep. Meijer Receiving Threats After 'Vote of Conscience' to Impeach Trump," *The Detroit News*, January 14, 2021.
(25) "The Boogaloo Bois Prepare for Civil War," *The Atlantic*, January 15, 2021; "Atomwaffen Division," Anti-Defamation League, 2021.
(26) "One-on-One with JJ MacNab," Intelligence Unclassified podcast.
(27) "Documenting Hate: New American Nazis," *Frontline*, November 20, 2018.
(28) "What Is Atomwaffen? A Neo-Nazi Group, Linked to Multiple Murders," *The New York Times*, February 12, 2018; "An Atomwaffen Member Sketched a Map to Take the Neo-Nazis Down. What Path Officials Took Is a Mystery," ProPublica, November 20, 2018.
(29) "Neo-Nazi Terror Group Atomwaffen Division Re-Emerges Under New Name," *Vice*, August 5, 2020.
(30) "He's a Proud Neo-Nazi, Charlottesville Attacker—and a U.S. Marine," ProPublica, May 11, 2018.
(31) "Documenting Hate: New American Nazis," *Frontline*.
(32) Max Taylor, Donald Holbrook, and P. M. Currie, *Extreme Right—Wing Political Violence and Terrorism* (London: Bloomsbury, 2013).
(33) J. M. Berger, "The Strategy of Violent White Supremacy Is Evolving," *The Atlantic*, August 7, 2019.
(34) 同上。
(35) "Facebook's Boogaloo Problem: A Record of Failure," Tech Transparency Project, August 12, 2020; "The Boogaloo: Extremists' New Slang Term for a Coming Civil War," Anti-Defamation League, November 26, 2019; "The Boogaloo Tipping Point," *The Atlantic*, July 4, 2020; "Who Are the Boogaloo Bois? A Man Who Shot Up a Minneapolis Police Precinct Was Associated with the Extremist Movement, According to Unsealed Documents," *Insider*, October 26, 2020.
(36) "Why the Extremist 'Boogaloo Boys' Wear Hawaiian Shirts," *The Wall Street Journal*, June 8, 2020.
(37) "Boogaloo: Extremists' New Slang Term for a Coming Civil War," ADL.
(38) "Boss: Kidnapping Plot Suspect Was 'On Edge' Recently," WOOD-TV, October 8,

2020.

(39) "FBI Charges Six Who It Says Plotted to Kidnap Michigan Gov. Gretchen Whitmer, as Seven More Who Wanted to Ignite Civil War Face State Charges," *The Washington Post*, October 8, 2020.

(40) "Boogaloo: Extremists' New Slang Term for a Coming Civil War," ADL.

(41) "Extremists Are Using Facebook to Organize for Civil War Amid Coronavirus," Tech Transparency Project, April 22, 2020.

(42) 同上。

(43) 同上。

(44) "3 Men Tied to 'Boogaloo' Movement Plotted to Terrorize Las Vegas Protests, Officials Say," ABC7, June 4, 2020.

(45) "Facebook Bans Large Segment of Boogaloo Movement," *The Wall Street Journal*, June 20, 2020.

(46) David Zucchino, *Wilmington's Lie: The Murderous Coup of 1898 and the Rise of White Supremacy* (New York: Grove Atlantic, 2020).

(47) "What's Inside the Hate-Filled Manifesto Linked to the Alleged El Paso Shooter," *The Washington Post*, August 4, 2019.

(48) "The Private Militias Providing 'Security' for Anti-Lockdown Protests, Explained," *Vox*, May 11, 2020.

(49) "Where Protesters Go, Armed Militias, Vigilantes Likely to Follow with Little to Stop Them," NBC News, September 1, 2020.

(50) Barbara F. Walter, "The Extremist's Advantage in Civil Wars," *International Security* 42 (2017): 7–39.

(51) Barbara F. Walter and Gregoire Philipps, "Who Uses Internet Propaganda in Civil War?" (forthcoming).

(52) Andrew H. Kydd and Barbara F. Walter, "The Strategies of Terrorism," *International Security* 31 (2006): 49–80.

(53) Sergiy Kudelia, *Dismantling the State from Below: Intervention, Collaborationism, and Resistance in the Armed Conflict in Donbas* (forthcoming).

(54) Tim Hume, "FarRight Extremists Have Been Using Ukraine's War as a Training Ground. They're Returning Home," *Vice*, July 31, 2019.

(55) According to David Kilcullen, "The strongest indicator that shit is about to get extremely bad is not hate. There's always hate. It's fear"; Matthew Gault, "Is the U.S. Already in a New Civil War," *Vice*, October 27, 2020.

(56) G. M. Gilbert, *Nuremberg Diary* (New York: Farrar, Straus, 1947), 278.

(57) Human Rights Watch, "The Rwandan Genocide: How It Was Prepared" (briefing paper, April 2006).

(58) "Americans Have Bought Record 17m Guns in Year of Unrest, Analysis Finds," *The Guardian*, October 30, 2020.

(59) 同上。

(60) "The War Comes Home: The Evolution of Domestic Terrorism in the United States," CSIS, October 22, 2020; "In America, Far Right Terrorist Plots Have Outnumbered Far-Left Ones in 2020," *The Economist*, October 27, 2020.

(61) Wikipedia, s.v. "Socialist Rifle Association." Note that the quote came from the group's original website, which is now no longer operational. See also https://www.facebook.com/SocialistRifle/about/.

(62) "'If You Attack Us, We Will Kill You': The Not Fucking Around Coalition Wants to Protect Black Americans," *Vice*, October 28, 2020.

(63) "What Is Redneck Revolt? These Left-wing Activists Protect Minorities with Guns," *Newsweek*, December 27, 2017.

(64) Benjamin A. Valentino, *Final Solutions: Mass Killing and Genocide in the 20th Century* (Ithaca, N.Y.: Cornell University Press, 2013).

(65) C. Berrebi and E. Klor, "Are Voters Sensitive to Terrorism? Direct Evidence from the Israeli Electorate," *American Political Science Review* 102, no. 3 (2008): 279–301; Anna Getmansky and Thomas Zeitzoff, "Terrorism and Voting: The Effect of Rocket Threat on Voting in Israeli Elections," *American Political Science Review* 108, no. 3 (2014): 588–604.

(66) Eitan D. Hersch, "Long-Term Effect of September 11 on the Political Behavior of Victims' Families and Neighbors," *Proceedings of the National Academy of Sciences* 52 (December 24, 2013): 209 59–63.

(67) Roberto Stefan Foa and Yascha Mounk, "The Democratic Disconnect," *Journal of Democracy* 27 (2016): 5–17.

(68) Matthew H. Graham and Milan W. Svolik, "Democracy in America? Partisanship, Polarization, and the Robustness of Support for Democracy in the United States," *American Political Science Review* 114 (2020): 392–409.

(69) "Public Trust in Government: 1958–2019," Pew Research Center, April 11, 2019.

(70) "Little Public Support for Reductions in Federal Spending," Pew Research Center, April 11, 2019.

(71) "Follow the Leader: Exploring American Support for Democracy and Authoritarianism," Democracy Fund Voter Study Group, March 2018.

第 8 章

(1) Barbara F. Walter, "In Memoriam: Nelson Mandela," *Political Violence @ A Glance,* December 6, 2013.

(2) 年間3.4%のリスクは些細なものに見えるが、そうではない。その点に注意されたい。なぜなら、内戦のリスクは時間とともに増大し、年間3%のリスクは、同条件であれば、50年間で150%のリスクとなる。喫煙によるがんのリスクが好例である。喫煙者は、初期には肺がんになるリスクは低いが、生涯にわたって喫煙を続けると、リスクは著しく増大する。出典："Polity5 Annual TimeSeries, 1946–2018," Center for Systemic Peace. モンティ・マーシャルによる明快なご教示に謝意を表したい。

(3) Barbara F. Walter, "Does Conflict Beget Conflict? Explaining Recurring Civil War," *Journal of Peace Research* 41 (May 2004): 371–388; Walter, "Why Bad Governance Leads to Repeat Civil War."

(4) Paul Collier et al., *Breaking the Conflict Trap: Civil War and Development Policy* (Washington, D.C.: World Bank and Oxford University Press, 2003).

(5) Barbara F. Walter, "Conflict Relapse and the Sustainability of Post-Conflict Peace," World Bank, 2011; Walter, "Why Bad Governance Leads to Repeat Civil War."

(6) Fearon, "Governance and Civil War Onset."

(7) Walter, "Conflict Relapse and the Sustainability of Post-Conflict Peace"; Walter, "Why Bad Governance Leads to Repeat Civil War."

(8) Fearon, "Governance and Civil War Onset."

(9) Sean Illing, "A Political Scientist Explains Why the GOP Is a Threat to American Democracy," *Vox,* October 20, 2020.

(10) Elliott Davis, "U.S. Election Integrity Compares Poorly to Other Democracies," *U.S. News & World Report,* October 7, 2020.

(11) Illing, "Political Scientist Explains Why the GOP Is a Threat."

(12) Davis, "U.S. Election Integrity Compares Poorly to Other Democracies."

(13) Nathaniel Rakich, "What Happened When 2.2 Million People Were Automatically Registered to Vote," *FiveThirtyEight,* October 10, 2019.

(14) "Trudeau Breaks Promise on Reforming Canada's Voting System," BBC, February 1, 2017; "Canada," Freedom House, 2020.

(15) "Canada," Freedom House.

(16) Eric Liu, *You're More Powerful Than You Think: A Citizen's Guide to Making Change Happen* (New York: PublicAffairs, 2017), 8.

(17) "Americans' Knowledge of the Branches of Government Is Declining," Annenberg Public Policy Center, September 13, 2016.

(18) "America Needs History and Civics Education to Promote Unity," *The Wall Street Journal,* March 1, 2021.

(19) アメリカで内戦が起こると、STEMの進歩は止まってしまう。内戦経験国は、1人当たりGDPが劇的に減少し、制度が弱体化し、医療や教育などの公共サービスが崩壊してしまう。Collier, P. (1999), "On the Economic Consequences of Civil War," *Oxford Economic Papers,* 51 (1), 168–183. Retrieved August 19, 2021, from http://www . jstor.org/stable/3488597; Hannes Mueller, Julia Tobias, (2016), "The Cost of Violence: Estimating the Economic Impact of Conflict," International Growth Center.

(20) 著者によるエリック・リウへのインタビュー、2021年4月。

(21) Anton Melnyk is a pseudonym.

(22) Cass R. Sunstein, "It Can Happen Here," *The New York Review,* June 28, 2018.

(23) "Labeling Groups Like the Proud Boys 'Domestic Terrorists' Won't Fix Anything," *Vox,* February 19, 2021; "An Old Debate Renewed: Does the U.S. Now Need a Domestic Terrorism Law?," NPR, March 16, 2021.

(24) Lewis, *How Insurgency Begins.*

(25) Janet Reitman, "U.S. Law Enforcement Failed to See the Threat of White Nationalism. Now They Don't Know How to Stop It," *The New York Times,* November 3, 2018.

(26) 同上。

(27) "White Supremacist Infiltration of Law Enforcement," FBI Intelligence Assessment, October 17, 2016.

(28) "The FBI Has Quietly Investigated White Supremacist Infiltration of Law Enforcement," *The Intercept,* January 31, 2017.

(29) Lewis, *How Insurgency Begins.*

(30) "Rightwing Extremism: Current Economic and Political Climate Fueling Resurgence in Radicalization and Recruitment," Department of Homeland Security, April 7, 2009.

(31) "Domestic Terrorism Threat Is 'Metastasizing' in U.S., F.B.I. Director Says," *The New York Times,* March 2, 2021.

(32) "The Oklahoma City Bombing: 25 Years Later," Federal Bureau of Investigation, April 15, 2020.

(33) "The Department of Justice's Terrorism Task Forces June 2005," U.S. Department of

Justice, June 2005.

(34) FBI, "Oklahoma City Bombing: 25 Years Later."

(35) "Merrick Garland Faces Resurgent Peril After Years Fighting Extremism," *The New York Times*, February 20, 2021.

(36) David Kilcullen, *The Accidental Guerrilla: Fighting Small Wars in the Midst of a Big One* (New York: Oxford University Press, 2011), 265.

(37) Evan Osnos, "Doomsday Prep for the Super-Rich," *The New Yorker*, November 30, 2017.

(38) "Six More Defendants Settle Lawsuit Brought After 'Unite the Right' Rally," Georgetown Law, May 16, 2018.

(39) David Cook, "The Time Has Come for the Story of the Five Women Who Defeated the Klan," *Chattanooga Times Free Press*, February 22, 2020; "Attorney, Victim Share Story of 1980 KKK Shooting on MLK Boulevard," WRCB-TV, February 20, 2020.

(40) "Donald vs. United Klans of America," Southern Poverty Law Center; "Inside the Case That Bankrupted the Klan," CNN, April 11, 2021.

(41) Carrie O'Neil and Ryan Sheely, "Governance as a Root Cause of Protracted Conflict and Sustainable Peace: Moving from Rhetoric to a New Way of Working," Stockholm International Peace Research Institute, June 20, 2019.

(42) Matthew Yglesias (@mattyglesias), "It's kinda weird that deplatforming Trump just like completely worked with no visible downside whatsoever," Twitter, January 21, 2021.

(43) Gregory S. Gordon, "Atrocity Speech Law: Foundation, Fragmentation, Fruition, Oxford Scholarship Online, May 017, https://oxford.universitypressscholarship.com/view/10.1093/acprof:oso/9780190612689.001.0001/acprof-9780190612689-chapter-1.

(44) "More Than 1 in 3 Americans Believe a 'Deep State' Is Working to Undermine Trump," NPR/Ipsos, December 30, 2020.

(45) "Unwelcome on Facebook and Twitter, QAnon Followers Flock to Fringe Sites," NPR, January 31, 2021.

(46) "Trends in Online Foreign Influence Efforts," Empirical Studies of Conflict Project, July 8, 2019.

(47) "7 Out of the 10 Most Viral Articles About Angela Merkel on Facebook Are False," BuzzFeed, July 27, 2017.

(48) "Fake Black Activist Accounts Linked to Russian Government," CNN, September 28, 2017; "Exclusive: Russian-Linked Group Sold Merchandise Online," CNN, October 6,

2017.

(49) William C. Schambra, “Local Groups Are the Key to America's Civic Renewal,” Brookings Institution, September 1, 1997.

(50) 著者によるジェナ・ケインへのインタビュー、2021年4月。

(51) “How Citizen University Is Building an Army of Civic Leaders,” Shareable, March 18, 2019.

(52) 著者によるエリック・リウへのインタビュー、2021年4月。

(53) 2021年1月16日開催の市民土曜礼拝にてケイト・タッカーとの間で交わされたエリック・リウの会話より引用。

(54) Zoltan L. Hajnal, *Changing White Attitudes Toward Black Political Leadership* (Cambridge: Cambridge University Press, 2006).

(55) “Gross Domestic Product By State, 3rd Quarter 2020,” Bureau of Economic Analysis, December 23, 2020.

(56) なお、ハワイは旧来、非白人の多い州であり、ニューメキシコはカリフォルニアに先んじて非白人が増加している。Kathleen Murphy, “Texas Minorities Now the Majority,” Pew Charitable Trusts, August 11, 2005.

(57) 米国労働統計局、カリフォルニア州失業率、セントルイス連邦準備銀行FREDより取得（雇用についてはコロナ禍以前の1998年の6％から2020年には4.2％に低下、コロナ蔓延時には約9％に跳ね上がっている）。

(58) “Prop. 187 Backers Elated—Challenges Imminent,” *Los Angeles Times*, November 9, 1994; “Pete Wilson Looks Back on Proposition 187 and Says, Heck Yeah, He'd Support It All Over Again,” *Los Angeles Times*, March 23, 2017.

(59) “California Is Making Liberals Squirm,” *The New York Times*, February 11, 2021.

著者紹介

バーバラ・F・ウォルター（Barbara F. Walter）

カリフォルニア大学サンディエゴ校政治学教授。シカゴ大学政治学M.A.およびPh.D.取得。国際安全保障の権威であり、内戦、非通常型暴力、交渉と紛争に重点を置いている。オンラインマガジン「Political Violence at a Glance」を運営。『ワシントン・ポスト』『ウォールストリートジャーナル』『ロサンゼルスタイムズ』『ロイター』『フォーリン・アフェアーズ』などへの寄稿多数。本書は、『フィナンシャル・タイムズ』『サンデー・タイムズ』『エスクァイア』の2022年ベストブックに選ばれている。

訳者紹介

井坂康志（いさか やすし）

1972年埼玉県加須市生まれ。早稲田大学政治経済学部卒業、東京大学大学院人文社会系研究科博士課程単位取得退学。商学（博士）。東洋経済新報社を経て、現在ものつくり大学教養教育センター教授、石橋湛山記念財団研究員。著書に『P・F・ドラッカー――マネジメント思想の源流と展望』（文眞堂、経営学史学会奨励賞受賞）、翻訳書に『ドラッカーと私』（NTT出版）等。

アメリカは内戦に向かうのか

2023年4月6日発行

著　者――バーバラ・F・ウォルター
訳　者――井坂康志
発行者――田北浩章
発行所――東洋経済新報社
〒103-8345　東京都中央区日本橋本石町1-2-1
電話＝東洋経済コールセンター　03(6386)1040
https://toyokeizai.net/

装　丁…………秦　浩司
DTP…………アイランドコレクション
印刷・製本……丸井工文社
編集協力………パプリカ商店
編集担当………渡辺智顕

Printed in Japan　　ISBN 978-4-492-44473-3